Suzanne Vermeer

Route du soleil

A.W. Bruna Fictie

© 2013 Suzanne Vermeer
© 2013 A.W. Bruna Uitgevers, Utrecht

Omslagbeeld
© Terry Bidgood/Trevillion Images (zonnebloemen)
Omslagontwerp
Wil Immink

ISBN 978 94 005 0255 0
NUR 332

Tekstfragment liedje hoofdstuk 27
Rust mijn hand – A. Steffensen

Hij observeerde en concludeerde. Pikte ze er zo uit. Je had twee soorten. De goedzakken die er dolgelukkig van werden als ze anderen konden pleasen. Allemaal vanwege een misplaatst gebrek aan eigenwaarde. En je had de avonturiers. Die het wel spannend vonden en altijd op zoek waren naar een kick. Beide groepen kon hij moeiteloos bevredigen, zonder dat hij zichzelf tekortdeed. Hij hield van de macht, de controle die hij over ze had. Van het manipuleren en het grensoverschrijdend verleiden.

Zijn ogen die hun huid streelden. Hij voelde het overal, maar zij hadden geen idee. Dat maakte het extra opwindend. Aanraken met zijn ogen deed hij het allerliefst. Daar kon geen fysieke aanraking tegenop. Pupil over vel.

Als eerste kwam de opperhuid aan de beurt, ook wel epidermis genoemd. Het bestond uit een vijftal lagen die allemaal hun eigen geheimen bevatten. Huid herbergde een schat aan informatie en het gros van de mensen was zich daar niet van bewust. Hij wel. Je kon zoveel over iemand te weten komen door alleen maar goed te kijken. Je hoefde er geen woord voor te wisselen.

Een grauwige gelaatskleur was een teken van roken en een ongezonde levensstijl. Rode adertjes op neus en wangen wezen vaak op een drankprobleem. Een wittige kring rond de mond was een handtekening van de ladyshave waarmee overmatige haargroei te lijf was gegaan. Verdriet gaf huid een sombere dofheid en blijdschap en levenslust zorgden voor een glanzende gloed. Een vettige huid was vaak inherent aan een acneverleden waaraan de pokdalige littekens voor altijd zouden herinneren. En dat waren nog slechts conclusies die getrokken konden worden uit de simpele, oppervlakkige observaties van die eerste laag.

Meestal ontbrak het aan tijd om verder te kijken, om echt de diepte in te gaan. Maar toch was dat wat hij wilde, dus die tijd nam hij ongeacht of het kon of niet. Een goede voorbereiding was het halve werk. Het draaide allemaal om beheersing en geduld. Volledige controle om de innerlijke drang voldoende in toom te houden. Hij liet zich leiden door zijn innerlijke gids, maar volgde zijn eigen tempo.

Hij voelde steeds sterker dat het weer tijd begon te worden. Het was alweer te lang geleden. De onrust in zijn hoofd nam toe, maakte hem soms gek. Het zoemende geluid in zijn kop zwol weer aan, elke dag een beetje meer. De opmaat naar een climax die totale rust zou brengen. Verlossing voor zolang als het duurde.

De lat moest steeds hoger voor hetzelfde resultaat. Er moest een einde komen aan de hectiek in zijn hoofd en dat kon maar op één manier.

1

'Sem, laat je zusje nou eens met rust!' Marits stem klonk wanhopig, tegen het overspannene aan. Het was elke dag hetzelfde liedje met die kinderen. Eerst begonnen ze braaf met elkaar te spelen, maar het eindigde altijd met een hoop gekrijs en geschreeuw.

Zo ook vandaag weer. De kleine Lotte stortte zich huilend in haar armen, op de voet gevolgd door haar oudere broer. Ze tilde het meisje op om haar te troosten en keek Sem streng aan. De jongen leek niet onder de indruk en stak zijn tong naar haar uit.

Hoeveel ze ook van haar kinderen hield, steeds vaker verlangde ze stiekem terug naar de tijd dat ze nog geen moeder was, maar gewoon Marit, een één meter zeventig lange vrouw met rossig, krullend haar, groene ogen en guitige sproeten op haar wangen. Een vrouw die hield van paardrijden en dinertjes bij kaarslicht en die zich urenlang kon laten opslokken door een goed boek. Een sociale inborst, een opperbest humeur en levenslust waren net zo met haar verbonden als de zon met de maan. En kijk eens hoe ze er nu bij zat. In de steek gelaten door haar man voor een jonger exemplaar, uitgeblust en zichzelf al jaren kwijt. Ze was eenendertig jaar en haar leven stond volledig in het teken van zorgen voor de kinderen. Aan zichzelf kwam ze helemaal niet meer toe.

Haar eerste kind, Sem, was een 'ongelukje' geweest. Op vierentwintigjarige leeftijd ontmoette ze Hans op een concours hippique. Zij toeschouwer op de tribune, hij eigenaar van een van de wedstrijdpaarden. De twintig jaar oudere Hans was een aantrekkelijke, vlotte man. In eerste instantie ging ze niet op zijn avances in, omdat ze zich niet voor kon stellen dat zo'n wereldwijze man zich serieus voor haar interesseerde.

Hij strikte haar voor een date waar ze schoorvoetend en zonder verwachtingen mee akkoord ging. Die avond sprong de vonk in alle hevigheid over. Hans wist haar ervan te overtuigen dat het wat hem betreft geen spielerei was en dat hij graag vervolg gaf aan hun kennismaking. Na de derde date bleef hij slapen en vergat ze in haar gretigheid de condooms te gebruiken die ze de dag ervoor had gekocht. Ook Hans nam zijn verantwoordelijkheid op dat gebied niet, en het zaadje voor Sem was geplant. Toen haar menstruatie de daaropvolgende maand uitbleef, sloeg de schrik haar om het hart. Een zwangerschapstest wees uit dat haar zorg terecht was.

De eerste paar weken van haar zwangerschap verzweeg ze het kindje in wording voor Hans, bang om hem te verliezen als ze hem deelgenoot zou maken van de 'blije' boodschap. Maar op het moment dat haar lichaam begon te veranderen en haar hormonen hun eigen leven gingen leiden, ontkwam ze er niet langer meer aan.

Hans reageerde boven verwachting enthousiast en nam haar mee naar Saint-Tropez om het te vieren. Tijdens een etentje bij Café Milano, dat bekendstond om zijn heerlijke pizza's en pasta's en gelegen was aan een groot plein met prachtige bomen, vroeg hij haar ten huwelijk. Hoewel de pasta haar uitstekend smaakte, kon ze daarna geen hap meer door haar keel krijgen van opwinding.

'Ik word vader!' had hij over het plein gebruld. 'Het mag mijn kind aan niets ontbreken!'

Overdonderd door zijn devotie voor haar en het ongeboren kind zei ze ja, zich niet voldoende realiserend dat de man met wie ze in het huwelijksbootje zou stappen, eigenlijk een onbekende voor haar was. Haar ouders waardeerden haar overhaaste beslissing allerminst, maar legden zich uiteindelijk bij haar keuze neer.

Het huwelijk vond in klein gezelschap plaats. Zelf had ze altijd gedroomd van een grote prinsessenbruiloft, maar Hans wilde het graag kleinschalig en eenvoudig houden. Aangezien hij de kosten voor zijn rekening nam, schikte ze zich naar zijn wensen. 'Ik steek mijn geld liever in ons kind dan in een feest dat met een paar uur voorbij is.'

Met het verhaal dat je huwelijk de mooiste dag van je leven is, die je voor altijd in je hart meedraagt, hoefde ze bij Hans niet aan te komen. Voor hem was het zijn derde huwelijk en zijn geloof in de ware had behoorlijk wat deuken opgelopen. Op dat moment kon ze niet begrijpen dat zijn twee ex-vrouwen hem hadden laten gaan. Maar nu snapte ze dat als geen ander. Haar afgunst jegens de ex-vrouwen was zelfs omgeslagen in groot respect aangezien zij het langer met Hans hadden uitgehouden dan zij.

Na de geboorte van Lotte reduceerde de eerder fel brandende passie tot niet meer dan een bescheiden waakvlammetje. Het feit dat Lotte een huilbaby was, had daar zeker mee te maken. Beiden waren ze geïrriteerd door het gebrek aan nachtrust en Hans drukte steeds vaker zijn snor en liet haar met de ellende zitten. Hij kwam steeds later thuis en bemoeide zich nauwelijks nog met haar en de kinderen. In het begin vroeg ze nog waar hij was, maar na het herhaaldelijk uitblijven van een verklaring, liet ze het er maar bij zitten. De kleintjes hadden haar nodig en eisten al haar aandacht op.

De spaarzame momenten dat Hans thuis was, klaagde hij steen en been over het missen van zijn vrijheid en de verstikkende wurggreep van het gezin. Totale onzin, want als er iemand klem zat in de situatie dan was zij het en niet Hans. Van liefhebbende echtgenote veranderde ze in een cynische gedoogpartner die in dienst stond van iedereen behalve van zichzelf.

Zelfs de eer om een einde te maken aan het huwelijk gunde Hans haar niet. Op een dag kwam hij thuis met de mededeling dat ze haar spullen kon pakken omdat Claire bij hem introk. En of ze de kinderen mee wilde nemen, want die pasten niet in zijn nieuwe leven. *C'est ça.* Tot op die dag had ze de naam Claire nog nooit over zijn lippen horen komen en voor het feit dat hij zijn kinderen dumpte alsof het versleten knuffelbeesten waren, zou ze nooit begrip op kunnen brengen.

In allerijl moest ze op zoek naar nieuwe woonruimte voor haarzelf en de kids. Dat viel nog niet mee. Een scheiding an sich was geen geldige reden voor een urgentieverklaring van de woningbouwvereniging, maar het feit dat ze met twee kleine kinderen zat die zo snel

9

mogelijk gehuisvest moesten worden was dat wel. Ze kreeg voorrang en kon uiteindelijk toch nog op vrij korte termijn een huurhuisje betrekken. Tot het moment dat ze de sleutel kreeg, logeerde ze met Sem en Lotte bij haar ouders.

De band met haar vader en moeder was gelukkig onverminderd goed gebleven, ook al stonden ze destijds niet achter haar overhaaste huwelijk met Hans. Ze was niet te beroerd om het boetekleed aan te trekken en haar ouders met terugwerkende kracht gelijk te geven. De kinderen waren dol op opa en oma en Sem wilde het liefst dat ze bij hen bleven wonen. Hoe lief ze haar ouders ook vond, van het idee alleen al kreeg ze de kriebels. Ze was een zelfstandige vrouw die haar eigen boontjes dopte, ook zonder man. Met de belofte dat hij een Batman-slaapkamer kreeg in het nieuwe huis, ging Sem echter snel overstag. 'We kunnen ook heel vaak op bezoek gaan bij opa en oma, toch, mama?' Lotte was nog te klein om alle commotie te snappen en verhuisde met haar ontwapenende kinderlachje mee zonder te mokken.

Aanvankelijk had ze met Hans afspraken gemaakt over co-ouderschap. In het begin hield hij zich eraan, maar de laatste tijd hield hij steeds vaker de boot af. Hij had er een handje van om op het laatste moment te laten weten dat hij in het betreffende weekend toch niet voor de kinderen kon zorgen. Soms belde hij een uur van tevoren af en zette haar daarmee voor het blok. Ze kon de kinderen niet in de steek laten, zij konden er ook niks aan doen dat hun vader zo'n lamlul was. Haar eigen afspraken weer afzeggen was de enige optie.

Ze keek op haar horloge, terwijl het nasnikkende meisje nog in haar armen hing. Sem was voordat ze hem tot de orde kon roepen al stampend naar de woonkamer vertrokken en zat nu de animatieserie *Er was eens...* te kijken. Haar zoon kon geen genoeg krijgen van de educatieve, oorspronkelijk Franse serie voor kinderen tot acht jaar. De thema-dvd *Er was eens: De Ruimte*, waarin de geschiedenis van het heelal in zes afleveringen uit de doeken werd gedaan, was zijn absolute favoriet. Eigenlijk verafschuwde ze ouders die hun kinderen maar achter de dvd-speler zetten om ze rustig te krijgen zodat ze even geen politieagent hoefden te spelen, maar inmiddels maakte ze zelf ook dankbaar gebruik van deze 'methode'. Het feit dat haar kind voornamelijk educatieve filmpjes keek en er nog wat van opstak, verzachtte haar schuldgevoel een beetje.

De zesjarige Sem was een slimme jongen en hij was zijn leeftijdsgenootjes over het algemeen ver vooruit. Hij vond door zijn intelligentie wat moeilijk aansluiting bij de kinderen uit zijn klas. Zijn broodnodige brilletje en niet al te hippe kleren hielpen in dat opzicht ook niet echt mee. Graag zou ze hem wat moderner kleden, maar ze had er simpelweg het geld niet voor. Ze werkte zich een slag in de rondte en kwam maar net rond. Kinderen waren nu eenmaal duur en zelf schoot ze er al jaren bij in.

Van Hans hoefde ze in dat opzicht ook niet veel te verwachten. Niet dat hij het geld niet had, sterker nog, hij bulkte ervan, maar hij was gewoon te beroerd om het met zijn kinderen te delen. Zijn nieuwe liefje Claire was nogal een luxepopje en deed zich flink te goed aan het budget dat eigenlijk voor Sem en Lotte was bedoeld. Ze had geen puf om hem via de rechtbank te dwingen zich aan de alimentatie te houden. Er waren al meer dan genoeg heftige woorden gevallen en haar strijdlust was inmiddels tot een dieptepunt gedaald. Alle beetjes zijn mooi meegenomen werd haar basishouding richting Hans. Dat gold zowel voor de financiële als de opvoedkundige kant.

Hans verwachtte de kinderen volgens afspraak over een uur. Ze hield er terdege rekening mee dat haar telefoon elk moment kon gaan en hij weer met een of andere rotsmoes afbelde. Tot nu toe bleef het stil. Ze streelde Lotte over haar blonde vlechtjes en wreef de laatste tranen van haar gezichtje. 'We gaan zo naar papa. Ga je Nijn vast pakken?' Het meisje knikte weinig enthousiast maar liet zich toch zonder protesteren op de grond zetten. Met peuterwaggelpasjes vertrok ze naar de speelkamer. Marit glimlachte vertederd bij het zien van haar eigenwijze Pamper-kontje dat haar overgooiertje licht deed opbollen. Ondanks het feit dat ze bijna vier was, was ze nog steeds niet helemaal zindelijk. Ook qua motoriek liep ze een beetje achter. De vechtscheiding met Hans was het meisje niet ten goede gekomen. Ze had meer aandacht en begeleiding nodig dan één ouder haar kon geven.

Even later kwam Lotte weer tevoorschijn met haar lievelingskonijn stevig in haar armpjes geklemd. Marit trok het kind haar jasje aan en riep naar haar grote broer: 'Sem! Ik ga jullie zo naar papa brengen, zet je de tv uit?'

De dvd schalde onverminderd door en verder kwam er geen enkele reactie. Zuchtend liep ze naar de woonkamer, pakte de afstandsbediening van de bank en zette resoluut de tv uit.

Sem keek verstoord op. 'Hé!' riep hij verontwaardigd. Rode blossen sierden zijn wangen van het ingespannen kijken.

'Sorry, jongen, maar het is tijd om je jas aan te trekken, anders zijn we niet op tijd bij papa.'

Sems gezicht betrok onmiddellijk. 'Mag ik niet thuisblijven, mam?'

'Nee schat, dit weekend staat in het teken van quality time met je vader. En Claire,' voegde ze er haastig aan toe. 'Laten we vooral Claire niet vergeten.'

2

Met Lotte op haar arm en Sem aan haar hand liep ze naar de voordeur van haar voormalige woonhuis. Ze was vijf minuten te vroeg. Ze twijfelde of ze nog even zou wachten met aanbellen. Nu Hans' papaweekend definitief door leek te gaan, wilde ze hem op geen enkele manier irriteren. Bang dat hij haar alsnog met de kinderen liet zitten en dat ze voor de zoveelste keer haar eigen plannen moest cancelen.

Sem keek haar vragend aan. 'Waarom bel je niet aan, mama?'

Ze liet zijn handje los en drukte na enig aarzelen op de bel. 'Je hebt ook gelijk, schatje,' mompelde ze meer tegen zichzelf dan tegen hem. Bij het horen van het dingdonggeluid trok er een zenuwenkriebel door haar buik. Ze zag er altijd ontzettend tegen op om de confrontatie met Hans aan te gaan. Het was altijd maar weer afwachten in wat voor bui hij zou zijn. Meestal niet te pruimen, maar soms keek hij haar ineens op die speciale manier aan waar ze voorheen van in vuur en vlam raakte. En als ze eerlijk was, liet dat haar nog steeds niet onberoerd.

Even hoopte ze dan dat het gedoe met Hans niet meer was dan een nare nachtmerrie waar ze uit ontwaakte. Dat ze weer het gezinnetje van weleer vormden, maar dan zonder alle irritaties en ruzies. Ze verafschuwde zichzelf om deze gedachten. Je moest wel stekeblind zijn als je niet zag dat Hans haar liefde niet waard was. Maar haar kinderen hadden een vader nodig en ze was bereid om daar als het moest een hoge prijs voor te betalen. Enige zelfopoffering was haar niet vreemd. Ze vond het vreselijk dat Sem en Lotte niet op een normale manier opgroeiden. Dat ze niet net als zijzelf een onbezorgde, gelukkige jeugd hadden met ouders die zielsveel van elkaar hielden.

Ze hoorde wat geluid achter de gesloten voordeur. Ze zag voor zich hoe haar ex met zijn typische Hans-loopje naar de deur kwam. Niet op kousenvoeten maar op zijn leren schoenen waar hij bijna mee vergroeid was. 'Leren zolen ademen en zijn beter voor je voeten,' was altijd het argument waar hij zijn schoenkeuze mee verdedigde.

'Ik hoop voor die zolen dat ze alleen ademen en niet ruiken,' giechelde ze dan.

Ze hoorde wat gemorrel aan de deur. Sleutel aan de binnenkant die omdraaide, haken die ontgrendeld werden. Hans was als de dood dat hij nog eens slachtoffer van een woningoverval werd en had serieuze beveiligingsmaatregelen genomen in en om het huis. In het begin moest ze daar erg aan wennen. Het instellen van het alarm als ze het huis verliet, was een studie op zich. Regelmatig vergat ze de code, evenals het goed afsluiten van alle afzonderlijke ruimtes. Dat bleek een duur geintje nadat de politie een aantal keer voor niets was uitgerukt vanwege het stille alarm. Ja, dat waren nog eens tijden.

Sem wipte ongedurig van zijn ene voet op de andere en zuchtte eens diep. Op dat moment ging de deur met een zwaai open. Bij de aanblik van haar vader dook Lotte verlegen weg en legde haar gezichtje in Marits hals. Haar knipperende wimpertjes kietelden tegen haar blote huid. Sem keek wat onbeholpen omhoog naar de grote man voor hem.

'Dag jongeman,' baste Hans naar zijn zoon. Hij stak zijn hand uit om de jongen over zijn bol te aaien, maar Sem dook behendig weg en liep langs hem heen naar binnen. Naar zijn oude speelkamer, vermoedde Marit. Lotte klemde zich nog eens extra stevig aan haar vast.

'Lot, mama krijgt een beetje een lamme arm, ik ga je even op de grond zetten.' Verwoed schudde ze nee.

'Zal papa jou eens even vasthouden, Lotje?'

'Nee, wil niet,' reageerde ze met een gesmoord stemmetje. 'Neerzetten.' Voorzichtig liet Marit het meisje zakken dat meteen achter haar benen wegdook. Hans bekeek het schouwspel met enige irritatie. 'Niet zo raar doen, Lotte, ik ben je vader.'

Het kind begon zachtjes te snikken. 'Lotte bij mama blijven. Lotte vindt veel leuker.'

'We gaan straks samen met Claire naar de dierentuin, en dan moet jij eens opletten hoe leuk het bij papa is.'

'Claire is stom en ik bang van dieren,' pareerde het kind.

Marit streek Lotte zachtjes over haar hoofd. 'Sst, rustig maar,' suste ze. Ze zag dat Hans zich opmaakte om hun dochter een standje te geven. 'Ze moet gewoon weer even aan je wennen, Hans, ze heeft je alweer een maand niet gezien. Kinderen op deze leeftijd zijn nou eenmaal eenkennig.'

'Is dat een verwijt, Marit?'

'Nee, een constatering.'

'In tegenstelling tot jouw leven bestaat het mijne uit meer dan alleen de kinderen. Ik heb een verantwoordelijke baan en moet af en toe ook even een weekend ontspannen.'

'O, en dat geldt niet voor mij? Ook ik heb een baan en weet je hoe lang het geleden is dat ik me eens heb kunnen ontspannen? Ik kan het me niet eens meer heugen.'

'Tsja, soms zit het mee en soms zit het tegen, Marit. Zo gaat dat nou eenmaal in het leven.'

'Net alsof jij ook maar iets afweet van het leven. Wanneer heb jij voor het laatst een *reality check* gedaan?'

Voordat Hans kon reageren, hoorden ze Claire aankomen. Haar ex draaide zich met een glimlach om.

'Dag Claire,' groette Marit haar rivale. Meer dan een kort hoofdknikje kon er niet af. De vrouw voor wie Hans haar had verlaten, droeg een donkerroze sportpakje met een strak lijfje. Haar bruine, lange benen waren oogverblindend glad. In haar blonde haar droeg ze een roze zweetband. Haar wangen bloosden licht en ze hijgde nog wat na van de inspanning die ze blijkbaar had geleverd. Ze nam een paar flinke teugen van het flesje AA Drink in haar hand.

Marit walgde bij het zien van haar ultrastrakke buik en het ontbreken van enig vetweefsel en sinaasappelhuid. Twee problemen waar zijzelf en het overgrote deel van de vrouwelijke wereldbevolking, duidelijk wel mee te kampen had. Wat haar chagrijn enigszins verzachtte, was het feit dat ze Claire op het gebied van intelligentie in elk geval ruimschoots versloeg. Claires gebrek aan vetweefsel kwam één op één overeen met een gebrek aan hersencellen. Marit begreep niet hoe de goed ontwikkelde Hans het uithield met zo'n dom wicht. Dat mooie uiterlijk was niet meer dan een lege huls, dat moest hij toch ook inzien? Ze kon er nog uren over doorgaan, maar ze zag ook wel in dat dat verspilling van haar kostbare tijd was. Terug naar de orde van de dag dus maar.

'Kom, Lot, ga maar naar binnen, dan haal ik de spullen even uit de auto,' spoorde ze haar dochter vriendelijk aan. Het meisje bleef aarzelend staan en verschuilde zich nog wat verder achter haar benen. Hans liep naar buiten en pakte zijn dochter kordaat op. Ze probeerde zich tegen beter weten in aan de greep van haar vader te ontworstelen.

'Mama, ik wil bij jou blijven,' jammerde Lotte. Het paniekerige stemmetje sneed door haar ziel. Hoezeer ze zich ook verheugde op een weekendje zonder de kinderen, het hier achterlaten van haar vlees en bloed ging haar niet in de koude kleren zitten. Zeker omdat ze wist dat de kinderen veel meer aan haar hingen dan aan hun vader.

'Afgelopen, Lotte,' corrigeerde Hans afgemeten.

'Vraag maar of papa je op de grond zet, dan kun je je broer gaan zoeken,' zei Marit. Het meisje stopte met snikken en knikte. Hans zette haar neer en ze dribbelde het huis binnen. Ze struikelde nog net niet over de drempel.

'Voeten optillen!' commandeerde Hans het meisje geïrriteerd.

Marit hield wijselijk haar mond, maar het kostte haar grote moeite. Het liefst zou ze tegen Hans zeggen dat zijn dochter geen onwillige werknemer was die hij de wet kon voorschrijven, maar een piepklein mensje dat nog niet zo zelfverzekerd in de wereld stond.

'Ik haal de tassen even,' deelde ze Hans kortaf mee. Voordat er een reactie kwam, was ze al op weg naar de auto. Hans bood haar nooit aan om even te helpen dragen en van die trut hoefde ze al helemaal niets te verwachten. Enigszins jaloers dacht ze aan de zwartgelakte en perfect gemanicuurde nagels van Claire. Die van haar waren af-gekloven stompjes met rafelrandjes. Als kind beet ze al op haar na-gels als ze onder druk stond en dat was nog steeds niet veranderd, ondanks het feit dat haar moeder er alles aan had gedaan om het tegen te gaan. Ze gruwelde nu nog bij de gedachte aan het smerige goedje dat haar moeder destijds op haar nagels smeerde. Maar door de rust die het nagelbijten haar gaf, nam ze de vieze smaak voor lief en had het weinig effect. Sommige slechte gewoontes moest je in ere houden, maakte ze zichzelf maar wijs.

Ze keek nog eens achterom, maar haar ijdele hoop dat Hans of Clai-re haar toch nog waren gevolgd om te helpen met sjouwen was tever-geefs. Zuchtend maakte ze de kofferbak van haar blauwe Volkswa-gen Polo-stationwagon open en tilde de bagage van de kinderen er-uit. Lottes spullen zaten in een schattig Hello Kitty-koffertje dat Hans haar een keer in een gulle bui had gegeven. Sem had zijn boeltje in een zwarte sporttas gepropt. Sinds een aantal maanden stond hij erop dat hij zijn eigen tas inpakte. Hoewel ze niet altijd gelukkig was met het resultaat liet ze hem toch zijn gang gaan. Zelfstandigheid moest je niet afremmen maar stimuleren vond ze. Die paar kreukels in de door haar zorgvuldig gestreken kleren nam ze maar voor lief.

Na het afsluiten van de auto liep ze met de spullen terug naar het huis. De voordeur stond nog open maar zowel de kinderen als Hans en Claire waren verdwenen. De wielen van Lottes koffertje maakten behoorlijk wat lawaai op de ongelijke stoeptegels. Het laatste stukje naar het huis ging moeizaam door het grind. De wieltjes blokkeer-den om de haverklap en de koffer zwiepte van links naar rechts. Ze kreeg een lamme arm van de tas van Sem. Het ding was loodzwaar. Had die jongen een paar bakstenen ingepakt of zo?

Met het dichtslaan van de voordeur kondigde ze haar komst in het huis aan. Ze liet de bagage in de gang staan en liep door naar de grote woonkamer. Hans zat zoals ze al vermoedde in zijn bruine le-ren stoel met in zijn ene hand een groot glas port en in de andere een dikke sigaar. Een gele trui lag losjes over zijn schouders heen gedra-peerd. Hij sloeg zijn in corduroy broek gehulde benen tevreden over elkaar. Sinds een tijdje droeg hij die vreselijke broeken omdat hij dat meer bij zijn leeftijd vond passen. In 'haar' tijd droeg hij tenminste nog hippe spijkerbroeken met een overhemd. En nu? Snelle auto, groen blaadje, een hoop blabla en een dikke sigaar in zijn mond. Het woord cliché was nog te veel eer voor Hans.

'Je weet dat ik niet wil dat je rookt waar de kinderen bij zijn, Hans,' las ze hem de les. 'Meeroken is minstens zo schadelijk als zelf roken.'

'De kinderen zijn in de speelkamer, Marit, dus zeur niet. De tijd dat jij hier wat te vertellen had, is voorbij. Ik bepaal wat er in mijn eigen huis gebeurt en niemand anders.' Met een cynische blik in zijn ogen hief hij het glas, liet de port walsen en nam een stevige slok. Ze hoorde het spul door zijn keel glijden en met een genoeglijk aaah-geluid likte hij aan zijn lippen.

'Waar is Claire? Bij de kinderen?'

'Claire is douchen. Die kinderen vermaken zich uitstekend met z'n tweeën.' Hans had de zin nauwelijks uitgesproken of er klonk gekrijs verderop uit het huis.

'Wel verdraaid!' Hans zette zijn portglas op het glazen tafeltje naast zich en legde de rokende sigaar in de asbak. Met grote passen beende hij naar de speelkamer. Marit volgde hem in allerijl aangezien ze Hans nog nooit op veel geduld en tact had kunnen betrappen. Waarschijnlijk zou hij het alleen maar erger maken.

'Ophouden jullie,' brulde hij. Sem bevroor en Lotte begon ongecontroleerd te snikken bij het horen van de zware mannenstem. Onmiddellijk leken ze hun onderlinge strijd te vergeten. In die zin had de aanpak van Hans wel effect. Ze keek haar ex vernietigend aan en trok beide kinderen tegen zich aan. 'Luister eens naar mama, schatjes. Doen jullie een beetje lief tegen elkaar? Dat zou mama heel fijn vinden. Zullen we afspreken dat jullie tot zondagavond geen ruziemaken?'

Sem keek haar met zijn grote ogen aan en knikte ernstig. Lotte had haar gesnik weer onder controle en reageerde met een dun stemmetje: 'Sem is best lief.'

'Sem is hartstikke lief en jij ook.' Ze trok zachtjes aan de blonde vlechtjes van haar dochter.

'Kun je niet blijven, mam?' fluisterde Sem haar zachtjes in haar oor. 'Nee lieverd, dat gaat niet. Papa en Claire zorgen dit weekend voor jullie. Zondagavond haal ik jullie weer op, oké?'

Sem haalde zijn schouders op en leek zich er eindelijk bij neer te leggen dat hij samen met zijn zusje dit weekend bij zijn vader moest doorbrengen, al was het niet van harte. Hij was inmiddels groot genoeg om zich te redden, maar Marit maakte zich zorgen om de kleine Lotte die duidelijk meer begeleiding nodig had. Claire beschikte niet over opvoedkundige kwaliteiten of moederinstinct en Hans was de verpersoonlijking van de man die op zondagavond het vlees sneed. Ze kon maar beter gaan voordat ze de kinderen weer in de auto zette en mee naar huis nam. Ze moest zelf even opladen.

Ze gaf haar oogappeltjes een laatste kus en verliet de ruimte met het gevoel dat ze een ontaarde moeder was die haar kinderen aan de goden overleverde. Toen Hans niet volgde mompelde ze: 'Ik kom er zelf wel uit hoor, geen probleem.'

De verlaten gang waar ze doorheen liep, symboliseerde de leegte in haar hart.

3

Marit baalde van zichzelf. Eindelijk had ze even tijd voor zichzelf en nu verspilde ze die. Er was al een uur verstreken zonder dat er iets uit haar vingers kwam. Waar bleef ze nou met al haar plannen? Nergens, dat was wel duidelijk.

Nu Sem en Lotte even niet onder haar hoede waren, miste ze haar kinderen ontzettend en werd ze verteerd door bezorgdheid. Zouden ze niet te veel ruziemaken en zo wel, wist Hans zijn geduld dan voldoende te bewaren? Was Claire een beetje lief voor de kleintjes of was ze alleen maar met zichzelf bezig? Als Hans ze nou maar niet uit het oog verloor in de dierentuin. Kinderen hadden een speciale gave om in een onbewaakt ogenblik aan de aandacht van volwassenen te ontsnappen.

Ze kreeg nog steeds de kriebels als ze terugdacht aan die keer in de supermarkt. Ze was een pak wc-papier vergeten en liep snel terug naar het gangpad waar het wc-papier lag. Ze stond al in de lange rij voor de kassa en om haar plekje niet kwijt te raken vroeg ze Sem om bij het karretje en zijn zusje te blijven staan. De jongen had gehoorzaam geknikt en ervan uitgaande dat hij haar orders zou opvolgen was ze snel heen en weer gerend. Bij terugkomst stond haar karretje nog keurig in de rij, maar Sem en de buggy met Lotte waren verdwenen.

In paniek vroeg ze de mensen om zich heen of ze iets gezien hadden, maar iedereen hield zich van de domme. De vreselijkste scenario's spookten door haar hoofd. Haar kinderen waren meegenomen door een pedofiel die op dat moment de gruwelijkste dingen met ze deed of een kinderhandelaar had ze te pakken gekregen en probeerde ze het land uit te smokkelen. Moest ze binnen zoeken, of buiten? Als een kip zonder kop liep ze hysterisch door de winkel, de naam van haar kinderen luidkeels herhalend. De manager van de supermarkt werd erbij gehaald en Sem werd omgeroepen door de winkel. Klanten keken vragend op en hervatten hun winkelactiviteiten.

Op het moment dat ze haar verstand dreigde te verliezen, kwam een vrouw die zojuist de winkel had verlaten terug naar binnen, de buggy van Lotte voortduwend en met Sem aan haar hand. 'Zoekt u deze twee soms?'

Marit had Sem en Lotte zo hard geknuffeld dat ze van schrik allebei in huilen uitbarstten.

'Je doet me pijn, mama,' piepte Sem. Met tegenzin liet ze hem los om hem meer ruimte te geven.

'De kleine man reed zijn zusje heen en weer over het parkeerterrein. Ik kon nog net voorkomen dat een auto ze schepte.'

Marit bedankte de eerlijke vindster uitvoerig en richtte zich toen weer tot Sem. 'Mama had toch gezegd dat je op je plek moest blijven staan? Waarom luister jij nooit?' Ze pakte Sem bij zijn bovenarm om haar woorden kracht bij te zetten. De jongen zette het alleen nog maar op een harder krijsen.

'Sem, mama is zich helemaal rot geschrokken toen jullie niet meer bij het boodschappenkarretje stonden. Mama was bang dat er iets ergs met jullie gebeurd was.'

'Lotte ging huilen en ik dacht dat ze wel even naar buiten wilde. Jij gaat toch ook altijd met haar rijden als ze verdrietig is,' verklaarde het jochie zijn ongehoorzaamheid met een klein stemmetje.

Ze liet haar greep op zijn bovenarm verslappen. 'Dat is heel lief van je, Sem, maar mama heeft liever dat je naar haar luistert. Voordat je ergens naartoe gaat moet je altijd op mama wachten, oké?' Sem knikte en staarde beteuterd naar zijn voeten.

'En nooit met vreemde mensen meegaan,' voegde ze er nog aan toe. 'Ook niet als ze je snoepjes beloven.' Ze hoopte maar dat hij deze woorden stevig in zijn oren had geknoopt.

Marit kreeg het weer op haar heupen en liep ongedurig ijsberend door de woonkamer, die wel erg stil en leeg was zonder haar kindjes.

Was het verstandig om Hans nog even te bellen om te zeggen dat hij goed op Sem en Lotte moest letten in de dierentuin? Of was het beter van niet omdat hij daardoor zo geïrriteerd zou raken dat het juist een averechts effect had? Vertwijfeld stond ze met de telefoon in haar hand maar legde hem uiteindelijk toch weer weg.

Op deze manier werd het weekendje voor haarzelf een slijtageslag. Twee kleine kinderen om je heen was minder vermoeiend. Misschien was het toch verstandig als ze even een kijkje ging nemen bij die nieuwe sportschool in de buurt. Ze was al een tijdje van plan om daar eens langs te gaan en het was een mooie manier om haar zinnen te verzetten en haar stress om te zetten in vetverbranding. Ze had behoefte aan een fysieke uitlaatklep en haar figuur kon ook wel wat onderhoud gebruiken na twee zwangerschappen. De extra kilo's was ze door haar jachtige leven inmiddels wel kwijtgeraakt, maar ze hoopte dat ze door wat extra beweging wat strakker en ook lekkerder in haar vel zou komen te zitten.

Ze reed de laatste tijd regelmatig langs de sportschool, terwijl ze uit haar ooghoeken verlangend naar binnen gluurde. Ze was voordat ze moeder werd altijd heel sportief geweest, maar daar was nog maar weinig concreets van terug te vinden in haar huidige leven. Ze miste het soms wel, dat beulen tot het zweet van je gezicht droop en je longen schrijnden van je hijgende ademhaling. Het gevoel dat elke vezel in je lijf tot actie werd aangezet. En na afloop van de training dat heerlijk voldane gevoel en een lijf dat tintelde van de energie ondanks de uitputting.

Zonder verder nog te aarzelen liep ze naar boven om een joggingbroek en een T-shirt te pakken. Mama gaat met de voetjes van de vloer, moedigde ze zichzelf aan. Of ze continuïteit aan deze spontane actie kon geven, zag ze later wel weer. Om erachter te komen of ze het sporten kon inbouwen in haar drukke leven moest ze beginnen met de eerste stap: haar spullen pakken en daadwerkelijk naar de sportschool gaan om zich in te schrijven.

4

De schuifdeuren bij de ingang van de sportschool schoven open. Het was de eerste keer dat Marit het gebouw vanbinnen zag. Met haar schalkse blikken door de ramen had ze zich al wel een beeld gevormd, maar deze live kennismaking zorgde ervoor dat ze nog meer zin had om zich in te schrijven. Kordaat liep ze naar de receptie en groette de man in blauw poloshirt met bedrijfslogo die erachter stond. Goedkeurend nam ze zijn goed geproportioneerde lijf in zich op. 'Hallo, ik ben Marit en ik denk erover om me in te schrijven bij jullie sportschool. Kunt u me vertellen wat de mogelijkheden zijn?'

De man stak zijn hand uit en ze schudde hem. 'Dag Marit, ik ben Roel. Aangenaam kennis te maken.'

'Dat is geheel wederzijds,' mompelde ze terwijl ze zijn warme, stevige hand net iets te lang vasthield. Roel leek er geen problemen mee te hebben, maar ging er verder ook niet op in. Hij was het waarschijnlijk wel gewend dat de vrouwen die hier kwamen trainen zich tot hem aangetrokken voelden. Met tegenzin liet ze zijn hand los.

'Goed, Marit, laten we eerst eens beginnen met wat gegevens van je in het systeem te zetten en daarna zal ik je uitleggen hoe we hier te werk gaan en wat de mogelijkheden zijn qua abonnementen.'

'Dat lijkt me een beetje de omgekeerde volgorde,' liet Marit hem weten. 'Als je me nou eerst eens wat dingen uitlegt dan kan ik op basis daarvan beslissen of het me wat lijkt en me meteen inschrijven. Het zou zonde zijn als je mijn gegevens voor niets invoert, toch?'

'Wat jij wilt, de klant is koning.' Hij greep naar een standaard op de balie en haalde er een folder uit. 'Als je dit nou eens rustig doorleest. Hier staat eigenlijk alles al wel zo'n beetje in wat je moet weten. Mocht je daarna nog vragen hebben, dan hoor ik het wel.' Hij wees naar een limegroene zitbank naast de balie. 'Je kunt hier even rustig gaan zitten. Kan ik je iets te drinken aanbieden?'

'Een glaasje water alsjeblieft, lekker.' Hoewel ze eigenlijk snakte naar een kop koffie besloot ze het maar over de gezonde boeg te gooien. Roel leek het wel te waarderen aan de goedkeurende uitdrukking op zijn gezicht te zien.

'Anderhalve liter water per dag was het toch?' gooide ze er nog een schepje bovenop. Hij knikte. Ze nestelde zich tussen de grote kussens op de bank en sloeg de folder open. Ze was zo geconcentreerd aan het lezen dat ze niet eens opmerkte dat Roel een glas water voor haar neerzette. Wat ze las, sprak haar aan. Om haar trainingsschema te bepalen moest ze eerst een intake ondergaan. Van de abonnements-opties leek de tienrittenkaart haar voor nu een prima keuze. Het ding was een halfjaar geldig en kostte 75 euro. Waarschijnlijk kon ze toch niet vaker dan één keer in de week gaan sporten. Als haar ouders tenminste bereid waren om een extra avond in de week op Sem en Lotte te passen, maar daar ging ze voor het gemak nu maar even van uit.

Vlug klokte ze het glas water achterover en liep met de folder in haar hand terug naar de balie. Roel stond te kletsen met een collega, maar staakte het gesprek onmiddellijk toen hij haar zag.

'Lijkt het je wat?' vroeg hij.

'Zeker,' antwoordde ze. 'Ik zou graag een afspraak maken voor een intake en dan een tienrittenkaart aanschaffen.'

'Hoeveel keer in de week was je van plan om te gaan trainen?'

'Voorlopig één keer in de week.'

'Je weet dat je voor structureel resultaat en spieropbouw drie keer in de week moet sporten?'

'Ja, maar dat gaat me echt niet lukken.'

Roel keek alsof hij nu al teleurgesteld in haar was, terwijl ze nog niet eens was begonnen. Waarschijnlijk zag hij te vaak mensen die in het begin heel enthousiast waren, maar vervolgens de boel weer even snel lieten verslonzen. Iemand die bij voorbaat maar één keer in de week wilde komen, beloofde in zijn ogen blijkbaar niet veel goeds.

'Ik heb twee kleine kinderen en een fulltimebaan en kan niet zomaar weg,' verdedigde ze zichzelf. Het was eigenlijk belachelijk dat ze dat deed, het ging die Roel niets aan hoe zij haar agenda indeelde, maar toch voelde ze de behoefte om uitleg te geven.

'Wat doe je voor werk?' vroeg hij belangstellend.

'Ik ben intercedente bij een uitzendbureau.'

'Een zittend beroep dus. Dan zou het toch beter zijn als je vaker komt sporten...'

'Ik heb net toch al gezegd dat dat niet gaat?' Zijn gedram irriteerde haar. Die vent had er geen idee van hoe zwaar ze het had. Het was al een prestatie op zich dat ze wilde gaan sporten en probeerde een uurtje per week voor zichzelf in te ruimen.

'Twee keer per week dan?' deed hij nog een uiterste poging.

'Meer dan één keer zal voorlopig echt niet lukken, dus het gaat toch echt die tienrittenkaart worden,' reageerde ze kortaf.

Roel leek haar irritatie op te merken en bond in. 'Wat u wilt.'

O, nu was ze ineens een u?

'Wanneer zou u de intake willen doen?' ging hij onverstoorbaar verder.

'Als het vandaag zou kunnen, zou dat heel fijn zijn.'

Zijn vingers vlogen vliegensvlug over het toetsenbord van de computer op de balie. 'Even kijken. Nou, u hebt mazzel, mijn collega Karin heeft over een halfuur nog een gaatje omdat er iemand heeft afgebeld. Als het geen probleem is om even te wachten...'

Marit knikte van niet.

'Als u wilt kan ik u zo wel vast een tour langs de apparaten geven?'

'Graag,' liet ze hem weten. Op verzoek dreunde ze haar gegevens aan hem op, tikte de tienrittenkaart af en volgde hem op de voet naar de sportzaal.

5

Het zweet droop in straaltjes van haar gezicht. Net op tijd voorkwam ze dat het zoute vocht haar ogen in liep. Haar tong voelde kurkdroog aan en haar wangen gloeiden van de inspanning. Haar bidon met water was al bijna leeg. Hier viel niet tegenop te drinken. Verzuring door haar hele lijf. Ze voelde spieren op plekken waarvan ze niet eens wist dat ze er zaten. Toch zette ze dapper door. De seconden tikten tergend langzaam weg. Nog drie minuten en vijfenveertig seconden gaven de rode cijfers op het scherm aan.

Het was de derde keer dat ze de sportschool met een bezoekje vereerde. Ze had haar ouders bereid gevonden om op maandagavond op de kinderen te passen zodat zij een uurtje kon gaan sporten. Sem en Lotte waren dol op opa en oma en vonden het geen enkel probleem. Het was een win-winsituatie voor zowel haar als de kinderen, alleen haar ouders moesten een paar extra uurtjes opofferen, maar beweerden dat graag te doen. Ze wist niet wat ze zonder die lieve mensen moest. Even had ze nog overwogen om Hans in te schakelen op de maandagavond, maar bij het idee aan alle toestanden die dat zou opleveren, zonk de moed haar al in de schoenen en kreeg ze spontaan koppijn. En het was nu juist de bedoeling dat de bezoekjes aan de sportschool haar wat ontspanning boden. In elk geval in haar hoofd.

'Tien, negen, acht...' klonk het op de crosstrainer naast haar.

Verbaasd keek ze opzij. Naast haar stond een slanke vrouw met zwart haar en felblauwe ogen. Haar hoge jukbeenderen en volle lippen gaven haar gezicht iets modellerigs, alsof deze *natural beauty* zo uit een glossy was gestapt. Make-up droeg ze nauwelijks.

'En klaar!' riep de vrouw.

Marits apparaat begon op hetzelfde moment te piepen en kondigde inderdaad het einde van de trainingssessie aan. Hijgend veegde ze haar gezicht af met de handdoek die ze bij het apparaat had gelegd en stapte er wat wankel vanaf. Haar benen tintelden helemaal.

'Ik neem hem van je over als je het niet erg vindt. Ik ben Fiona trouwens.'

Vlug veegde Marit haar zweterige hand af aan haar sportbroekje voordat ze de vrouw de hand schudde. 'Marit, hoi.' Ze stapte aan de kant om de vrouw erlangs te laten en steunde met haar handen op haar knieën om verder uit te puffen.

'Dit is een pittige, hè? Ik doe hem ook nog steeds niet met twee vingers in mijn neus hoor, terwijl ik toch al een jaar consequent train.'

'Nou, dat geeft de burger moed,' mompelde Marit.

'O, zo bedoelde ik het niet, hoor, het was juist een opbeurende opmerking. Dat je niet denkt dat je een conditie als een krant hebt, want iedereen heeft moeite met dat ding.'

Marit lachte aarzelend.

'Kom je hier al lang? Ik heb je hier nog nooit gezien.' Terwijl ze wachtte op het antwoord stelde Fiona de crosstrainer in op het juiste programma.

'Derde keer pas. Uitprobeerseltje.' Nog steeds was ze niet volledig op adem.

'En bevalt je uitprobeerseltje?'

'Ja, als ik de spierpijn niet meereken, geloof ik van wel.' Fiona lachte terwijl ze op start drukte en met haar armen en benen het apparaat in beweging bracht. Zichtbaar geroutineerd bereikte ze in no time de vereiste snelheid en hield dat soepel vol. Marit kon haar bewondering nauwelijks onderdrukken. Met enige afgunst keek ze naar het mooie afgetrainde figuur van Fiona. Zo'n lijf zou zij nooit krijgen met haar één keer in de week een uurtje.

'Hoe vaak train jij?' Marit vreesde het antwoord, maar stelde de vraag toch.

'Elke dag na mijn werk.' Fiona's stem klonk alsof ze op haar gemak een boek zat te lezen en liet niets doorklinken van de inspanning die ze op dat moment toch duidelijk leverde.

'Poeh, dan heb je zeker geen kinderen of partner?' was de enige conclusie die Marit kon trekken.

'Klopt, en dat bevalt me prima. Ik kan gaan en staan waar ik wil. Zalig. En jij?'

'Ik ben wat minder ongebonden. Gescheiden, maar moeder van twee kleine kinderen. Het was al passen en meten om een uurtje sporten op de maandagavond in te plannen.'

'Jeetje, zorgen voor twee kleine kinderen lijkt me al een sport op zich. Dat je nog puf hebt om daarnaast te trainen. Respect.'

'Nou ja, puf is een groot woord, maar een avond in de week met mijn verstand op nul fysiek bezig zijn is toch wel erg prettig. Ergens geeft het ook energie.'

Fiona knikte begrijpend. 'Kan ik me wel wat bij voorstellen, ja.'

'Nou, ik moet weer verder, want de oppas wacht niet. Het was leuk je te ontmoeten.' Marit pakte haar bidon van de grond en maakte aanstalten om naar het volgende apparaat in haar schema te lopen. De *leg press*, wist ze uit haar hoofd.

'Vind je het leuk om op maandagavond samen te trainen?' riep Fiona haar toe. 'Het lijkt mij wel gezellig.'

'Ja leuk, waarom niet? Dat is een extra stok achter de deur om het vol te houden,' reageerde Marit enthousiast.

Sinds ze kinderen had, was haar vriendenkring behoorlijk uitgedund. Het ontbrak haar aan tijd om veel te investeren in sociale contacten en haar belevingswereld liep niet meer parallel met de meiden waar ze voorheen veel mee omging. Die hadden nog geen kinderen en waren met heel andere dingen bezig. Vaak voelde ze zich een roepende in de woestijn en nam een intense eenzaamheid bezit van haar. Een beetje extra aanspraak was dus zeer welkom.

'Volgende week om zeven uur bij de ingang?' stelde Fiona voor.

'Prima, zie ik je dan!' Met de woorden 'Train ze!' liet ze Fiona achter op de crosstrainer en liep zelf naar de leg press waar ze volgens haar schema drie setjes van vijftien moest doen. Ze stopte haar pasje in de kaartlezer, stelde het apparaat in op het juiste gewicht en nam plaats op de handdoek die ze op het stoeltje had gelegd.

6

Leuke meid, die Marit, dacht Fiona terwijl ze haar bezwete gezicht afveegde met haar handdoek. Ze leidde wel een totaal ander leven dan zij, maar dat maakte het juist interessant. In haar vriendenkring had ze eigenlijk niemand die al 'gesetteld' was, laat staan kinderen had en een scheiding achter de rug.

Fiona begaf zich al jaren in het losbolcircuit, zoals ze het zelf noemde. In de weekenden feesten tot je erbij neerviel, uitrusten en dan weer verder feesten. Het was een sport om de hele avond geen cent uit te geven aan drankjes en een leuke man uit te zoeken die dat voor zijn rekening nam. Uiteraard was zij dan ook niet de beroerdste en nam ze zo'n kerel negen van de tien keer mee naar huis. Soms viel het tegen, maar meestal was het geen straf.

Dit vluchtige leventje beviel haar nog steeds, maar heel af en toe begon het haar tegen te staan. Ze besefte maar al te goed dat ze zo niet haar hele leven door kon gaan, dat er een moment kwam waarop ze zich verstandig en volwassen moest gaan gedragen. Het nemen van verantwoordelijkheden waar ze zo'n hekel aan had, hoorde daar ook bij. In dat opzicht zou ze van die Marit heel veel kunnen leren, want een grotere verantwoordelijkheid dan de zorg dragen voor kinderen bestond er in haar ogen niet. Via Marit zou ze eens kunnen snuffelen aan zo'n leven, kijken of het haar enigszins beviel.

En ze was ervan overtuigd dat ze op haar beurt ook iets voor Marit kon betekenen. Wat zij te veel had aan wulpsheid ontbrak bij Marit bijna volledig. Misschien konden ze samen tot een gulden middenweg komen zoals dat zo mooi heette. Zij vond het in elk geval een poging waard, vandaar ook haar voorstel aan Marit om samen te gaan trainen. Marit had er enthousiast op gereageerd, dus volgende week zouden ze elkaar weer in de sportschool zien. Ze verheugde zich erop.

7

'Het wordt echt tijd dat je eens voor jezelf kiest, Marit. Hoe lang is het geleden dat je op vakantie bent geweest?' Fiona keek haar streng aan vanachter haar dampende kop thee. Ze kenden elkaar nu drie maanden en waren inmiddels dikke vriendinnen. Ondanks het feit dat ze elkaar nog maar zo kort kenden, was er vanaf dat eerste moment in de sportschool een enorme klik tussen hen geweest. Marit vond het heerlijk dat Fiona haar verleden niet van dichtbij had meegemaakt en dat ze deze vriendschap met een schone lei kon beginnen. Ongedwongen en spontaan zonder een rugzak aan bagage, oud zeer of andere ongein. Fiona was een prettig persoon om mee om te gaan. Spontaan, altijd vrolijk en ze zat nooit om een praatje verlegen. Sem en Lotte waren dol op 'tante Fiona' die uren met ze doorbracht in de speeltuin, zonder mokken hun schommel voortduwde tot ze er lamme armen van kreeg en standaard op softijs trakteerde op de terugweg naar huis. Hans zou nog wat kunnen leren van de toewijding die Fiona tentoonspreidde aan kinderen met wie ze niet eens een bloedband had.

Marit was ontzettend blij met het nieuwe maatje in haar leven. Herhaaldelijk had ze ervaren dat het maken van nieuwe vrienden niet zo eenvoudig is als alleenstaande moeder. Kinderen werden toch snel als een blok aan het been ervaren. In Fiona vond ze naast een fijne vriendin ook iemand die geen enkel probleem maakte van het feit dat ze minder flexibel was door de zorg voor Sem en Lotte. Eigenlijk begreep ze niet zo goed waarom Fiona het nou zo leuk vond om met haar om te gaan. Ze had een grote vriendenkring, grotendeels zonder kinderen, waar ze alle kanten mee op kon. Het was niet zo dat ze eenzaam was of om sociale contacten verlegen zat. Als ze Fiona ernaar vroeg kreeg ze steevast hetzelfde antwoord: 'Soms heb je gewoon een klik met iemand die je niet kunt negeren. Ik ben een gevoelsmens en als iets goed voelt, waarom zou ik me er dan voor afsluiten? Er worden al genoeg dingen doodgeredeneerd en beargumenteerd op deze wereld en ik weiger daarin mee te gaan.'

Fiona keek haar nog steeds doordringend aan. 'Ik meen het, Marit. Iedereen moet op een gegeven moment ontspannen om weer op te kunnen laden voor zwaardere tijden. Wanneer ben jij voor het laatst echt op vakantie geweest?'

'Vorig jaar ben ik nog met de kinderen naar Center Parcs geweest.'

'Ik zei "echt" op vakantie. Een moeder die met haar kinderen op pad gaat, heeft nooit vakantie. Waar of niet?' Er lag een strenge blik in haar ogen.

'Nou, ik heb een tijdschrift uitgelezen en gezwommen...'

'Nou, petje af, hoor. Eén heel tijdschrift in zeven dagen. Dat klinkt inderdaad als een superrelaxte vakantie waar je lekker van bent uitgerust.' Fiona nipte aan haar thee, maar haar gezicht sprak boekdelen.

'Als je echt wilt uitrusten en tot jezelf wilt komen, moet je zonder kinderen op pad gaan. Wat zou je ervan zeggen als wij eens samen naar Zuid-Frankrijk gaan? Ik heb verder nog geen vakantieplannen gemaakt en ik kom om in de vrije dagen.'

Bij de gedachte aan een ouderwetse lummelvakantie in de warme Franse zon, maakte Marits hart een sprongetje. Maar al snel nam somberheid weer de overhand.

'Dat lijkt me echt fantastisch, maar ik kan Sem en Lotte toch niet aan hun lot overlaten? Wie moet er voor hen zorgen?'

'Hun vader bijvoorbeeld? Het zijn ook zíjn kinderen.'

Omdat Hans zich na de scheiding nou niet bepaald als een liefhebbende en betrokken vader had gedragen, had ze niet eens aan de mogelijkheid gedacht om hem te vragen de zorg voor de kinderen een paar weken op zich te nemen. En dan had ze het nog niet eens over het feit dat Sem en Lotte nou niet bepaald blij werden van de sporadische bezoekjes aan haar ex.

'Buiten het feit dat Hans dat toch niet zal willen, kan ik dat de kinderen toch ook niet aandoen?'

'Hoezo wil Hans dat niet? Heb je het dan al aan hem gevraagd?'

'Uhm, nee, maar ik weet toch al wat hij zal zeggen.'

'Hans is een grote jongen, Marit. Je bent al helemaal voor hem aan het invullen hoe hij zou kunnen reageren. Misschien moet je het hem gewoon eens zelf vragen en wie weet is het antwoord wel heel anders dan jij verwacht.'

Daar had Fiona een punt. Zo had ze het eigenlijk nog nooit bekeken. Veel vragen stelde ze Hans niet eens omdat ze zijn antwoorden op voorhand al kon uittekenen. Maar met die houding ontnam ze hem inderdaad de kans om zelf over dingen na te denken en erop te reageren. En daarmee deed ze ook zichzelf bij voorbaat al tekort. Als ze dingen niet aan hem voorlegde, kon ze het hem ook niet kwalijk nemen dat hij bepaalde dingen niet deed. Wie weet reageerde hij inderdaad wel heel anders dan zij voor hem invulde en zou hij haar vaker helpen als ze erom zou vragen.

'Goh zeg, is me dat even een eyeopener. Ik vul zijn antwoorden inderdaad al in voordat ik hem dingen heb voorgelegd en geef hem daardoor niet de kans zelf op dingen te reageren. Daar ga ik eens wat beter op letten. Maar los daarvan, Lotte en Sem worden doodongelukkig als ze een paar weken bij hun vader moeten blijven. Ze hebben nauwelijks een band met hem en Claire vinden ze vreselijk. Als Hans aan het werk is, komt de zorg voor de kinderen voornamelijk op haar schouders terecht en ik heb nou niet bepaald de indruk dat ze die verantwoordelijke taak heel serieus gaat nemen. Ze is veel te druk met het lakken van haar nagels.'

'Ik snap dat je de kinderen daar niet graag achterlaat, maar we moeten allemaal weleens iets doen waar we geen zin in hebben. Dat hoort nu eenmaal bij het leven. Je kunt ze niet voor alles beschermen, Marit. Als je ze in een glazen huisje laat opgroeien, worden ze nooit weerbaar. Echt, ik ben ontzettend gek op Sem en Lotte, het zijn schatten van kinderen, maar je mag ze best wat minder pamperen.' Op zachtere toon vervolgde ze: 'Ik maak me zorgen om je, Marit. Je bent een jonge vrouw in de bloei van je leven, die zichzelf volledig wegcij-fert. Dat kun je best een tijdje volhouden, maar er komt een moment dat je uitgeblust raakt omdat je jezelf niet de kans geeft om op te la-den. Ik wil dat moment voor zijn en daarom gaan wij samen naar Zuid-Frankrijk. Vraag Hans nou gewoon of hij voor de kinderen kan zorgen en dan gaan we wat plannen.'

'Maar ik heb niet veel geld,' deed Marit een laatste poging.

'Ik kan je wat lenen en we maken het gewoon niet te duur. Er is niets mis met ouderwets kamperen. Ik vind het wel een leuke gedachte dat ik met een rol toiletpapier onder mijn arm naar een sanitairgebouw moet.'

Marit glimlachte. 'Oké, ik zal Hans bellen.' Ze stak haar handen om-hoog in een gebaar van overgave.

Fiona knikte goedkeurend.

8

Nerveus belde ze aan. Ze had besloten om Hans niet te bellen met de vraag of hij op de kinderen wilde passen zodat zij met Fiona op vakantie kon, maar om hem er onverwachts persoonlijk mee te confronteren. Ze was op de bonnefooi naar zijn huis gereden na haar trainingsrondje in de sportschool en hoopte dat hij thuis was. Fiona had aangeboden om met haar mee te gaan, maar ze had haar aanbod afgeslagen. Dit moest ze zelf regelen, hoezeer ze er ook tegen opzag. Fiona meenemen zou een teken van zwakte zijn en Hans waarschijnlijk alleen maar meer irriteren. De kans dat hij positief reageerde, werd dan alleen maar kleiner. De deur ging open en Claire keek haar verbaasd aan. 'Wat doe jij hier?'

'Is Hans thuis?' negeerde ze de vraag.

'Waarom wil je dat weten?'

'Ik moet iets met hem bespreken. Het gaat over de kinderen.'

'Je kunt het ook wel met mij af.' Uitdagend sloeg Claire haar armen over elkaar.

'Ik wil Hans zelf spreken,' herhaalde Marit. Ze liet zich echt niet zomaar afschepen. 'Sem en Lotte zijn de kinderen van Hans en mij en als er iets te bespreken valt dan doe ik dat met hem.'

'Ik ben wel bijna hun stiefmoeder hoor. Hans heeft me gisteravond ten huwelijk gevraagd.' Ze hield haar hand met een opzichtige ring met een triomfantelijke grijns voor Marits gezicht. Marit liet zich niet kennen en feliciteerde haar, maar diep vanbinnen voelde ze een steek van jaloezie. Hans had dus serieuze plannen met die stoeipoes. Een hereniging van haar gezin zat er dus definitief niet meer in. Ergens begreep ze niet waarom ze daar stiekem nog steeds naar verlangde. Misschien omdat het de boel zoveel makkelijker zou maken? Kwam haar wens voort uit liefde of uit praktische overwegingen? Ze wilde het antwoord niet weten. Hoe dan ook, ze vond dat kinderen een vader en een moeder nodig hadden en dat alles in het werk gesteld moest worden om in die basisbehoefte te voorzien.

Helaas faalde ze schromelijk op dit vlak. Het voelde als een persoon-lijk verlies dat ze niet in staat was geweest haar echtgenoot te behou-den. Alsof ze de kinderen hun vader had afgenomen. Had ze wel genoeg haar best gedaan? Ze wist dat die vraag alleen maar met een ja beantwoord kon worden. Ze had meer dan haar best gedaan en de boel tot het uiterste gerekt ten koste van haar eigen geluk. Ze had zelfs een oogje toegeknepen toen ze wist dat Hans vreemdging. Ver-nederend was het geweest en heel slecht voor haar zelfvertrouwen en eigenwaarde, maar ze had het gepikt voor Sem en Lotte.

'Wie is daar?' Hans voegde zich bij Claire in zijn rode velours badjas. Zijn haar was vochtig en er hing een walm van deodorant om hem heen. Hij had vast weer een uur in het luxe bubbelbad gezeten 'om de dag van zich af te spoelen'.

'Marit?' riep hij verbaasd uit. 'Wat doe jij hier?'

'Ik wil iets met je bespreken over de kinderen, mag ik binnenko-men?'

'Nou, we kunnen het zo ook wel af denk ik.' Claire wierp haar een triomfantelijke blik toe.

'Ga jij maar vast naar de slaapkamer, Clairetje, ik voeg me zo bij je.' Kirrend en heupwiegend vertrok ze. Wat zag Hans toch in die doos?

'Goed, wat is er aan de hand?' Hij keek ongeduldig op het horloge dat hij uit zijn badjas haalde. 'Je hebt vijf minuten, want Claire wacht op me.'

Marit begon langzaam te koken van woede. Hans had niet eens het fatsoen om haar binnen te laten en hij vond die trut veel belangrijker dan zijn eigen kinderen. Ze had zich al bijna omgedraaid, maar op het laatste moment bedacht ze zich. Ze zou zich verdomme niet laten kennen. Met een strak gezicht waar geen spoor van emotie van af te lezen was, stak ze van wal: 'Ik ga binnenkort twee weken met een vriendin naar Zuid-Frankrijk en ik kom Lotte en Sem dan bij jou onderbrengen.' Ze bracht haar verzoek als een voldongen feit. Hoe meer ruimte ze Hans gaf, hoe minder kans dat hij akkoord zou gaan. Het bleek een verkeerde inschatting.

'Geen sprake van, Marit. Ik heb het veel te druk met mijn werk en Claire heeft ook wel wat anders aan haar mooie hoofdje. Ze moet een bruiloft plannen.'

'Ja, Claire vertelde dat je haar ten huwelijk hebt gevraagd, gefeliciteerd. Het lijkt me echter geen reden om niet op Sem en Lotte te kunnen passen. Het zijn ook jóúw kinderen en ik moet er hoognodig eens tussenuit.'

'Dat is niet mijn probleem. We delen het ouderschap en dat houdt niet in dat ik twee weken onafgebroken voor die kinderen moet zorgen.'

'Díé kinderen? Jóúw kinderen zul je bedoelen, je eigen vlees en bloed. En sinds wanneer houd jij je aan de regels van het co-ouderschap? Moet ik de keren voor je turven dat jij je aan je wettelijke verplichtingen hebt onttrokken? Co-ouderschap betekent dat de kosten, zorg- en opvoedingstaken gelijk worden verdeeld onder beide ouders. Ik geloof dat je op dat vlak nogal wat in te halen hebt.'

'Ik doe het niet, je lost het maar op een andere manier op. Het is niet mijn probleem,' onderbrak Hans haar tirade kort en bondig. 'En nu ga ik naar binnen, want ik krijg het koud.' Hij probeerde de deur dicht te gooien, maar ze zette haar voet er snel tussen.

'Zo gemakkelijk kom je er niet van af! Wat denk je wel niet!' Marit begon steeds harder te schreeuwen. Hans keek geïrriteerd de straat in of niemand het hoorde.

'Dit is een nette buurt. Als je je als een viswijf wilt gedragen, ga je maar op de markt staan,' siste hij.

Ze ontplofte bijna, maar realiseerde zich ook dat ze beter eieren voor haar geld kon kiezen. Dit leidde nergens toe en zou uiteindelijk weer ten koste gaan van Sem en Lotte. Ze moest haar kleintjes beschermen.

'Het is me een raadsel waarom ik de kinderen überhaupt bij jou wílde achterlaten. Het moet wel een vlaag van complete verstandsverbijstering zijn geweest. Ik zal er eens goed over nadenken of je ze óóit nog wel te zien krijgt. Zo'n vader kunnen ze missen als kiespijn. Je bent het woord vader niet eens waard! Gadverdamme.'

'Zoek het uit, Marit.' Hij duwde haar bij de deur vandaan en kwakte hem in haar gezicht dicht.

Tranen van onmacht sprongen in haar ogen. Wat was het toch een ongelooflijke lul! Dat ze ooit iets in die man gezien had!

Stampvoetend liep ze terug naar haar auto. En dan te bedenken dat ze net nog even jaloers was geweest op Claire omdat Hans haar ten huwelijk had gevraagd. Nou, ze mocht hem hebben. Op dat moment realiseerde ze zich dat ze niet langer verliefd was op Hans, maar dat ze hunkerde naar de situatie zoals die ooit met hem geweest was. Het beantwoordde aan haar behoefte om ergens bij te horen, om deel uit te maken van een geheel. Wie wilde er niet op handen gedragen en gekoesterd worden? Op dat ideaalplaatje was ze verliefd geweest, maar ineens was het haar volkomen duidelijk dat dat plaatje niet bestond. In elk geval niet in haar realiteit. In gedachten scheurde ze het in honderden snippers, tot er niets meer van over was.

Een enorme moedeloosheid overviel haar toen ze zich realiseerde dat ze haar vakantie met Fiona wel op haar buik kon schrijven. Ze zou niet weten bij wie ze Sem en Lotte met een gerust hart kon achterlaten. Haar ouders waren de enigen aan wie ze de zorg voor de kinderen blind toevertrouwde, maar die wilde ze niet vragen. Ze hielpen haar al zo vaak uit de brand qua oppassen dat ze het echt niet kon maken om ze ook hier nog eens mee op te zadelen. Ze zou Fiona morgen wel bellen om haar het teleurstellende nieuws te melden. Ze moest het eerst zelf allemaal even laten bezinken.

9

'Lieverd, jij gaat gewoon met Fiona op vakantie en wij zorgen voor Lotte en Sem.' Haar vader keek haar streng aan over zijn leesbril. Hij zat aan de keukentafel de krant te lezen toen ze met een beteuterd gezicht binnenkwam.

'Je had jezelf dat vernederende tripje naar Hans kunnen besparen. Je weet toch dat wij altijd voor je klaarstaan?'

'O, papsie, maar daarom juist. Ik zou niet weten wat ik zonder jullie hulp zou moeten en ik wil er geen misbruik van maken.'

'Van onvoorwaardelijke liefde kun je nooit misbruik maken, meisje. Alles wat wij doen is uit liefde voor jou en de kinderen en daar hoeven we niets voor terug. Kom eens hier.' Hij schoof zijn stoel naar achteren en maakte een uitnodigend gebaar met zijn armen. Ze liep naar hem toe en ging op zijn schoot zitten. Even was ze weer papa's kleine meisje van vroeger. Ze liet zich opslokken door zijn veilige armen en een zware last viel van haar schouders.

'Wat heb ik er toch een puinhoop van gemaakt, hè pap?' verzuchtte ze.

'Ik vind dat je het heel goed doet, meisje. Soms loopt het leven nou eenmaal niet zoals je graag zou willen. Daar kun je om gaan zitten treuren, maar je kunt er ook het beste van maken. En ik vind dat jij er het beste van maakt.'

Liefdevol gaf ze haar vader een zoen op zijn voorhoofd met terugtrekkende haargrens.

'Ik hou van je, pap.'

'Zeg, moet ik jaloers worden?' Haar moeder kwam met een grote grijns op haar gezicht de keuken binnen.

'De kleintjes slapen hoor. Lotte kon halverwege het verhaaltje over

Nijn haar ogen al niet meer openhouden en Sem deed een poging zelf nog wat te lezen, maar hield dat ook maar een paar bladzijden vol. Zo'n schooldag is intensief voor ze, dat merk je aan alles.' Haar moeder liep naar de koelkast en haalde er een aangebroken fles witte wijn uit.

'Wie kan ik nog meer blij maken met een glaasje?'

Zowel Marit als haar vader staken hun hand op. Even later voegde haar moeder zich bij hen met drie halfvol geschonken glazen en een bakje borrelnootjes.

'Hoe ging het bij Hans?' vroeg haar moeder.

Marits gezicht betrok meteen.

'Ah, ik zie het al, zeg maar niets.'

'Ik heb tegen Marit gezegd dat wij voor Sem en Lotte zorgen als zij met Fiona op vakantie is. Ik vind namelijk dat ze wel wat ontspanning verdiend heeft.' Hij legde zijn hand op die van zijn vrouw in afwachting van haar reactie.

'Daar ben ik het roerend mee eens. Het wordt tijd dat jij eens even aan jezelf gaat denken, schat. Je bent nog zo jong en je hebt al zulke grote verantwoordelijkheden te dragen. Van die eikel hoef je weinig tot geen hulp te verwachten.' Haar moeder had haar afgunst voor Hans nooit onder stoelen of banken gestoken en ook nu liet ze niet na hem een sneer te geven.

'Wat heb ik toch ooit in die man gezien, hè mam?'

'Ach schat, we maken allemaal weleens een foutje. Helaas heeft jouw foutje wat meer consequenties, maar daar komen we tot nu toe prima uit met zijn allen. Ik ben trots op je en Sem en Lotte kunnen zich geen betere moeder wensen.'

'Ik ook niet.' Marit hief haar glas en proostte.

'Op jullie, de beste ouders van de hele wereld.'

10

Marit haalde de laatste schone kopjes uit de vaatwasser en zette ze in de kast. Op de bovenverdieping was het eindelijk stil. Sem en Lotte wilden alleen naar bed gaan als tante Fiona ze een verhaaltje voor het slapengaan voorlas. Fiona had ingestemd en was samen met de kinderen naar boven vertrokken, Marit plechtig belovend dat ze niet zou vergeten hun tanden te poetsen. Het kostte haar moeite om het vaste avondritueel met de kinderen uit handen te geven, maar ze besloot dat ze er maar vast aan moest wennen. Binnenkort was ze twee weken met Fiona op pad en kon ze de kinderen ook niet zelf in bed leggen.

Een traptrede kraakte, Fiona was onderweg naar beneden. Marit pakte twee wijnglazen uit de kast en haalde een fles witte chardonnay uit de koelkast. Ze schudde wat nootjes in een bakje, trok een pak toastjes open en legde wat Franse kaasjes op een bord.

'Zal ik ook even wat dragen?' Fiona kwam de keuken binnen en stak meteen haar handen uit de mouwen. Marit liep achter haar aan de woonkamer binnen. Terwijl Fiona alvast begon met het smeren van wat toastjes, schonk Marit de wijn in.

'Op Frankrijk!' hief ze het glas.

Fiona tikte haar glas er enthousiast tegenaan. Naast haar op de bank lag de Michelin-wegenatlas en ze sloeg hem open.

'Het land van bestemming is bekend, maar naar welk deel van Frankrijk zullen we gaan?'

'Daar heb jij vast al ideeën over,' grinnikte Marit.

'Uhm ja, daar heb ik inderdaad wel zo mijn gedachten bij,' beaamde Fiona.

'Nou, roept u maar dan.' Marit schoof wat dichter naar Fiona toe die druk in de wegenatlas bladerde.

'Als kind ging ik altijd met mijn ouders kamperen aan het grootste stuwmeer van Frankrijk, het Lac de Serre-Ponçon en daar zou ik best weer eens naartoe willen. Het grenst onder andere aan het plaatsje Embrun dat zich tussen Gap en Briançon bevindt.' Met haar roodgelakte wijsvinger wees ze de plaatsen aan op de kaart. 'Embrun wordt ook wel het Nice van de Zuidelijke Alpen genoemd. Gap is de hoofdstad van de Hautes-Alpes en Briançon is de hoogst-gelegen stad in Frankrijk. De omgeving is echt prachtig. Je hebt daar het Parc National des Écrins met bergen van meer dan drieduizend meter hoog. Je kunt er wandelen, mountainbiken, bergbeklimmen, raften en...'

'Ik dacht dat we vakantie gingen vieren,' onderbrak Marit haar. 'Uitslapen, op onze krent liggen met een boekje, beetje dobberen in het water en veel te veel Franse wijn drinken.'

'Dat gaan we ook doen, maar ik word gek als ik twee weken helemaal niks doe. Bovendien zou het toch zonde zijn als we onze zorgvuldig opgebouwde conditie niet een beetje onderhouden. Weet je wel hoe snel spieren achteruitgaan als je niet traint?'

Marit trok een gezicht als een oorwurm. Ze had geen zin om twee weken te gaan jakkeren, dat deed ze elke dag al. Ze was juist zo toe aan een pas op de plaats. Niks hoeven, aan niemand iets verschuldigd zijn. Was het wel zo verstandig om met de actieve Fiona op reis te gaan? Kon ze niet beter kiezen voor een vliegreisje naar een zonnige bestemming in haar eentje? Fiona merkte haar bezorgde gezicht op en klopte geruststellend op haar arm.

'Je komt echt wel aan je rust toe hoor, wees maar niet bang. Ik ga je echt niet twee weken achter je broek aan zitten met allerlei activiteiten. En als je geen zin hebt, dan ga ik gewoon in mijn eentje op pad, geen enkel probleem. Je hoeft niks en je mag alles, oké?'

Marit knikte opgelucht. Dat is precies wat ze wilde horen.

'Pak je laptop eens.'

Marit deed wat haar gevraagd werd en startte het ding op. Fiona nam hem vervolgens van haar over en zocht naar afbeeldingen van het stuwmeer. Marit vergaapte zich aan het heldere blauwe water dat omringd was door hoge bergtoppen. Wat een idyllische plek! Ze kreeg onmiddellijk zin in een frisse duik.

'Oké, stop maar, ik ben om. Ik zie mezelf al helemaal in dat meer liggen.'

'Je zult het daar geweldig vinden, Marit, geloof me nou maar!' Fiona omhelsde haar uitbundig. 'Ik heb zulke fijne herinneringen aan die omgeving. Ik heb daar ook voor het eerst met een jongen gezoend.' Speels trok ze haar wenkbrauwen een paar keer op.

'Vertel, vertel, ik ben dol op romantische verhalen.' Marit ging er eens even goed voor zitten en stak een toastje met kaas in haar mond. Fiona volgde haar voorbeeld, spoelde de lekkernij weg met een grote slok wijn en begon te vertellen: 'Zijn naam was Antoine en hij was net als ik elf jaar oud.' Fiona kreeg een dromerige blik in haar ogen bij het uitspreken van zijn naam. 'Donker haar, bruine ogen en een gebronsde huid. Hij was de populairste jongen van de camping en ik was heimelijk verliefd op hem, net als alle andere meisjes. Elke vrij-dag was er gedurende de zomer een disco-avond op de camping. Mijn moeder wilde me er nooit heen laten gaan omdat ze me nog te jong vond, maar toen mijn oudere neef een weekje op bezoek kwam, stond ze oogluikend toe dat ik met hem naar de disco ging. Je raadt het al, Antoine was er ook.' Fiona nipte aan haar wijn. 'Even een slokje hoor, ik krijg een droge mond van al dat praten.'

Marit maakte van de gelegenheid gebruik en propte nog een toastje in haar mond.

'Ik liet me opmaken door een vriendinnetje uit de tent naast ons. Zij was vijftien en heel handig met kwasten en poeders. Ik trok een strak shirtje aan waarin mijn beginnende borstjes goed zichtbaar waren en pakte het kortste rokje dat ik had, tot grote ergernis van mijn moe-der. Mijn neef wist haar te overtuigen dat het rokje heus wel kon en beloofde plechtig dat hij goed op me zou letten. Ik viel bijna flauw toen ik Antoine op de dansvloer zag staan. Zijn soepel bewegende lijf en de knipperende discolampen gaven hem iets magisch. Alles om me heen vervaagde en ik zag alleen hem nog maar. En toen kwam hij op me af lopen. Blijkbaar had hij gezien dat ik ongegeneerd naar hem stond te staren. Ik dacht dat ik ter plekke dood neer zou vallen.'

Marit voelde helemaal met Fiona mee en dacht vol weemoed terug aan haar eerste echte zoen.

'Toen hij eenmaal voor me stond bleef ik er bijna in. Hij was zo knap dat ik er bijna van ging hyperventileren. Hij begon in het Frans tegen me te kletsen en natuurlijk begreep ik er geen bal van. Ik stond een beetje dom te knikken en ik kon geen woord uitbrengen. Dat maakte ook niet uit, want hij zou me toch niet hebben verstaan. Hij kwam nog wat dichterbij en pakte mijn hand. De geur van zijn aftershave liet me zweven. Hij nam me mee naar de dansvloer waar net een schuifelnummer begon. Hij drukte me tegen zich aan en legde zijn handen op mijn heupen. Ik dacht dat ik ter plekke door mijn weke knieën zou zakken. Ik legde mijn armen om zijn nek en mijn hoofd verlegen op zijn schouder. Als ik hem maar niet aan hoefde te kijken, want dat zou ik niet overleven. Hij drukte me stevig tegen zich aan en begon langzaam op en neer te bewegen met zijn heupen. Ik liet het maar gebeuren. Het was duidelijk dat ik niet het eerste meisje was met wie hij danste.'

Marit hield haar adem in, wachtend op de climax.

'Ineens fluisterde hij zachtjes iets in mijn oor. Ik richtte mijn hoofd op, keek hem recht in zijn ogen en voor ik het wist kuste hij me. Ik zweer het je, ik dacht dat ik flauw zou vallen. Ik had nog nooit met een jongen gezoend, had werkelijk geen idee hoe het moest. Maar Antoine was een heel goede leermeester.' Fiona grinnikte ondeugend. 'Toen mijn neef even niet oplette, glipte ik met Antoine naar buiten. Hij nam me mee naar een beschut plekje aan het water en daar hadden we het heel gezellig.'

'Ben je...' wilde Marit weten.

'Nee, ik ben niet met hem naar bed geweest, dat ging me te ver. Ik was tenslotte pas elf en ik vond het doodeng. Hij wilde wel overigens, maar toen hij merkte dat ik het niet zag zitten, drong hij gelukkig niet verder aan.'

'Wat een man,' verzuchtte Marit.

'Antoine en ik hebben een gezellige tijd gehad, ja. Het was overigens wel mijn eerste en tevens laatste disco-avondje tijdens die vakantie. Ik was de tijd een beetje vergeten en had niet door dat het al na middernacht was. De afspraak was dat mijn neef en ik om twaalf uur weer terug zouden zijn. Toen ik ertussenuit piepte met Antoine was hij druk met een meisje. Toen hij me tegen twaalven niet meer kon vinden, raakte hij in paniek en sloeg alarm. De hele camping was in rep en roer, man wat een gedoe. Mijn moeder was natuurlijk flink over de zeik, ze heeft mijn neef verrot gescholden en ik kreeg elke avond tentarrest voor de rest van de vakantie. Gelukkig mocht ik wel naar het meer en kon ik daar afspreken met Antoine. Ik was ontroostbaar toen ik na twee weken afscheid van hem moest nemen. Ik heb daarna nooit meer iets van hem vernomen. Soms denk ik nog weleens aan hem. Wat zou er van hem geworden zijn? Ik zou hem best nog weleens willen zien, gewoon om te kijken of hij nog steeds zo knap is en om te testen of hij nog steeds zo lekker zoent.' Ze grinnikte ondeugend en Marit deed met haar mee.

11

Met kriebels van opwinding in haar buik propte Marit de laatste spullen in de kofferbak. Ondanks het vroege tijdstip voelde ze zich licht en vrolijk. Hoewel de schemer de wereld om haar heen nog domineerde, scheen in haar hoofd de zon. De perfecte stemming om een vakantie mee te beginnen. Sem en Lotte stonden enigszins beteuterd tussen opa en oma in. Hun moeder die twee weken wegging zonder hen, dat was nog nooit gebeurd.

Sem was heel stil geworden toen ze hem vertelde dat ze er twee weken tussenuit ging met tante Fiona en Lotte was in eerste instantie ontroostbaar geweest. Totdat ze beloofde dat ze mooie cadeautjes mee zou nemen vanuit dat verre Frankrijk. Toen werd het leed ineens aanzienlijk verzacht. Kinderen konden soms zo heerlijk ongecompliceerd zijn. Een gevoel dat ze zelf al heel lang geleden was kwijtgeraakt. De komende weken ging ze proberen het weer terug te vinden. De aanwezigheid van de frivole Fiona zou daar vast positief aan bijdragen.

Het plan om naar Lac de Serre-Ponçon te gaan, was overeind gebleven. Ze hadden uiteindelijk gekozen voor Camping Municipal in Savines-le-Lac waar ze een zeer gewild plekje vlak bij het water hadden weten te bemachtigen. Het maakte Marit eigenlijk niet eens zoveel uit waar ze heen gingen, het feit dat ze voor het eerst in jaren weer eens ongedwongen op vakantie kon, was al een cadeautje op zich.

Ze verheugde zich erop om weer eens ouderwets te luieren terwijl de warme zon probeerde door een beschermlaag van vettige zonnebrand heen te komen. Om genoeg rust in haar kont te hebben om uren ongestoord op te gaan in een boek en dan af te koelen in helderblauw water dat binnen handbereik was. Toen ze zag dat de camping ook chalets verhuurde, was ze even in de verleiding gekomen om de tent aan de wilgen te hangen, maar Fiona wist haar er uiteindelijk toch van te overtuigen dat een tent toch echt meer charme had dan zo'n 'houten hut'.

'Op een camping hoor je met je rol wc-papier naar een toilet verder-op te lopen voor het echte buitengevoel! De luxe van eigen sanitair heb je de rest van het jaar al.'

De charme van gedeeld sanitair zag ze nog steeds niet, maar een plekje dichter bij het water had de balans positief doen uitslaan naar de tent.

'Mam, vergeet je onze cadeautjes niet?' De stem van Sem bracht haar weer terug in het hier en nu. Ze liep naar hem toe, knielde voor hem neer en pakte zijn handen vast.

'Is mama ooit een belofte niet nagekomen?' De jongen schudde van nee.

'Nou dan. Natuurlijk neem ik mooie cadeautjes voor jullie mee.' Lotte kroop tegen haar aan en ze sloeg een arm om het meisje heen.

'Zullen jullie lief zijn voor opa en oma?' sprak ze de kinderen toe.

'Wij gaan het heel gezellig hebben met zijn viertjes,' viel haar moeder bij. Marit drukte de kinderen tegen zich aan en knuffelde ze stevig. Sems brilletje zakte scheef op zijn neus en met een geïrriteerd gebaar zette hij hem recht.

'Nou, dan gaat mama maar.' Langzaam stond ze op, een beetje on-wennig met de situatie.

'Kom, treuzelkont, Fiona wacht op je,' spoorde haar moeder haar aan. Marit omhelsde haar ouders, gaf de kinderen een laatste kus en liep toen resoluut naar haar auto. Als ze nu niet ging, dan kwam ze nooit weg.

12

Met een zak broodjes met kaas voor onderweg op de passagiersstoel reed ze de straat uit. In haar achteruitkijkspiegel wierp ze nog een laatste blik op Sem en Lotte die wild wuivend naast hun opa en oma stonden. Ze kreeg een brok in haar keel. Ze had ontzettend verlangd naar dit moment, maar ze zou de kinderen enorm gaan missen. Sterker nog, ze miste ze nu al. Ze moest de neiging onderdrukken om weer om te draaien en dit idiote plan te laten varen. Maar buiten het feit dat ze dat niet kon maken naar Fiona toe, vond ze dat ze door moest zetten. Het was goed voor de kinderen als ze een klein beetje losweekten van hun moeder en zelf was ze enorm toe aan wat ontspanning. De kinderen kregen er een leukere moeder voor terug als ze al haar irritaties en de hoogspanning waar ze onder stond even van zich af kon schudden.

De straat van Fiona was nog in volledige rust op dit vroege tijdstip. Fiona stond met haar neus tegen het keukenraam gedrukt op de uitkijk en kwam meteen in actie toen ze Marit de straat in zag rijden. Ze sleepte al een grote rugzak en een koffer mee naar buiten voordat Marit goed en wel geparkeerd stond. De bagage paste nog makkelijk in de stationwagon. Fiona zoende haar goedendag en plofte met een tevreden zucht naast haar neer. Marit kon nog net de zak met broodjes wegtrekken voordat ze erbovenop ging zitten.

'Heb je broodjes gesmeerd? Altijd aan het zorgen hè, Marit. De komende twee weken verbied ik je om ook maar iets te doen.'

'Maar we moeten toch eten onderweg?' reageerde ze terwijl ze rustig de straat uitreed.

'Stop eens even.'

Marit trapte op de rem en ze kwamen vlak bij een vuilnisbak tot stilstand. Fiona stapte uit en gooide de zak met broodjes plompverloren weg in de afvalbak.

'Hé, wat doe jij nou?' reageerde Marit verontwaardigd. 'Je gooit toch geen eten weg?'

'Wij gaan straks lekker onderweg lunchen en daarvoor hebben we jouw broodjes niet nodig. Ik trakteer.'

Met een gezicht dat duidelijk geen tegenspraak duldde, stapte Fiona weer in. Marit voelde zich uiterst ongemakkelijk bij de situatie. Goed voedsel weggooien was zo tegen haar principes. Met pijn in haar maag dacht ze aan de mensen op de wereld die dagelijks honger leden terwijl Fiona zojuist prima eten had verspild alsof het de normaalste zaak van de wereld was. Ze stond op het punt om uit de auto te stappen en de broodjes uit de bak te vissen, maar bedacht zich toen een zwerm vliegen zich rond de vuilnisbak verzamelde.

'Kom, gassen, anders komen we nooit weg.' Fiona scrolde door de zenders van de autoradio en bleef hangen bij Radio Veronica. Met de opzwepende klanken van U2 reden ze de straat uit. '*It's a beautiful day*!' zong Fiona luidkeels mee. Ze gaf Marit een aanmoedigende por. Aarzelend schraapte ze haar keel. Ach, wat kon haar het ook schelen. Ramen open en zingen maar! '*It's a beautiful day, don't let it get away.*'

13

Ondanks het vroege tijdstip scheen de zon al fel. Een mistige dauw hing boven de weilanden aan hun rechterhand. Marit zette haar zonnebril op om de scherpe reflectie van de zon op de blauwe bewegwijzeringsborden wat te dempen.

'Kijk nou wat mooi!' Fiona stootte Marit aan en wees haar op een sproeier in het weiland. Door de weerkaatsing van de zon ontstond er een regenboog in de ragfijne waterdruppels. Marit genoot van het mooie plaatje en richtte haar ogen weer op de weg. Zwijgend zetten ze de reis voort, ieder in het gezelschap van zijn eigen gedachten begeleid door de unieke stem van Freddie Mercury van Queen die *Friends Will Be Friends* uit de radio deed schallen.

'Zal ik even rijden?' verbrak Fiona na een tijdje hun stilzwijgen. Ze wees naar een BP-tankstation in de verte als mogelijke stopplek voor de ruil. Ze reden op de A2 en naderden Maastricht. Marit reageerde niet meteen op de vraag. Ze liet eigenlijk nooit iemand in haar auto rijden. Veel te bang dat er iets mee zou gebeuren. Ze kon het ding onmogelijk missen. Maar het was vroeg dag geweest en ze moest soms behoorlijk knipperen om haar ogen open te houden zodat ze bij de les bleef. Ze zette haar knipperlicht aan naar rechts ten teken dat ze de afslag naar het tankstation nam. Met een blik op de benzinemeter constateerde ze dat ze nog ruim een halve tank hadden. Het zou mooi zijn als ze het uit konden zingen tot Luxemburg waar de benzineprijzen een stuk lager waren. Ze stuurde de auto naar de parkeerplaats bij de pomp en klikte haar gordel los. Fiona volgde haar voorbeeld. 'Ik heb ontzettende behoefte aan een koude cola, dus ik ren even heen en weer. Kan ik voor jou iets meebrengen?'

'Koffie met melk en suiker en een zakje winegums. Lekker.'

'*Back in a sec!*' Terwijl Fiona op versnaperingenjacht ging, strekte Marit haar stramme benen even uit. Ze liep wat heen en weer over het strookje gras voor de auto. Het ochtendzonnetje brandde aangenaam op haar rug. Haar jurkje plakte tegen haar huid. Ze zou willen dat ze airco in haar auto had, dat reed vast een stuk minder vermoeiend. Met haar ogen dicht leunde ze tegen de auto aan.

'Volgens mij kun jij wel een bakkie gebruiken,' grinnikte Fiona. In haar ene hand hield ze een dampende beker koffie en in haar andere een flesje cola met een rietje en een zakje winegums. Marit pakte de koffie dankbaar aan en ging naast Fiona op een stoepje zitten. Genietend nipte ze van de cafeïnehoudende drank. Fiona lurkte vol overgave aan haar cola.

'Een beetje doordrinken,' spoorde ze Marit aan, 'anders wordt de auto zo heet.' Vijf minuten later waren ze klaar om de reis te hervatten.

'Poeh, airco zou geen overbodige luxe zijn geweest.' Fiona draaide haar raampje bijna volledig open en Marit volgde haar voorbeeld. Ze gooide haar slippers uit en legde haar blote voeten op het dashboard. Fiona startte de auto en reed vol gas achteruit, rakelings langs een paaltje. Marits relaxte houding veranderde meteen in een alerte. 'Doe je wel voorzichtig, die auto moet nog een tijdje langer mee.' De enige reactie was een knarsende schakelbak en het geloei van de motor door de niet bepaald soepele samenwerking tussen koppeling en gaspedaal.

'Altijd even wennen, als je in andermans auto rijdt.'

Marit lachte als een boer met kiespijn en had ernstige twijfels of ze er wel goed aan deed om haar plekje achter het stuur af te staan.

Dat Fiona van doorrijden hield, was al snel duidelijk. Ze joeg de kilometerteller meteen naar de honderdveertig. Dat was wel even wat anders dan de stabiele honderdtien die Marit altijd standaard op de snelweg reed. Het scheelde boetes en bespaarde benzine. Fiona leek zich daar minder druk om te maken. Ter hoogte van Maastricht Aachen Airport liep de weg flink naar beneden waardoor je een fraai uitzicht op de stad had. Door de aanleg van een nieuwe tunnel stroopte het verkeer al snel op langs de wegwerkzaamheden. Marit waande zich door de glooiing in de weg al een beetje in het buitenland.

De wind loeide door de open raampjes en overstemde het geluid van de radio bijna volledig. Marits losse haar waaide hinderlijk in haar gezicht. Jaloers keek ze naar het strak samengebonden kapsel van Fiona. Ze nam zich voor om bij de volgende tussenstop een elastiekje uit haar toilettas te pakken.

14

'Gaan we het redden?' vroeg Marit met een bezorgde blik op de benzinemeter. Het ding stond bijna op nul en het kon niet lang meer duren voordat er een waarschuwingslampje ging branden. Fiona's gejakker had een gat in de reistijd geslagen, maar een slurpende motor tot gevolg. Weer had Marit spijt dat ze niet zelf achter het stuur was blijven zitten. Gelukkig waren ze niet van de weg geplukt wegens ruime overschrijding van de snelheidslimiet.

'Welja joh, over twintig kilometer kunnen we tanken in Luxemburg,' beantwoordde Fiona haar vraag. 'En als de tank voor die tijd leeg is, dan loop ik het laatste stukje naar de pomp toch gewoon?'

Die meid leek zich werkelijk nergens druk over te maken. Het verschil in benadering van 'problemen' zat hem vast in het feit dat zij een alleenstaande moeder was met een grote verantwoordelijkheid op haar schouders en Fiona een vrijgezel die in principe nergens rekening mee hoefde te houden. Logisch dat ze alles altijd van de zonnige kant bekeek. Zo was zij vroeger ook geweest. Maar moeder worden deed iets met je. Het bracht veel mooie dingen met zich mee, maar maakte je ook een stuk zorgelijker. Ineens zag ze overal gevaren waar ze haar kinderen voor wilde behoeden. De wreedheid van de buitenwereld, die uitstekende stoeptegel waar je over kon struikelen, die enge man die net iets te lang bij de speeltuin stilstond. Dingen waar ze vroeger nooit over nadacht.

Soms moest ze zichzelf tot de orde roepen om niet door te slaan. Leven bracht nu eenmaal risico's met zich mee en het was irreëel om te denken dat ze ze allemaal buiten de deur kon houden. Door de manier waarop Hans met haar was omgegaan, had haar vertrouwen in de mens een behoorlijke knauw gekregen en ze moest haar uiterste best doen om dat niet aan haar kinderen te laten merken. Sem en Lotte waren nog zo onbevangen en keken vol verwachting naar het leven en de mensen om hen heen. Dat wilde ze zo lang mogelijk koesteren en soms probeerde ze het in haar eigen leven toe te passen en slaagde ze daar ook nog in.

Ze wierp nogmaals een blik op de benzinemeter en kreeg een déjà vu van die keer dat ze met Hans en de kleine Sem naar een vakantie-park in het Zwarte Woud was geweest. Lotte was nog niet geboren en hun relatie stond nog niet onder hoogspanning. Ze waren na twee weken vakantie niet met een volle tank begonnen aan de terugreis, in de veronderstelling dat er in Duitsland net zoveel tankstations langs de weg stonden als in Nederland. Maar dat bleek een foute inschatting. Op de laatste druppel benzine rolden ze uiteindelijk op het nippertje de afrit naar een pomp op. De laatste paar meter moest Hans duwen omdat de motor afsloeg. Ze huilde van opluchting toen ze even later weer met gevulde tank verder konden rijden. Die donkere, slecht verlichte wegen en het idee dat ze *in the middle of nowhere* zouden stranden met een huilende Sem achterin had haar nachtmerries bezorgd. Sindsdien had ze een 'legetanktrauma' en zorgde ze er altijd voor dat ze met een volle tank vertrok. Rond Maastricht had de benzinevoorraad nog ruim voldoende geleken, maar dat was gebaseerd op haar eigen stabiele rijgedrag. Met Fiona achter het stuur moest ze haar inschatting duidelijk bijstellen.

15

De auto naast hen toeterde luid. Marit keek verschrikt naar links maar Fiona leek niet onder de indruk. Er werd een raampje opengedaan en een man met half ontbloot bovenlichaam hing eruit. Hij wierp Fiona wat kushandjes toe en brulde onverstaanbare dingen. Fiona schoof haar zonnebril in haar haren en gaf hem een vette knipoog. Het leverde nog meer gejoel op. Ook de mannen achter in de auto begonnen zich ermee te bemoeien. De bestuurder slingerde jolig over de weg en drong een stukje hun baan binnen. Het scheelde maar een haar of het was tot een botsing gekomen. Marit had haar hart in haar keel zitten. Fiona's gezicht stond even strak als altijd. Die meid had echt stalen zenuwen.

'Zit er nog wat voor je bij?' vroeg Fiona gekscherend.

Marit nam de mannen eens goed in zich op, maar toen ze tegen haar begonnen te joelen sloeg ze verlegen haar ogen neer. Ze was dit soort aandacht niet meer gewend en werd er verlegen van. Dankbaar verschool ze zich achter haar zonnebril. De mannen verloren hun interesse en vervolgden luid toeterend hun weg. Fiona lachte om Marits reactie. 'Zeker niet meer gewend om te flirten? Daar gaan we deze vakantie eens verandering in brengen. Moeder zijn betekent niet dat je dan ook gelijk aan het rijk der aseksuelen toebehoort. Je bent nog steeds een lekker wijf, hoor.'

'Ik gedraag me inderdaad wel een beetje belegen als het op mannen aankomt, daar heb je wel gelijk in. Ik vind het lastig om moeder én vrouw tegelijk te zijn. Mijn kinderen moeten het al grotendeels doen met een eenoudergezin en ik wil ze ook niet nog eens blootstellen aan de steeds wisselende scharreltjes van mama. Stabiliteit is heel belangrijk voor een kind.'

'De komende twee weken zijn Sem en Lotte in goede handen en kan moeders de schade eens flink gaan inhalen.'

Marit werd op slag nerveus. Na Hans was ze niet meer met een andere man samen geweest. Misschien kon ze 'het' wel niet meer.

'Seks is net als fietsen, ook als je een tijdje stilstaat pak je het zo weer op,' leek Fiona haar gedachten te kunnen lezen.

'Neem jij weleens mannen mee naar huis?'

'Dat komt weleens voor ja,' grinnikte Fiona. 'Ik ben een groot voorstander van de onenightstand. Lekker ongecompliceerd pret maken zonder verplichtingen.'

'Dat lijkt me nou helemaal niks,' zei Marit.

'Je zou het voor de gein eens moeten proberen. Jij bent natuurlijk die oude fiets gewend,' doelde ze op Hans. 'Nou, ik kan je vertellen dat er heel wat meer onder de zon is. Ik zal eens een flitsend modelletje voor je uit gaan zoeken.'

Marit lachte aarzelend. Over een paar honderd meter zouden ze de grens met Luxemburg bereiken, constateerde ze opgelucht. Het waarschuwingslampje van de benzinemeter brandde nog steeds en ze hoopte dat er nog genoeg brandstof in de tank zat om het tankstation te kunnen bereiken.

16

Het zoemen werd luider. Het nam zelfs oorverdovende vormen aan. Het moest onmiddellijk stoppen anders werd hij gek. Een permanente trilling in zijn trommelvlies, die zijn hersenen interpreteerden als geluid. Wanhopig deed hij zijn handen voor zijn oren in een poging de klanken buiten te sluiten. Maar dat had geen enkele zin, want het geluid zat in hém. In zijn kop, in zijn lijf. Het stroomde door zijn bloed en baande zich in hoog tempo een weg langs zijn kronkelige hersenen. Drong binnen en vertroebelde zijn denkvermogen. Alles stond op scherp en de situatie was explosief.

Meer dan ooit had hij behoefte aan rust. Het maakte niet uit hoe, als het maar gebeurde. Het moment om nog kritisch te kunnen zijn, was al verstreken. Hij had te lang gewacht en moest daar nu de prijs voor betalen. Hij moest de schade zo veel mogelijk zien te beperken en hopen dat er geen blijvende gevolgen zouden zijn die hem de rest van zijn leven terroriseerden.

In deze situatie was het moeilijk om te geloven dat hij ooit weer met stilte omringd zou worden. Maar hij moest vertrouwen hebben, dat was cruciaal. Het vertrouwen dat het uiteindelijk altijd goed kwam, was tot nu toe de enige zekerheid in zijn leven geweest. Het was net zoiets als geloven in God. Ook al was het niet tastbaar en kon je het niet zien, het heilige weten dat het er was, vormde de basis.

Hij maakte zich geen illusies, hij was een foutje van God. Een miskleun, een rare mix van genen. Hij was de zoon van de duivel en een hoer. Als je dat maar vaak genoeg werd ingewreven dan ging je het uiteindelijk zelf geloven. Hij had zichzelf niet op de wereld gezet, dus het kon hem niet aangerekend worden. De verantwoordelijkheid lag elders. Hij verlangde meer dan ooit naar roomkleurige huid om zijn tanden in te zetten en zijn honger mee te stillen. Zijn cafeïne om te ontwaken in de realiteit. Likken en sabbelen als een baby aan de borst om uiteindelijk verzadigd in slaap te vallen. Geen nachtmerrie, maar een droomloze rust. Eindelijk.

17

De elektronische borden boven de snelweg kondigden een file aan. Ze naderden het Luxemburgse tankstation waar ze wilden tanken. Blijkbaar waren ze niet de enigen met dat idee, concludeerde Marit moedeloos. Fiona zette haar alarmlichten aan en reed al knipperlichtend de lange rij auto's tegemoet. Veel te hard naar Marits zin. Ze zette zich schrap. Haar gespannen houding ontging Fiona niet en ze grinnikte om de reactie van haar vriendin.

'Ik weet heus wel wat ik doe, Marit. Als bijrijder ziet het er altijd erger uit dan het is.'

Marit glimlachte flauwtjes en verlangde naar het moment dat ze zelf weer achter het stuur zat. Aan het stilstaande verkeer te zien zou dat echter nog wel een tijdje duren.

'Wist je dat de files voor dit tankstation wel op kunnen lopen tot anderhalf uur?'

'Anderhalf uur? Maar dat gaan we nooit redden met die tank en ik moet ontzettend nodig plassen.'

'Gewoon stil blijven zitten en de beentjes bij elkaar,' adviseerde Fiona op luchtige toon. Op het benzineonderwerp ging ze niet eens in.

'Jij hebt misschien een stalen blaas, maar die van mij is niet meer zo sterk sinds ik twee kinderen heb gekregen. Als ik moet dan moet ik.'

'Dan wordt het lopen over de vluchtstrook vrees ik,' grapte Fiona.

'Ja, misschien moest ik dat maar doen.'

'Dat was een grapje, gek. Lopen over de vluchtstrook is levensgevaarlijk. Dat is vragen om ongelukken.'

'Anderhalf uur met een volle blaas zitten, levert ook een ongeluk op.'

Marit maakte resoluut haar gordel los.

'Je meent het echt, hè?'

'Ja.' Marit ritste haar tas dicht en maakte aanstalten de deur te openen.

'Doe voorzichtig!' waarschuwde Fiona haar. 'En als je dan toch gaat, claim dan meteen een tafeltje in het restaurant, ik begin een beetje honger te krijgen.'

Met de woorden 'Doe ik' stapte Marit uit en gooide het autoportier met een stevige klap dicht. Ze voelde de fronsende blikken van de andere automobilisten in haar rug prikken toen ze de vluchtstrook op stapte.

'Goed aan de kant blijven,' brulde Fiona haar nog na.

Ze zwaaide ter bevestiging en begon aan haar tocht richting tankstation.

18

Een siddering van verlangen ging door zijn lijf. Ontelbare lichte sproetjes op haar blanke huid, lichtroze blosjes op haar wangen. Minieme zweetdruppeltjes parelden rond haar bovenlip. Haar mooie gezicht omlijst met rossige krullen die reikten tot ruim over haar schouders. Wat een verschijning. In de felle zon gaf ze bijna licht. Ze leek wel een engel. Was ze gestuurd om hem te komen verlossen? Of was zij net als al die anderen? Een reddingsboei die wegdreef in het zicht van de haven. Haar jurk bolde licht op door de wind. Benen die witter waren dan melk. Kleurige slippers aan haar slanke voeten, roodgelakte teennagels. Hij observeerde, kneep zijn ogen tot spleetjes. Begeerde. O ja, hij begeerde. Zijn ogen hadden haar al betast. Overal. Dwars door de stof van haar kleding heen. Zijn ogen verkenden elke centimeter van haar huid met de precisie van een militair. Ze had niks in de gaten. Hij streelde haar gretig met zijn irissen, snoof haar geur op toen ze onwetend langs hem liep. Een zweempje zoete parfum met een beetje zweet. Hij liet het aroma goed tot zich doordringen en verankerde het in zijn geheugen. Hij stelde zich voor hoe het zou zijn om zachtjes in haar roomwitte nek te bijten. Zou ze net zo heerlijk proeven als ze eruitzag? Hij likte bedachtzaam langs zijn lippen. Draaide zijn hoofd om haar na te kijken. De achterkant van haar jurkje gekreukeld en wat vochtig van de transpiratie. Waarschijnlijk van het zitten tegen een warme rugleuning in een auto zonder airconditioning. Dat betekende dat ze niet bemiddeld was. Maar dat gaf niet. Wat zij voor hem ging betekenen, was onbetaalbaar. Het gezoem zwol aan. Zo hard dat het pijn deed. Het spel moest beginnen.

19

Opgelucht liep Marit het terrein van het tankstation op. Het was een langere wandeling geweest dan ze had verwacht. De opmerkingen en het getoeter waren niet van de lucht geweest toen ze gestaag langs de stilstaande stoet van auto's liep. Ze had het allemaal stoïcijns genegeerd. Met haar hand veegde ze een paar zweetdruppels van haar voorhoofd. Poeh, wat was het warm. Haar blaas trok nog maar eens samen om aan te geven dat het nu echt tijd was voor verlossing.

Ze liep linea recta door naar de toiletten, zonder dat ze op of om keek. Zoals te verwachten viel stond de rij voor de toiletten tot buiten. Hupsend van de ene op de andere voet sloot ze aan. Tergend langzaam schuifelde ze mee in de rij die maar niet korter leek te worden.

Toen ze de moed bijna begon te verliezen, kwam er eindelijk schot in de zaak. Met een diepe zucht liep ze het wc-hokje in en sloot de deur. De bril was redelijk schoon en er was toiletpapier. Ondanks haar hoge nood veegde ze het zitvlak nog even na voor ze erop plaatsnam en zich liet gaan.

Een liter lichter stond ze even later haar handen te wassen voor de spiegel. Wat zag ze er verfrommeld uit. Ze maakte haar gezicht een beetje nat. Het koele water voelde aangenaam aan op haar warme huid. Met haar natte vingers kamde ze door haar krullen en haalde zo het plakkerige haar uit haar nek. Een vrouw achter haar kuchte ongeduldig. Ze maakte nog een keer haar polsen nat en maakte toen ruimte. Al slenterend verliet ze de toiletruimte en begaf zich naar het restaurantgedeelte.

Tot nu toe viel de reis haar erg mee. Ze had wel even moeten wennen aan Fiona's pittige rijstijl, maar zag er inmiddels ook wel de voordelen van in. Het scheelde in elk geval tijd. Beetje jammer van die file, maar daar was niets aan te doen. Ze vroeg zich af of Fiona inmiddels al bij de pomp was aanbeland. De zon scheen nog steeds aangenaam. Als het twee weken dit weer mocht blijven dan was ze toch de koning te rijk. Nu haar lichaam en geest wat van de chronische alertheid lieten varen, voelde ze pas echt hoe erg ze toe was aan een break. Schoorvoetend gaf ze aan zichzelf toe dat het best fijn was om even zonder de kinderen te zijn. Even geen ogen in haar rug nodig, geen gekrijs en geen gedoe. Meteen voelde ze zich schuldig naar Sem en Lotte toe. Ze probeerde het te verdringen, maar slaagde daar niet al te goed in. Hoe zou het zijn met haar schatjes? Zouden ze haar al missen? Kon Lotte wel slapen zonder dat ze in de buurt was en zou Sem niet te lang voor de televisie zitten? Ze had daar met haar ouders duidelijke afspraken over gemaakt, maar ze wist ook dat opa's en oma's nog weleens een oogje toeknepen. Dat ze strenger waren voor hun kinderen dan voor hun kleinkinderen.

Ze drukte de zorgen om het thuisfront zo veel mogelijk weg en bestelde een grote cappuccino. Vlug liep ze naar het terras om daar nog net het laatste tafeltje te kunnen bemachtigen. De koffie klotste vervaarlijk toen de witte beker heen en weer schoof op het dienblad. Met een plof zette ze het neer op het tafeltje, net op het moment dat een man eraan plaatsnam en er een flesje cola op zette. Verdorie! Geïrriteerd keek ze hem aan. '*Je suis premier*,' hakkelde ze in haar beste Frans.

De man keek haar geamuseerd aan. 'Zo, ben jij premier? En weet Mark Rutte daar ook van?'

'Hoe weet jij nou dat ik Nederlandse ben?' reageerde ze verrast.

'Landgenoten die houtje-touwtje-Frans spreken pik ik er zo uit.'

'Nou mooi, want onderhandelen in het Nederlands gaat me heel wat beter af. Ik was toch echt eerder dan jij bij deze tafel.' Ze ging demonstratief op een van de nog lege stoelen zitten.

'Ik denk dat we gelijk op gingen. Maar ach, ik ben in een goede bui, laten we de tafel delen.' De man trok zijn grote trackingrugzak wat dichter naar zich toe.

'Mijn vriendin kan elk moment aanschuiven dus als je het niet erg vindt...'

'Hoe meer zielen hoe meer vreugd, toch? Brian is de naam trouwens.' Hij stak haar met een joviaal gebaar zijn hand toe.

Ze aarzelde, maar nam hem uiteindelijk toch aan.

'En jij bent?' spoorde Brian haar aan.

'O ja, sorry, ik heet Marit.'

'Waar gaat de reis naartoe?' In afwachting van haar antwoord opende hij het flesje cola. Het koolzuur siste aanlokkelijk. Ineens had ze ook meer zin in iets kouds dan in die warme cappuccino. Verlangend keek ze naar het flesje waar Brian zich te goed aan deed. Hij klokte de frisdrank naar binnen alsof het water was. Als zij in dat tempo een koolzuurhoudende drank nuttigde, had ze allang een boer moeten laten. Brian gaf echter geen krimp. Na een half flesje te hebben leeggedronken leek zijn ergste dorst gelest.

'Nou, jij bent ook niet erg spraakzaam. Zal ik dan eerst maar iets over mezelf vertellen? Wie weet kom je dan een beetje los.'

'Sorry, ik ben er niet helemaal bij met mijn gedachten. De reis gaat naar Zuid-Frankrijk naar het Lac de Serre-Ponçon.'

'Nou, da's ook toevallig, ik ga ook die kant op! Ik word zo opgepikt door vrienden. Eerlijk gezegd hadden we hier een uur geleden al afgesproken, maar ze zijn er nog steeds niet en ik kan ze ook niet bereiken.'

'Er stond een behoorlijk lange file bij de afrit voor het tankstation, dus wellicht zijn ze daarom iets later?'

'Zou kunnen, maar dan snap ik nog steeds niet waarom ze hun telefoon niet opnemen en niet reageren op mijn sms'jes.'

Marit moest het antwoord daarop ook schuldig blijven en haalde haar schouders op. Ze nam een paar slokken van de cappuccino. Prima te drinken. Brian likte met zijn tong langs zijn bovenlip. Ze deinsde terug. Moest hij iets van haar? Hij streek nogmaals met zijn tong langs zijn lip.

'Wat?' vroeg ze geïrriteerd.

'Schuim op je lip.'

'O.' Beschaamd likte ze het weg en veegde met de rug van haar hand over haar mond. Ze had het warm en dat kwam niet alleen van de zon.

'Zo beter?'

'Weer helemaal schoon,' reageerde haar tafelgenoot.

Ze checkte haar telefoon. Nog geen bericht van Fiona. Ze zou er nu toch wel zo'n beetje moeten zijn. De aanwezigheid van deze man maakte haar nerveus en ze verlangde ernaar om weer samen met haar vriendin te zijn. Die doordringende ogen van hem die haar continu volgden bij elke beweging gaven haar een ongemakkelijk gevoel. Ze was het niet meer gewend om op die manier door mannen bekeken te worden. Enerzijds streelde het haar ego dat Brian haar blijkbaar niet in de categorie 'moeke' plaatste, maar anderzijds wist ze ook niet precies hoe ze op hem moest reageren. Wilde hij alleen maar wat onschuldig met haar flirten of zat er meer achter? Wie kon je tegenwoordig nog vertrouwen? Ze checkte met haar voet of haar tas nog veilig onder tafel stond. Je hoorde zoveel rare verhalen.

Ze bekeek hem nog eens goed. Hij was absoluut aantrekkelijk. Donker haar, geknipt in een vlot kapsel. Volle wenkbrauwen boven groenbruine ogen. Kleine, welgevormde oren en brede schouders met gespierde armen die duidelijk het resultaat waren van regelmatige bezoekjes aan de sportschool. Zijn licht gebruinde huid werd extra geaccentueerd door het strakke, witte T-shirt dat hij droeg.

'Kan ik je goedkeuring wegdragen?' Brian keek haar geamuseerd aan en knipoogde.

Marit voelde zich betrapt en merkte dat haar wangen rood kleurden.

'Staat je goed hoor, die blosjes,' zei hij glimlachend.

Even overwoog ze om zich te verschuilen achter haar zonnebril die ze in haar haren had geschoven, maar dat zou deze vertoning alleen maar nog gênanter maken. Jeetje, ze was moeder van twee kinderen maar ze gedroeg zich als een puber.

'Ik vind jou in elk geval wel zeer aantrekkelijk gezelschap,' gooide Brian er nog een schepje bovenop.

Weer een knipoog. Hij zat echt met haar te flirten. Marit wist niet zo goed waar ze moest kijken dus nam ze nog maar een grote slok cappuccino. Toen ze de kop weer neerzette, klonk er een verlossende piep uit haar telefoon. Fiona! Blij dat ze zich even op iets anders kon focussen, pakte ze haar iPhone en las het bericht:

Net getankt, nu betalen. Waar zit je? X Fi

Marit beantwoordde de sms:

Zit buiten op terras. Neem je broodjes en iets fris mee? X M

Doe ik! Tot zo! X

'Geheime minnaar?' vroeg Brian. 'Moet ik jaloers worden?'
'Nee, dat was mijn vriendin.' Waarom gaf ze eigenlijk antwoord op zijn vraag? Het ging hem geen bal aan met wie ze sms'te en ze was hem absoluut geen uitleg of verantwoording schuldig. Ze was blij dat Fiona er elk moment kon zijn zodat ze Brian links kon laten liggen.
'Hoe oud ben je eigenlijk?' vroeg ze om niet weer een stilte te laten vallen waarin hij het woord kon nemen.
'Wat denk je?'
'Geen idee, ik raad principieel niet naar de leeftijd van mensen omdat ik er altijd naast zit.'
'Doe toch eens een poging,' spoorde hij haar aan.
Ze zuchtte. 'Doe nou niet zo moeilijk, je kunt toch gewoon zeggen hoe oud je bent? Ik heb geen behoefte aan raadseltjes. Wat kan mij het eigenlijk ook schelen,' liet ze erop volgen.
'Vijfentwintig. Ik ben vijfentwintig jaar oud. Valt dat mee of tegen?'
Voordat ze antwoord kon geven, schoof Fiona aan met koffie, cola en twee warme broodjes Caprese. Ze liet haar blik op Brian rusten en richtte zich vervolgens vragend tot Marit.
'Heb ik een gezellig onderonsje gemist?'
Voordat Marit de kans kreeg om te antwoorden was Brian haar alweer voor. Hij stak zijn hand uit en stelde zich voor.

'Dag mooie dame, ik ben Brian. Je vriendin en ik gingen tegelijk aan dit tafeltje zitten. Aangezien het de laatste was, besloten we om hem maar samen te delen.' Zijn blik bleef langer op Fiona rusten dan noodzakelijk was.

Die vent flirtte blijkbaar met iedereen, concludeerde Marit enigszins verongelijkt. Maar ja, wat wilde je ook. Hij was pas vijfentwintig en dan was je nog geïnteresseerd in alles met een hartslag. Fiona was een aantrekkelijke vrouw, dat zag ze zelf ook wel. Haar lijf vertoonde nog geen tekenen van striae zoals het hare. Fiona leek totaal niet gevoelig voor Brians doordringende oogopslag en zette haar tanden gretig in haar krakend verse broodje. Marit besloot haar voorbeeld te volgen, want haar maag begon zich te roeren.

'Hmm, heerlijk,' smakte Fiona.

'Ik heb ook best een beetje trek,' probeerde Brian de aandacht weer naar zich toe te trekken.

'Nou, ik zou zeggen: koop een broodje, ze zijn heerlijk.' Fiona at onverstoorbaar door.

'Willen jullie deze gezellige jongeman niet trakteren?'

'Waarom zouden we? Je bent een grote jongen die vast voor zichzelf kan zorgen.'

Brian trok een pruillip. Toen bleek dat Fiona ook daar niet gevoelig voor was, richtte hij zich weer op Marit. Weer dat ongemakkelijke gevoel. Ze probeerde te ontsnappen aan zijn priemende ogen door weg te kijken. Fiona leek niets te merken van haar zenuwachtige gedrag. Die leefde in een totaal andere wereld dan zij. Een wereld waarin mannen met verleidelijke blikken aan de orde van de dag waren en als normaal werden beschouwd.

Ondanks het feit dat Brian zes jaar jonger was dan zij, moest ze toegeven dat ze hem toch wel erg aantrekkelijk vond. Deze man deed iets met haar. Ze was er nog niet uit wat dat iets precies was en of ze het nou wel of niet prettig vond, maar dat er ergens wat vonkte was duidelijk. Belachelijk natuurlijk, aangezien ze normaliter op oudere, rijpe mannen viel. Deze man kon zo'n beetje de zoon van haar ex Hans zijn.

'Reis je in je eentje?' vroeg Fiona toen ze haar laatste hap had doorgeslikt.

Brian keek verheugd door de plotselinge aandacht die ze hem gaf.

'Ik zou ruim anderhalf uur geleden worden opgepikt door vrienden om door te reizen naar de Franse Alpen, maar tot op heden zijn ze nog niet op komen dagen en ze nemen ook hun telefoons niet op. Ik ga nog maar eens een sms sturen, in de hoop dat ik nu wel een reactie krijg. Hoewel ik jullie zeer aangenaam gezelschap vind, begin ik zo langzamerhand wel een beetje wortel te schieten hier.' Hij pakte zijn telefoon en typte een berichtje. Marit volgde vol bewondering zijn lange vingers die in razende vaart over het toetsenbord gingen. Een *woesj*-geluid gaf aan dat het bericht verstuurd was. Zij deed er minstens vier keer zo lang over als ze een berichtje verstuurde. Zouden zijn handen op andere gebieden ook zo behendig zijn? Ze kreeg het warm bij de gedachte en weer voelde ze het bloed naar haar wangen stijgen.

Fiona reikte haar een koud flesje cola aan. 'Hier, volgens mij kun je wel wat verkoeling gebruiken.'

Ze pakte het dankbaar aan. Het koolzuur kietelde aangenaam op haar tong.

'Zullen we zo maar weer eens gaan?' stelde Fiona voor toen Marit een eind gevorderd was met het leegdrinken van het flesje. 'We hebben tenslotte nog een hele rit voor de boeg.'

Marit knikte instemmend en begon al het gebruikte servies op het dienblad te laden. Op dat moment kwam er een sms binnen op Brians telefoon. Zijn gezicht betrok tijdens het lezen ervan.

'Nou, daar ben ik mooi klaar mee,' reageerde hij beduusd.

'Wat is er aan de hand?'

'Mijn vrienden hebben autopech. Ze zijn naar een garage gesleept en het onderdeel dat vervangen moet worden is niet op voorraad. Het is besteld, maar het duurt nog twee dagen voordat ze weer verder kunnen rijden.'

'Dat is inderdaad balen. Hoe ga je dat nou oplossen? Waarom ben je trouwens niet met ze meegereden vanuit Nederland?'

'Ik had nog wat zaken af te handelen in Luxemburg.'

'Wat voor zaken?' Fiona klonk nieuwsgierig.

'Gewoon, zaken.'

'Ah, een man met geheimen,' schamperde ze.

Ineens klaarde Brians gezicht op. 'Ik krijg opeens een briljant idee. Jullie gaan ook naar het zuiden, toch? Kan ik niet met jullie meerijden?' Verwachtingsvol keek hij beide dames aan.

'Nou eh...' aarzelde Marit. Ze was net zo opgelucht dat haar ontmoeting met Brian bijna ten einde was en ze weer kon ontspannen.

'Ik mag van mijn moeder niet meegaan met vreemde mannen,' reageerde Fiona lachend.

'Maar jij gaat niet mee met een vreemde man, een vreemde man gaat mee met jou. Dat staat vast niet in de kleine lettertjes van het reglement van je moeder.' Zijn ogen hadden een guitige uitstraling die allerminst als gevaarlijk betiteld kon worden.

'Ik weet het niet hoor... Wat vind jij?' vroeg Fiona aan Marit. Ze haalde haar schouders op ten teken dat ze ook geen pasklaar antwoord had.

'Hé, jullie kunnen me hier toch niet laten zitten?' Brians stem kreeg een verontwaardigde ondertoon.

'Ten eerste, lieve jongen, zijn wij jou absoluut niets verschuldigd en ten tweede overval je ons nogal met je vraag. Wie zegt er dat je te vertrouwen bent? Je hoort zoveel enge verhalen over het meenemen van lifters.'

'Maar ik ben geen lifter, ik ben een pechvogel. Als mijn vrienden geen panne hadden gehad, was ik al lang op weg geweest naar het zonnige zuiden en had ik jullie nooit ontmoet.'

'Dat is waar,' beaamde Marit. 'Misschien moeten we hem een eindje op weg helpen?'

Fiona kneep haar ogen tot spleetjes en bekeek Brian nog eens grondig. 'Nou, vooruit, ik geef je het voordeel van de twijfel. Je kunt meerijden, maar onder onze voorwaarden en als je ook maar iets doet wat me niet aanstaat, dan gooi ik je eruit. Snappez-vous?' Ze keek streng over haar zonnebril heen.

'Ik zal me keurig gedragen.'

'We rijden overigens wel in twee dagen naar Savines-le-Lac en hebben een overnachting geboekt bij het Ibis hotel langs de A6 bij Mâcon. Ik heb geen idee of ze nog een kamer voor je vrij hebben, maar wij gaan in elk geval ons reisschema niet aanpassen.'

'Dan kruip ik toch lekker tussen jullie in,' insinueerde Brian.

'Ha, dat dacht ik dus niet. Dat je in onze auto plaatsneemt is nog tot daaraan toe, maar onze slaapkamer is echt verboden gebied. Haal je maar niets in je hoofd. Wat jij, Marit?'

Een instemmende knik was Marits enige reactie. Ze liet de twee maar een beetje begaan en voelde geen enkele behoefte om zich actief in de discussie te mengen.

'O ja,' vervolgde Fiona, 'een bijdrage in de reiskosten zouden we zeer op prijs stellen.'

'Geen probleem, de volgende tankbeurt is voor mij.'

'Mooi, daar hou ik je aan. Zullen we dan maar? We hebben nog een paar uur voor de boeg.'

20

Hij had haar goed geobserveerd. Daar was tijd en ruimte voor. Kijken zonder haast en vervolgens inprenten. Haar gezicht als een schilderij in zijn hoofd waar hij elk moment het doek af kon halen als hij daar behoefte aan had. Haar tekening was nog mooier dan hij in eerste instantie had ingeschat. Ze zou de zoveelste op zijn lijstje worden, maar hij had er nog nooit een zoals zij gehad. Zij was de eerste rooie. Blond en bruin spraken hem normaliter meer aan, maar zij had iets. Iets speciaals waar hij de vinger niet goed op kon leggen, maar dat hem wel in vuur en vlam zette. Ze leek ook rijper, volwassener. Hij moest haar hebben, maar zou er deze keer de tijd voor nemen. Zo lang mogelijk rekken. Hij moest goed plannen en zich niet laten meeslepen. Maar arrgh, het gezoem in zijn kop was gekmakend. Hij wist niet hoe lang hij het nog volhield om het aan te horen voordat hij doordraaide. Dan zou geduld een utopie zijn en de drang te groot. Misschien moest hij afwijken van het vaste stramien. Een extra escape inbouwen, gewoon voor de zekerheid. Hij hield er niet van om te improviseren, een deel van hem was een gewoontedier. Maar ergens zocht hij ook uitdaging. Dat was ook de reden dat hij voor deze plek had gekozen. Zoveel passanten. De willekeur gaf er net die spannende draai aan die hij nodig had. Je wist nooit wie er voorbijkwam en of 'zij' ertussen zat. Maar nu zijn oog was gevallen op die rooie was het zoeken voorlopig weer ten einde.

21

Terwijl Marit achter het stuur plaatsnam, verplaatste Fiona nog wat bagage van de achterbank in de kofferbak zodat Brian voldoende plek had om te zitten. Met een tevreden gezicht nam hij plaats en zette zijn rugzak naast zich. Met een stevige klik vergrendelde Fiona haar veiligheidsriem en sloeg het portier dicht. Ze waren nog geen paar kilometer onderweg of Brian begon al te klagen.

'Pff, wat een hitte. Hebben jullie geen airco?' Brian draaide de raampjes aan beide kanten een stuk open en stak zijn hoofd naar buiten.

'Nog praatjes ook? Wat dacht je, dat we een Rolls-Royce met chauffeur zouden voorrijden? Je kunt ook de benenwagen nemen hoor, als het je niet bevalt,' reageerde Fiona geïrriteerd. Marit glimlachte om de snibbige reactie van haar vriendin die eerder over hetzelfde had geklaagd. Dat Fiona zich schikte naar de situatie als een kameleon en enig opportunisme niet schuwde, was Marit al eerder opgevallen.

Brian leek Fiona's standje te accepteren en zat weer een paar minuten zwijgend op de achterbank. De sfeer in de auto was toch een stuk minder relaxed dan daarvoor. Ze had steeds het gevoel dat ze een conversatie op gang moest houden, maar wist eigenlijk niet zo goed welke onderwerpen ze daarvoor moest aansnijden. Brian was uiteindelijk geen grote prater gebleken. Hij kletste best aardig, maar zei eigenlijk helemaal niks. Veel meer dan ja en nee kreeg ze niet uit hem. Daarbij, wat had het voor zin om meer te weten te komen over iemand die als een verstekeling meelift te op een fragmentje uit je leven en die je verder nooit meer zou zien?

Fiona had de moed al veel eerder opgegeven. Die was extreem druk met naar buiten turen. Dat werd een lange rit. Ze was blij dat de achtergrondmuziek wat van de geladen stilte vulde. Ze probeerde een beetje te ontspannen.

'Je rijdt wel lekker chill met je hondertien kilometer per uur.' Brian geeuwde luidruchtig zonder zijn hand voor zijn mond te houden. Ze keek naar hem via de binnenspiegel. Zijn ogen zochten de hare en hielden haar blik gevangen. Hij knipoogde lijzig. Vlug richtte ze haar blik weer op de weg en probeerde de warme gloed die opsteeg naar haar wangen tegen te houden. Fiona staarde nog steeds gebiologeerd uit het raam en had gelukkig niets door.

'Ik heb de perfecte muziek die past bij jouw rijstijl.' Brian zwaaide met zijn iPod en begon zonder het te vragen de zilverkleurige variant van Fiona af te koppelen en plugde de kabel in die van hem.

'Hé!' reageerde Fiona verontwaardigd.

'Ik weet zeker dat je het mooi vindt, mop.'

'Mop? Wat...' Voordat Fiona de kans kreeg hem te vertellen dat ze niet gecharmeerd was van dergelijke benamingen werd ze volledig overstemd door reggaeklanken.

'*I wanna wake up with you,*' zong Brian uit volle borst mee terwijl hij weer oogcontact zocht met Marit via de binnenspiegel.

'Wat een vals gejengel.' Fiona stopte haar vingers in haar oren terwijl ze een schuine blik op Marit wierp. Haar vriendin leek zich minder te ergeren, gezien de voorzichtige glimlach rond haar mond. Ze focuste zich volledig op de weg, maar wiegde zachtjes mee op de maat van de muziek. Fiona keek eens naar de snelheidsmeter. 'Marit, we zakken af tot onder de 100, zo komen we nooit in Mâcon!'

'O, sorry, je hebt helemaal gelijk.' Verschrikt drukte ze het gaspedaal weer wat verder in. Op blijven letten, Marit, sprak ze zichzelf toe. De warme auto, de tropische muziek en de aantrekkelijke Brian haalden haar behoorlijk uit haar concentratie. Maar autorijden was geen spelletje, het droeg een grote verantwoordelijkheid met zich mee. Zij moest er als bestuurder voor zorgen dat haar passagiers niets overkwam en zich niet laten afleiden door randzaken. Ze klonk haar ogen vast aan het grijze asfalt en negeerde Brian zo veel mogelijk. Ze voelde dat hij haar steeds aankeek en toen hij luidkeels meezong met een uit de hand gelopen reggaeversie van *One More Night* kon ze zich niet aan de indruk onttrekken dat hij het voor haar zong.

'*Not one more minute*, vriend.' Fiona trok met een ferme ruk de kabel uit de radio en de auto vulde zich abrupt met een storende radiozender. Brian reageerde niet, maar zijn rechtermondhoek krulde wat naar boven in een geamuseerde, scheve grijns.

22

Ze naderden de Franse grens. Fiona had de krakende radio tot zwijgen gebracht, maar vond de stilte in de auto ook niet echt plezierig.

'Vertel eens wat meer over jezelf,' begon ze tegen Brian.

'Wat wil je van me weten?' vroeg hij plagend.

'Leeftijd, opleiding, werk, om maar eens een paar dingen te noemen.'

'Vijfentwintig, fotoacademie, geen werk.'

'Hmm, een fotograaf, interessant.'

'Ik observeer graag en hou van mooie plaatjes.' Weer zocht hij Marits ogen via de binnenspiegel. 'Ik vang graag mensen in kaders.'

'Dus portretfotografie is je specialiteit?'

'Zo zou je dat kunnen zeggen, ja.'

'En waarom heb je geen werk? Is dat lastig in jouw vakgebied?'

'Er is behoorlijk wat concurrentie van de gevestigde orde en het is moeilijk om daartussen te komen.'

'Frustrerend lijkt me.'

'Ach, valt wel mee. Mijn ouders hebben geld zat, dus om een inkomen hoef ik me geen zorgen te maken.'

'Het draait toch niet alleen om geld? Als vakman wil je toch dat je gezien wordt, dat men je werk waardeert?'

'Hmm,' reageerde hij. 'Ik doe waar ik zin in heb en dat bevalt me uitstekend.'

'Een verwend rijkeluismannetje dat zich nergens iets van aantrekt dus,' was Fiona's slotconclusie.

'En weet je waar ik zin in heb? Om Marit te fotograferen.' Hij pakte zijn telefoon, hield hem schuin bij haar gezicht en klikte hoorbaar af.

'Voor een fotograaf heb je wel eenvoudige apparatuur,' klonk de cynische stem van Fiona.

'Ik ga hier op de vierkante meter niet lopen prutsen met mijn dure apparatuur. Vanavond doen we het uitgebreid over, oké?' Hij liet zijn hand langzaam over Marits rossige haar gaan. Draaide een lok om zijn vinger en trok er zachtjes aan. Marit omklemde het stuur zo stevig dat haar knokkels wit werden. Ze probeerde het aangename getintel van haar hoofdhuid te negeren.

De Franse grens doemde op en Marit liet de auto keurig terugzakken in snelheid. Met een gangetje van dertig kilometer per uur passeerden ze de overgang. Zwijgend reden ze verder totdat ter hoogte van het plaatsje Fey een file opdoemde.

'Tjeemig, alsof we nog niet genoeg file gehad hebben vandaag,' bracht Fiona de wachtrij voor het Luxemburgse tankstation in herinnering.

'Zo te zien is er iets gebeurd.' Marit wees op de zwaailichten in de verte. Een motoragent dirigeerde het verkeer via de rechterrijbaan naar de vluchtstrook. Het teruggaan naar één rijbaan verliep niet al te soepel. Er klonk luid getoeter en gemopper door de open raampjes. Brian schoof onrustig heen en weer op de achterbank en ging helemaal onderuit hangen toen ze in de buurt van de motoragent kwamen. Van zijn relaxte houding was ineens weinig meer over. Ook draaide hij de achterste raampjes dicht. Fiona keek fronsend zijn kant uit.

'Heb je je alcoholtest niet bij je? Ze delen nu nog geen boetes uit, hoor.'

'Welke alcoholtest?'

'Een zelftest die iedere automobilist in Frankrijk sinds 1 juli 2012 verplicht bij zich moet hebben om te testen of hij niet te veel gedronken heeft om te rijden. Er is heel veel over te doen geweest in de media, met name over het feit dat die dingen onbetrouwbaar zijn. Er zijn heel veel verschillende testen in omloop, maar er zijn er maar twee die een Frans keurmerk hebben. Tot 1 maart 2013 zou de Franse politie alleen waarschuwingen afgeven en niet bekeuren als je zonder test rondrijdt, maar dat is weer tot nader order uitgesteld. Als je al gepakt wordt zonder test kan het je dus hooguit op een waarschuwing komen te staan.'

'Weet je dat zeker?'

'Ja, en bovendien gaan ze echt niet controleren als ze een ongeluk in goede banen proberen te leiden, dus je kunt de raampjes weer opendoen. Het lijkt wel een sauna in die auto.'

Ondanks de geruststellende woorden van Fiona, bleef Brian wat gespannen. 'Naar rechts!' brulde hij ineens keihard toen het hun beurt was om van rijbaan te wisselen. De motor sloeg af.

'Wat doe je nou? Rijden!' De auto achter hen botste bijna tegen de bumper. De agent keek hun kant op en wuifde geërgerd met zijn hand. Marit startte met trillende hand de auto en gaf een dot gas. Bijna sloeg de motor weer af omdat ze de koppeling te snel liet opkomen, maar ze wist het voertuig toch aan de praat te houden. Ze stuurde de auto richting de vluchtstrook.

'Kijk uit!' Fiona gaf een slinger aan het stuur. 'Motor in je dode hoek!'

Het zweet brak Marit uit, terwijl ze haar fout probeerde te corrigeren. De motorrijder sloeg met zijn vuist tegen de auto. Hij was woest. Marit stak verontschuldigend haar hand op. De motoragent hield het tafereel in de gaten en leek hun kant op te willen komen. Toen de motorrijder toch doorreed, bedacht hij zich en concentreerde zich weer op het in goede banen leiden van het overige verkeer. Toen ze hem gepasseerd waren, ging Brian weer wat rechterop zitten. Zijn ademhaling ontspande hoorbaar.

Op de middenbaan stonden twee zwaarbeschadigde auto's en een caravan. Aan de andere kant van de weg begon een kijkfile te ontstaan.

'Ramptoeristen heb je ook in elk land,' concludeerde Fiona.

'Volgens mij is het net gebeurd. Hebben jullie even mazzel dat jullie mij zijn tegengekomen en daarmee een beetje vertraging hebben opgelopen. Anders hadden jullie hier gereden tijdens het ongeluk of waren jullie er lijdend voorwerp van geweest.'

'Dat denk ik niet. Als we jou niet hadden opgepikt, waren we er allang voorbij geweest en stonden we nu niet in de file. Wat dacht je daarvan, praatjesmaker?'

23

Wat een mooie foto. Hij scande hem met zijn ogen. Raakte haar aan met zijn blik en kon de warmte van haar huid bijna voelen. Hij zoomde in op haar ogen. Telde de ragfijne bloedvaatjes en verloor zichzelf in haar volmaakt ronde pupil. Probeerde de wereld te bezien door haar groene kijkers. Hij stelde zich voor dat haar wereld kleurrijk was en niet zwart als de zijne. Dat ze met plezier vooruitkeek in plaats van nerveus achterom. Ze leek hem open en onbevangen, maar niet volledig naïef. Hij verlangde naar de zachtheid van de rossige lokken langs haar gezicht. Focuste zich op een eigenwijze krul aan de rechterkant. Wat zou hij die graag tussen zijn vingers nemen en eraan trekken. Eerst zachtjes en dan steeds harder tot haar hoofd achterover zou hellen om te ontsnappen aan de pijn. Hij stelde zich voor hoe ze lichtjes zou kreunen, te trots om te laten merken hoeveel pijn het echt deed. Dat maakte zijn verlangen alleen nog maar groter. Hoe ver zou hij met haar kunnen gaan voordat ze zou breken? Zou ze zich uiteindelijk voor hem openstellen, net als die anderen of zou er altijd een stukje zijn dat hij niet in zijn bezit kreeg? Hij kon niet wachten om het uit te vinden, maar hij wilde niet meteen toegeven aan zijn begeerte. Hij streelde haar hoge jukbeen met zijn ogen. Misschien zou hij het breken om het gezoem in zijn hoofd te overstemmen met het gekraak van verbrijzeld bot. Misschien was het niet nodig en slaagde zij er op een andere manier in om stilte te creëren. Het zou een unicum zijn en haar ver boven de anderen doen uitstijgen. Hij sloot het niet uit. Ze was bijzonder, dat had hij meteen gezien. Ze grensde aan perfectie, daar raakte hij meer en meer van overtuigd. Als ze zou weten wat hij bekokstoofde, hoe hij haar in de gaten hield, dan zou ze er vast niet zo rustig bij zitten. Het verrassingseffect zou daarom des te groter zijn als hij zich bekendmaakte. Hij vond het leuk dat ze een beetje verlegen was, hoe haar wangen kleurden als ze zich ongemakkelijk voelde. Daar kon hij mee dollen en het gaf een extra dimensie aan het kat-en-muisspel dat was begonnen zonder dat zij ervan wist. Zij was de prooi, hij de jager. Zijn munitie stond op scherp.

24

'Uhm, ik durf het bijna niet te zeggen, maar ik moet echt ontzettend nodig naar de wc.' Marit trok een moeilijk gezicht en schoof onrustig heen en weer op haar stoel.

'Jeetje, alweer? Zo schieten we nooit op. Kun je het niet ophouden tot we de tank nog wat verder hebben leeg gereden?'

'Nee, sorry, ik kan er niks aan doen.'

Ze reden inmiddels ter hoogte van Nancy. Voor hen reed een Nederlandse auto met caravan. 'Kijk nou, die sticker!' Fiona begon smakelijk te lachen.

Marit las de tekst hardop voor: 'Je rijdt als mijn schoonmoeder.'

'Goh, ze hadden die sticker beter op jullie auto kunnen plakken,' bemoeide Brian zich ermee.

Fiona wilde hem alweer een sneer geven, maar bedacht zich toen ze de pretlichtjes in zijn ogen zag. Ze hoefde ook niet op alle slakken zout te leggen. Als hun verstekeling dacht grappig te zijn, dan liet ze hem maar in die waan.

Op de een of andere manier had die Brian een hoog irritatiegehalte. Door zijn knappe uiterlijk kwam hij er vast vaak mee weg. Haar deed het niet zoveel, hij was haar type niet, maar het was haar opgevallen dat Marit niet geheel ongevoelig was voor zijn charmes. Ze had er zo haar twijfels over of deze Brian nou het juiste type was om mee los te gaan, maar ze gunde het Marit van harte om weer eens ongedwongen te genieten van een man zonder dat het meteen ingewikkeld werd.

Ze begreep ook wel dat Marit terughoudend was met mannen. Als zij kinderen had zou ze ze ook niet elke week met een ander schatje willen confronteren. Kinderen hadden stabiliteit nodig en dat was een gouden regel waar Marit zich zo goed mogelijk aan hield. Ze had bewondering voor haar vriendin. Ze wist het allemaal maar mooi te rooien in haar eentje. Sem en Lotte waren schatten, maar het bleven kinderen en dus waren ze veeleisend. Het viel haar honderd procent mee dat ze Marit had kunnen overtuigen mee naar Frankrijk te gaan zonder kinderen. Haar ouders hadden daar ook absoluut een belangrijk steentje aan bijgedragen.

Stiekem was ze ook wel een beetje jaloers op Marit. Ondanks het feit dat ze een alleenstaande moeder was, kwam ze uit een heel hecht gezin. Haar ouders waren fantastisch en stonden model voor alles wat zij zichzelf altijd bij het ideale gezin had voorgesteld. Haar eigen gezinssituatie was verre van stabiel en ideaal geweest. Dat was waarschijnlijk ook de reden dat ze zo'n moeite had met relaties en het bij vluchtige onenightstands hield. Ze durfde zich niet te binden, bang om weer gekwetst en teleurgesteld achter te blijven. Ze was zich er terdege van bewust dat haar voorzichtige houding misschien tot resultaat zou hebben dat ze altijd alleen zou blijven, maar van die gedachte werd ze niet ongelukkig. Ze vond zichzelf prettig gezelschap en had het over het algemeen uitstekend naar haar zin.

Alleen als ze werd geconfronteerd met Sem en Lotte knaagde er voorzichtig weleens iets en begon haar biologische klok harder te tikken. Maar de mogelijkheden waren tegenwoordig legio. Alleenstaande moeders waren niet langer een uitzondering en ze kon altijd nog haar eicellen laten invriezen of gebruikmaken van een zaaddonor. Als Marit het in haar eentje redde met twee kinderen, dan moest dat haar in de toekomst toch ook lukken? Het geluid van de pulserende richtingaanwijzer bracht haar weer bij de les. Marit stuurde de auto de afrit naar het tankstation op. 'Zullen we hem gelijk nog even volgooien?' stelde ze voor.

'Lijkt mij een prima plan.' Ze draaide zich om naar Brian. 'Tijd voor je tegenprestatie, jij mag betalen.'

'Oké.'

'Zal ik weer achter het stuur kruipen?' stelde ze Marit voor. Even bleef het stil voordat Marit instemde. Het was duidelijk dat ze zich nog steeds niet prettig voelde bij Fiona's snelheidsduivelgedrag, maar door alle vertragingen die ze al hadden opgelopen, was het geen slecht idee om even wat kilometers te maken, anders kwamen ze nooit op tijd aan bij hun overnachtingsplek. Marit reed de auto naar de benzinepomp en voordat ze op de rem kon trappen, trok Brian ineens vol aan de handrem. De auto stond met een schok stil.

'Doe even normaal man, waar slaat dat op!' reageerde Fiona geschrokken en ook Marit leek deze onverwachtse actie niet te kunnen waarderen.

Brian grijnsde baldadig. 'Ik dacht ik help even een handje, dan schiet het tenminste een beetje op.'

Fiona wierp hem een vernietigende blik toe. Eigenlijk zouden ze die vent eruit moeten flikkeren. Wat dacht hij wel! Hij zou blij moeten zijn dat hij überhaupt mee mocht rijden, het minste wat hij daar tegenover kon stellen is dat hij zich een beetje gedroeg.

'Misschien moeten we het hier maar bij laten, Brian?' zei Fiona terwijl ze bevestiging zocht bij Marit. 'Je vindt vast wel weer een paar andere gekken die je een stukje op weg willen helpen.' Ze zette haar handen uitdagend in haar zij in afwachting van zijn reactie.

'Maar we hebben het zo gezellig.'

'Ik denk dat jouw idee van gezellig toch wat afwijkt van dat van ons. In elk geval van dat van mij.'

Brian negeerde Fiona en richtte zich op Marit. 'Vind jij ook dat onze wegen hier moeten scheiden?' Fiona zag dat Brian oogcontact maakte met haar vriendin en haar probeerde te bewerken met zijn onschuldige gezicht. Fiona wist zeker dat hij er geen donder van meende en hen in de maling probeerde te nemen.

'Marit!' reageerde ze verontwaardigd toen ze zag dat haar vriendin niet geheel ongevoelig was voor zijn charmes.

'Uhm, nou,' hakkelde Marit, 'wat mij betreft krijg je nog een kans, maar dan moet je wel je vrijpostige gedrag een beetje intomen.'

'Dat meen je niet! Noem mij één reden waarom we hem nog langer zouden moeten tolereren. Hij wacht maar op die vrienden van hem.' Marit keek wat ongemakkelijk en wist niet wat ze moest zeggen.

'We kunnen hem missen als kiespijn!'
'Maar we kunnen hem hier toch niet achterlaten langs de snelweg?'
'Jij kunt het ook niet laten om je voor alles en iedereen verantwoordelijk te voelen, hè? Het siert je, maar het gaat ten koste van jezelf.'
'Laatste kans,' zei ze tegen Brian, 'en alleen omdat Marit het wil. Als het aan mij lag, namen we nu afscheid.'
Brian keek schaapachtig naar de grond, met een nauwelijks zichtbaar glimlachje rond zijn mond.

25

'Heb jij nog iets nodig uit de shop?' vroeg Marit. Ze was opgelucht dat de rust weer even leek wedergekeerd. Fiona schudde van nee.
'Oké, ben zo terug.'
Zodra ze onder de overkapping van het tankstation vandaan was, brandde de zon onverminderd fel op haar gevoelige huid. Ze was blij dat ze zich vanochtend met wat zonnebrand had ingesmeerd. Ze verlangde naar een verfrissende douchebeurt om het klamme zweet van zich af te wassen en versnelde haar pas. Hoe eerder ze weer op pad gingen hoe beter.
Ze keek nog eens achterom en zag dat Brian zijn rugzak pakte en de auto eveneens verliet. Brian ving haar blik. Als hij zo keek, zag hij er zo aardig en aantrekkelijk uit en kon ze zich nauwelijks voorstellen dat het misschien toch wel een beetje een rare gast was. Als ze de situatie rationeel bekeek, knaagde er wel iets en was ze gek dat ze niet naar Fiona had geluisterd toen ze hem uit de auto wilde zetten. Maar haar gevoel lag dwars en ze wilde de knappe Brian op de een of andere manier nog niet laten gaan.
Bij de wc's aangekomen zonk de moed haar in de schoenen. Ze was niet de enige. Een grote grijze bus vol bejaarden had ook een pitstop gepland en de passagiers bevolkten nu de wc-ruimte en het gebied ervoor. Nu ze erover nadacht, had ze de bus inderdaad al op het parkeerterrein zien staan. Ongeduldig sloeg ze het schouwspel gade van strompelende bejaarden die elkaar ondersteunden en duidelijk geen enkele haast hadden. Alle clichés over oude mensen waren op hen van toepassing. Ze hoopte toch dat zij op die leeftijd nog wat kwieker zou zijn. God verhoede dat ze ooit aan zo'n groepsreis zou deelnemen.

Na eindeloos te hebben gewacht, was ze nu eindelijk aan de beurt. Brian en Fiona zouden inmiddels wel denken dat ze zichzelf had doorgespoeld.

'Oké, het gas erop, meiden.' Brian had zich weer prinsheerlijk op de achterbank genesteld, zijn rugzak uit het zicht op de grond. Met een hoop gekraak en kabaal at hij de zak chips leeg die hij had gekocht. Hij likte na elke hap zijn vingers uitgebreid af om vervolgens weer een nieuwe handvol te pakken. 'Ook een hapje?' Hij hield de verfrommelde zak tussen hen in, zijn vingers nat en vol met kruimels.

Fiona, die het schouwspel volgde via de binnenspiegel, trok een vies gezicht. 'Nee, dank je.'

Ook Marit sloeg het aanbod af.

'Mooi, dan eet ik het lekker zelf op.' Hij propte zijn mond weer vol en kauwde luidruchtig verder.

In de verte zagen ze blauwe zwaailichten naderen. Fiona liet het gas wat los zodat de kilometerteller weer terugzakte naar de toegestane snelheid. De boetes in Frankrijk waren tenslotte niet misselijk. De sirene werd luider en in haar spiegels zag ze twee motoragenten met grote snelheid naderen. Ze stuurde de auto alvast keurig naar de rechterbaan zodat ze haar konden passeren. Tot haar verbazing voegde de ene motoragent zich achter hen en de andere ging strak links van hen rijden.

Fiona werd een tikkeltje nerveus. Ook Marit begreep er niets van. 'We rijden toch niet te hard?'

Voordat Fiona kon antwoorden schoot de motoragent die achter hen reed, hen voorbij en ging voor hen rijden. Vervolgens zette hij zijn knipperlicht aan naar rechts als teken dat ze de auto aan de kant moesten zetten. Zijn collega gebaarde met zijn hand naar de afslag die ze naderden. Er bestond geen misverstand over, de agenten hadden het echt op hen gemunt.

'Zou dit toch zo'n controle zijn om te kijken of we de verplichte alcoholtests wel bij ons hebben of dat we een flitsverklikker hebben?' vroeg Marit zich af.

Brian hield zich opvallend rustig en was gestopt met eten. Er parelde wat zweet op zijn voorhoofd. Hij hing onderuitgezakt op de achterbank alsof hij zich onzichtbaar wilde maken.

Gehoorzaam volgde Fiona de motoragenten en nam de afslag. Ze dirigeerden hen naar de vluchtstrook onder aan de afrit. Met de zenuwen in haar lijf wachtte Fiona geduldig tot een van de agenten naar haar toe kwam lopen. Hij gebaarde haar dat ze uit moest stappen. Marit volgde haar voorbeeld. Brian bleef in eerste instantie zitten, maar moest er ook aan geloven. De agent begon in rap Frans te praten.

'*Parlez-vous anglais?*' vroeg Fiona meteen. 'Ik begrijp er geen hout van, jij?' fluisterde ze tegen Marit.

Die schudde haar hoofd. 'Ik spreek maar drie woorden Frans en zijn vocabulaire zit daar niet bij vrees ik. Ik heb werkelijk geen idee waar hij het over heeft.'

'*Mesdames!*' de agent klapte in zijn handen om hun aandacht weer te krijgen. '*Attention, s'il vous plaît!*'

'*Excusez moi*,' hakkelde Fiona. 'Parlez-vous anglais?' liet ze er meteen weer op volgen.

'Lietel biet,' reageerde de man kortaf.

'*Et je parle un petit peu français, donc* we komen er wel uit.'

De agent haalde zijn schouders op ten teken dat hij niet begreep wat ze wilde zeggen. Hij nam het woord. 'Er is een groot probleem.'

'Wat bedoelt u?' reageerde Fiona verbaasd. 'We hielden ons keurig aan de snelheid.'

'U bent weggereden bij het tankstation zonder te betalen.'

'Weggereden zonder te betalen? Beschuldigt u ons nu van benzinediefstal?'

'Dat hebt u goed begrepen, mevrouw.'

'Brian, jij hebt toch betaald?' De verontwaardiging klonk door in haar stem en ze keek hem onderzoekend aan. Hij keek van haar weg en stond zenuwachtig heen en weer te wippen van zijn ene been op zijn andere. Een antwoord bleef uit.

'Hij heeft betaald, hoor.' Met haar vinger duidde ze de nog steeds zwijgende Brian aan. 'Toch?' Ze sloeg haar armen over elkaar en ging uitdagend voor hem staan, de agent volgde in haar kielzog.

'Uhm, nou, het zit zo... Eigenlijk ben ik geloof ik een klein beetje vergeten te betalen...' Hij praatte zo zachtjes dat ze hem nauwelijks kon verstaan en hij had het extreem druk met het bestuderen van zijn schoenen.

'Wát zeg je?'

'Ik ben vergeten te betalen. Ik had zin in chips en die heb ik afgerekend zonder verder nog stil te staan bij die benzine.' Zijn ogen stonden schaapachtig toen hij ze op haar richtte.

Marits mond viel open van verbazing. 'Hoe kun je dat nou vergeten?'

'Dat is een heel verhaal waar ik jullie eigenlijk niet mee lastig wil vallen.'

'Als ik jou was, zou ik dat toch maar doen,' zei Fiona bits. 'Je bent ons wel de nodige uitleg verschuldigd.'

'Oké dan. Ik heb ADD, een soort ADHD, maar dan zonder de hyperactiviteit. Daardoor kan ik me onder andere slecht concentreren. Veel dingen gaan het ene oor in en het andere weer uit. Het blijft niet hangen en daardoor vergeet ik veel.'

'Nou, deze reutel dreun je anders behoorlijk samenhangend op,' onderbrak Fiona hem cynisch.

'Sst, laat hem nou even zijn verhaal doen.' Marit tikte haar vriendin aan en Brian ging verder alsof hij niet onderbroken was.

Nu verstoorde de agent zijn verhaal. 'Ik heb meer dingen te doen, kletsen doen jullie maar in je eigen tijd.'

Marit stak haar hand op ten teken dat hij even geduld moest hebben. 'Sst, dit is belangrijk.'

Fiona zette zich schrap voor de reprimande van de agent, maar die bleef uit. Met een korte hoofdknik gaf hij aan dat Brian zijn verhaal af mocht maken, zij het niet van harte. 'Opschieten.'

Brian aarzelde geen moment en vervolgde zijn verhaal. 'Ik reageer heel impulsief op situaties en kan hoofd- en bijzaken niet zo goed van elkaar scheiden. Als ik zo'n shop bij een tankstation binnenloop, word ik helemaal gek. Zoveel prikkels en spullen, dan begint het te toeteren in mijn kop en draait alles voor mijn ogen. Om niet in paniek te raken focus ik me dan uiteindelijk op één ding en dat zorgt ervoor dat ik op dat moment verder alles om me heen uit het oog verlies. In dit geval was het een zak chips die de controle overnam en ben ik de reden waarvoor ik oorspronkelijk naar binnen ging compleet vergeten. Het spijt me heel erg.'

De politieagent kuchte ongeduldig. Hij vond het nu echt mooi geweest en wilde een verklaring hebben.

'Ik zal het even voor hem samenvatten in het Engels,' trok Fiona kordaat het gesprek weer naar zich toe. Ze schonk Brian een wantrouwende blik en draaide zich om naar de agent, pakte hem vriendelijk bij zijn arm en voerde hem een stukje weg van Marit en Brian. Al snel was ze in een druk gesprek verwikkeld met de agent en maakte wilde handgebaren terwijl ze af en toe naar Brian wees. Marit spitste haar oren, maar kon niet horen wat Fiona allemaal besprak. Zelfs van de strekking van het gesprek ving ze niet voldoende op om er iets zinnigs van te kunnen maken. De andere motoragent stond er op afstand wat verveeld bij te kijken.

'*Bon*,' schalde Fiona's stem ineens en met stevige passen kwam ze hun kant weer op. 'Nou, we mogen in onze handjes knijpen. We moeten de benzine nu cash aftikken en daarbovenop een boete van 150 euro betalen en dan mogen we weer verder rijden.' Ze hield haar hand op naar Brian. 'Komt u maar.'

Brian had een onnozele blik in zijn ogen. 'Wat?'

'Het geld. Tweehonderdnegentien treurootjes en vijftien centen alsjeblieft en dan lullen we nergens meer over.'

Brian haalde een verfrommeld briefje van tien en een paar muntjes uit zijn broekzak. 'Meer heb ik niet.'

'Meer heb je niet? Hoe had je dan überhaupt die benzine willen betalen, om maar eens wat te noemen?'

'Vergeten geld te pinnen.'

'Onhandig, maar niet onoverkomelijk. Er is hier vast wel ergens een pinautomaat in de buurt.'

'Ik weet niet meer waar ik mijn pasje heb gestopt.'

Marit zag dat Fiona haar geduld begon te verliezen en greep in. 'Wij betalen het wel Fi, want dit gaat eindeloos duren. Maken we het later wel rond met hem. Nu is het zaak om zo snel mogelijk weer op de snelweg te zitten.'

'Maar wij hoeven toch niet te boeten voor problemen die hij veroorzaakt heeft? Ik kan wel duizend andere en betere bestemmingen verzinnen voor mijn zuurverdiende geld.'

'Ik ook, maar zo komen we niet verder. Hij beweert dat hij er niets aan kan doen vanwege zijn ziekte. Of hij de waarheid spreekt weten we niet, maar voor nu zullen we het ermee moeten doen anders komen we hier nooit weg.'

'Ik vrees dat je daar wel gelijk in hebt, ja.'

'Als jij niet wilt meebetalen, schiet ik het wel in mijn eentje voor.' Marit haalde haar portemonnee uit haar handtas en begon biljetten te tellen.

Fiona pakte zuchtend de hare en deed hetzelfde uit een gevoel van solidariteit. 'Maar ik ben het er niet mee eens,' deelde ze ten overvloede mee. Met een vinnig gebaar griste ze het tientje uit Brians hand, voegde het stapeltje biljetten van haar en Marit samen en overhandigde het aan de agent. Die liet het geld tussen zijn vingers knisperen en telde het zorgvuldig na. Met een korte hoofdknik gaf hij aan dat ze mochten vertrekken.

'*Merci beaucoup, monsieur.*' Ze probeerde het woord 'monsieur' zo goed mogelijk uit te spreken zoals ze dat vroeger van haar lerares Frans had geleerd. '*Il s'agit de prononciation,*' fluisterde ze toen ze langs Marit naar de auto liep.

'Huh?'

'Het gaat allemaal om de uitspraak,' vertaalde Fiona.

Ondanks de gespannen situatie glimlachte Marit. Wat was Fiona toch ook een clown.

De slome, afwezige houding van Brian was plotseling verdwenen en hij wist niet hoe snel hij weer op de achterbank plaats moest nemen. 'Zeker bang dat we je hier laten staan?' sneerde Fiona. 'Hadden we dat wijze inzicht maar in Luxemburg gehad, dat zou een hoop gedoe gescheeld hebben.' Ze gooide het portier met een klap dicht en startte de auto. 'Poging nummer zoveel om op de plaats van bestemming te komen.'

26

'Nou, wie had dat ooit gedacht, we zijn er.' Met een verhit hoofd stapte Fiona uit de auto. Ze had het hele stuk tot aan Maçon zo veel mogelijk plankgas gegeven. Marit volgde haar voorbeeld en was blij dat ze eindelijk haar benen kon strekken. Door al het oponthoud hadden ze er uiteindelijk tien uur over gedaan om hier te komen. Ze hoopte dat het hotel voorzien was van lekkere bedden zodat ze zich na een lange douche heerlijk kon opkrullen om de reis uit haar vermoeide spieren te slapen. Morgen nog een paar uur bikkelen en dan kon de vakantie eindelijk beginnen. Hoewel beide autoportieren wagenwijd openstonden, maakte Brian nog totaal geen aanstalten om de auto te verlaten.

'Wat dacht je ervan?' riep Fiona hem ongeduldig toe.

Hij reageerde nauwelijks en leek verzonken in zijn eigen wereldje.

'Hallo, we zijn er!' deed ze nog een poging.

Hij richtte zijn grote ogen op haar. Ze stonden wazig. Hij knipperde een paar keer en wreef zo hard in zijn ogen dat ze rood zagen.

'Zou je zo vriendelijk willen zijn om uit de auto te komen, Brian, zodat ik de boel af kan sluiten?' Fiona's stem klonk mierzoet, maar haar gezicht stond op onweer.

'Geduld is niet echt jouw ding hè,' concludeerde Brian terwijl hij zich uitrekte en zich sloom naar buiten wurmde.

'Niet als ik bijna twee dagdelen opgefrommeld in een snikhete auto heb gezeten, nee,' reageerde ze snibbig. 'Ik wil zo snel mogelijk eten, douchen en naar bed en jij vertraagt de boel enorm.'

Brian haalde onverschillig zijn schouders op en bukte zich om zijn rugzak uit de auto te halen. Vervolgens leunde hij tegen de zijkant van de auto en leek niet van zins om een stap te verzetten.

Fiona duwde hem zonder er nog woorden aan vuil te maken aan de kant, klapte de portieren dicht en vergrendelde de boel.

'Wat jij doet moet je zelf weten, maar wij gaan nu inchecken.' Ze stak haar arm door die van Marit en trok haar mee richting de receptie. Achter de fineerhouten balie stond een vlotte dame. Aan een rode wand hingen vrolijk gekleurde schilderijen. Marit keek verlangend naar de terracotta tegels op de grond. Wat zou ze graag haar slippers uittrekken en haar oververhitte voeten afkoelen op de vloer. De receptioniste begroette hen vriendelijk. Ze sprak een aardig woordje Engels, al was het dan met een Franse tongval.

'Die Fransen zien altijd aan je neus dat je de taal niet goed spreekt volgens mij,' fluisterde Fiona. 'Ze deed niet eens een poging om ons in haar moedertaal aan te spreken.'

'Ach, ze passen zich gewoon aan aan de grote gemene deler. Er komen hier natuurlijk ontzettend veel toeristen, dus met Engels zit je altijd goed. Dat doet me denken aan Zeeland waar je in de zomer op terrasjes vaak eerst in het Duits wordt aangesproken.'

'Ja, da's waar. Daar zijn ze bijna verbaasd als je in het Nederlands antwoord geeft.'

De receptioniste stak haar standaardriedeltje af. Hoe vaak zou ze dat op een dag moeten doen? Ze legde uit waar ze de auto veilig konden wegzetten, overhandigde een pasje waarmee ze hun kamer in konden en liet hun weten waar het restaurant was en vanaf en tot hoe laat ze daar terechtkonden.

'Moeten we nog vragen of ze nog een kamer beschikbaar hebben voor Brian?'

'Nee hoor, dat mag hij lekker zelf uitzoeken. Het is een grote jongen dus je hoeft niet over hem te moederen.'

'Ja, je hebt ook gelijk ook. Fijn dat we om elf uur pas hoeven uit te checken. Kunnen we morgen even flink uitslapen voordat we aan het laatste stuk beginnen.' Marit gaapte luidruchtig om haar woorden kracht bij te zetten.

'Flink uitslapen? Nou, als ik flink uitslaap ben ik echt niet voor één uur wakker, hoor,' zei Fiona.

'Eén uur? Ik ben al blij als Sem en Lotte me tot zeven uur met rust laten,' grinnikte Marit.

'Pff, vermoeiend. Ik moet er toch nog eens goed over nadenken of ik eigenlijk wel kinderen wil.'

'Ga jij nou eerst maar eens op zoek naar een man die je langer dan een week in je nabijheid duldt.' Lachend liepen ze terug naar de auto. Brian lag languit op de motorkap.

'Hé, kijk je een beetje uit?' riep Marit verschrikt. 'Ik wil geen deuken in mijn auto of krassen op mijn lak.'

'Sorry,' verontschuldigde Brian zich, 'ik was ineens zo moe, ik moest gewoon even liggen.'

'Ja, vermoeiend hè als je de hele dag wordt rondgereden. Ik snap het wel hoor,' zei Fiona cynisch. 'Kom, opzouten, we gaan de auto wegzetten.'

Steunend kwam hij overeind en liet zich van de motorkap glijden.

'Uhm, Brian, misschien is het handig als jij in de tussentijd een kamer voor jezelf probeert te regelen?'

'Maar ik kan toch ook gezellig tegen jou aan kruipen vannacht, lieve Marit?'

Ze probeerde niet te blozen en hem kordaat af te wijzen. 'Dat lijkt me niet de bedoeling, Brian.' Ondanks haar poging om streng en overtuigend te klinken, haperde haar stem.

'Weet je het zeker?' Een triomfantelijk lachje sierde zijn mond. 'Het lijkt me juist zo knus om samen te slapen. Een uitgelezen kans om elkaar beter te leren kennen.' Hij gaf haar een vette knipoog, streek een pluk haar uit haar gezicht en daar waren ze weer, die irritante blos en die ongecontroleerde kriebel in haar buik. Ze vond het vreselijk dat Brian haar zo makkelijk van haar stuk kreeg. Zo leuk was hij nou toch ook weer niet? *Maar wel knap!* jubelden haar over elkaar heen buitelende hormonen.

'Ga je mee de auto wegzetten of blijf je hier nog langer staan keuvelen?' onderbrak Fiona het ongemakkelijke onderonsje.

'Ik ga mee!' Opgelucht stapte Marit in de auto.

Brian draaide zich om en keek hen na met een raadselachtig glimlachje rond zijn mond. Hij haalde zijn telefoon uit zijn broekzak en begon te bellen.

27

Ze was zo dichtbij, maar tegelijkertijd ook zo ver weg. Hij stak zijn hand uit, zich verbeeldend dat zij hem pakte. Haar warme, slanke vingers die zijn handpalm aanraakten. Haar huid een tikje droog, maar o zo zacht. Hij kon het bijna voelen. Zachtjes zou hij zijn mond op haar hand drukken. Een elegante handkus waarbij hij zijn tong niet zou gebruiken. Dat kwam later wel. Zijn lippen zou hij lichtjes van elkaar doen en heel zachtjes zou hij zijn voortanden over de metacarpalen laten schuren, de vijf dunne botjes die tezamen de middenhand vormden. Ze zou hem aankijken. Vragend maar duidelijk verlangend naar meer. Hij zou haar ontkleden en op bed leggen. Haar hoofd op het kussen, haar buik rustend op de matras. In gedachten liet hij zijn wijsvinger over haar ruggenwervel strijken. Hoog in haar nek beginnend en eindigend bij het punt waar haar billen begonnen te wijken. Het kippenvel op haar huid zou zijn vinger achtervolgen en uiteindelijk inhalen. Als hij vliegensvlug haar polsen samenbond achter haar rug zou ze haar relaxte houding laten varen. Strak als een snaar zou ze elke vezel in haar huid spannen en de ragfijne haartjes op haar huid overeind zetten. Hij stelde zich voor hoe ze paniekerig omkeek, de beweging bemoeilijkt door haar geknevelde houding. Hij zou zijn hand op haar hoofd leggen en haar terugduwen in het kussen. Mond en neus wegzakkend in het zachte dons. Dan zou hij haar aan haar haren achterover trekken, net zo lang tot de kromming het perfecte vogelnestje vormde. Vlak voor haar spieren echt gingen protesteren, zou hij haar weer terugduwen. En dan herhalen, steeds een beetje langer in dat kussen tot ze smeekte naar frisse lucht. Die zou hij haar geven, net genoeg. Ze zou beseffen dat hij de baas was. Alle macht lag bij hem. Zij was er om hem te dienen.

Het was haar taak om het zoemen te laten stoppen. Dat ijzingwekkende, gekmakende geluid. Als hij heel eerlijk was, verlangde hij nog meer naar stilte in zijn hoofd dan naar haar. Het was zo lang geleden. Rust was alles wat hij zocht. Daar lag zijn gedrag, alles wat hij deed, uiteindelijk aan ten grondslag. Hij snakte naar die Generale Pauze waarin alles gelijktijdig zou verstommen. Meestal was het van korte duur en zwol het geluid alweer op voordat hij was bekomen van de vorige intensieve sessie. Zachtjes begon hij te zingen:

'Stil mijn lied, want de avond komt
Hoor je de stilte niet komen?
Hel moge klinken 't geluid van de dag
Nu klinkt het lied als in dromen
Stil, mijn lied, want de avond komt.'

28

Marit liet zich met een grote plof op bed vallen terwijl Fiona de bad-kamer inspecteerde. 'We hebben een bad!' riep ze verheugd uit. 'Za-lig! Ik zou willen dat ik er thuis een had.'

Marit keek op haar horloge. 'We hebben nog ruim anderhalf uur voordat we in het restaurant terechtkunnen voor het diner. Waarom ga je niet even lekker in bad liggen?'

'Maar jij dan?'

'Ik heb thuis een bad dus mijn behoefte is wat minder groot dan de jouwe. Ik neem zo een snelle douche en dan ga ik nog even een uur-tje tukken. Daar heb ik nou zin in.' Loom hees Marit zich van het bed en pakte haar tasje met overnachtingsspullen. Ze haalde er on-dergoed en een schoon jurkje uit. Met de spullen onder haar arm liep ze naar de badkamer waar het geluid van stromend water al volop klonk. Fiona zat met een verheerlijkt gezicht op de rand en liet haar vingers door het aangenaam warme water gaan. Een flinke witte schuimlaag waar een zoetige perziklucht uit opsteeg, bewees dat ze behoorlijk royaal was geweest met badschuim.

'Moet ik nog iets voor je pakken?'

'Nee hoor, voorlopig ben ik helemaal tevreden zo. Mijn kleren pak ik straks wel en ik mag vast wel een snufje van jouw deodorant lenen.'

'Uiteraard.' Marit zette de douche aan en begon zich uit te kleden. Toen het bad halfvol was, volgde Fiona haar voorbeeld.

'Zou Brian al een kamer hebben gevonden?'

'Ik hoop het voor hem. Eerlijk gezegd kan het me niet zo heel veel schelen. Ik vind het maar een vreemde gast.'

'Komt vast door die ADD van hem. Lijkt me lastig als je alles steeds maar vergeet.'

'Hopelijk vergeet hij van wie hij vandaag een lift heeft gekregen en kunnen we morgen lekker zonder hem op pad,' grapte Fiona met een serieuze ondertoon.

Marit grinnikte.

Om klokslag zeven uur schoven ze aan in het restaurant. Ze waren niet de enigen en er klonk gezellig geroezemoes uit de ruimte. Op de vloer lagen dezelfde tegels als bij de receptie. De rode stoelen, donker houten tafels en gele wanden gaven het geheel een warme uitstraling. Een paar grote groene planten maakten het geheel af. Ze namen plaats aan een van de nog beschikbare tafeltjes. Van Brian was geen spoor te bekennen.

'Zal ik wat gaan bestellen?' bood Fiona aan.

Marit pakte de menukaart die op tafel lag en liet haar vinger langs de gerechten glijden. 'Doe mij maar frietjes met een hamburger, ik heb zin in een ongezonde, kleffe hap.'

'Laat Sem en Lotte het maar niet horen.' Fiona maakte zelf ook een keuze en stond op. Niet veel later kwam ze terug met het eerste gevulde dienblad. 'Ik heb er maar verse jus bij genomen ter compensatie van je vitamineloze hap.'

Marit pakte het dienblad van haar aan en dronk meteen het halve glas sap leeg. 'Hmm, lekker. Ik had dorst.'

'Ik haal mijn eten ook even op. Zal ik nog een extra sapje voor je meenemen?'

'Ja graag, dan kom ik de maaltijd wel door.' Marits maag rommelde verlangend toen de geur van versgebakken frietjes haar neus binnendrong. De hamburger zag er wat vettig uit, maar hij smaakte er niet minder om concludeerde ze toen ze haar tanden erin zette. Het ding was goed heet waardoor ze haar mond brandde. Ze zoog koude lucht naar binnen en verplaatste het stukje vlees van links naar rechts in haar mond in de hoop dat het een beetje afkoelde.

'Dat krijg je er nou van als je niet het fatsoen hebt om op je tafelgenote te wachten,' grinnikte Fiona terwijl ze haar dienblad op tafel zette.

'Sorry, ik kon me niet meer beheersen,' mompelde Marit met volle mond. 'Wat heb jij besteld?'

'Dit,' Fiona wees naar het onbeduidende stuk vlees op haar bord, 'moet doorgaan voor biefstuk.' Vol overgave zette ze haar bestek erin en nam een hap.

'En, lekker?'

'Mijn schoenzolen zijn nog malser...'

'Ha, dat is nou precies de reden dat ik nooit biefstuk bestel in een restaurant. Negen van de tien keer is het taai en smakeloos. Wil je een hapje van mijn hamburger?' Marit prikte een stukje op haar vork en stak het Fiona toe. Ze aarzelde even maar hapte het toen toch van de vork.

'Beetje vettig, maar wel lekker,' concludeerde ze goedkeurend. 'Dan gooi je die schoenzool toch weg en bestel je er ook een?' Voordat Fiona antwoord kon geven, onderbrak een geruisloos naderende Brian het gesprek.

'Dames! Jullie hebben vast geen bezwaar tegen een charmante tafelheer.'

'Nee, klopt, waar is ie dan?' Fiona keek speurend om zich heen.

Brian strekte zijn armen uit en klopte zichzelf op de borst.

'O, je bedoelt jezelf? "Charmant" zei je toch?'

Brian ging zonder op verdere goedkeuring te wachten zitten en pakte een frietje van Fiona's bord. Ze gaf hem een tik op zijn vingers. 'Ga lekker zelf wat bestellen.'

'Nou zeg, een frietje kan er toch wel vanaf? Jij bent niet zo gierig hè, Marit?' Ook bij haar pakte hij een frietje van haar bord, doopte hem royaal in de mayonaise en stak hem in zijn mond.

Marit keek hem aan, maar zweeg verder. Dat vatte Brian blijkbaar op als een aanmoediging. Hij had het ene frietje nog niet weggewerkt of hij pakte de volgende al van haar bord.

'Kappen nou,' kwam Fiona voor haar vriendin op terwijl ze uit alle macht probeerde de taaie biefstuk in hapklare stukjes te snijden. Wanhopig liet ze uiteindelijk haar bestek op haar bord kletteren. 'Ik ga ook een hamburger bestellen, want dit schiet niet op.'

Ze was nog niet opgestaan of Brian had haar dienblad al naar zich toe getrokken en zijn tanden in de biefstuk gezet. 'Zonde om weg te gooien, toch?' was zijn smakkende commentaar.

Fiona maakte aanstalten om hem van repliek te dienen, maar slikte haar woorden op het laatste moment in. Stampvoetend vertrok ze, Brian en Marit samen achterlatend.

'Ongesteld zeker?' probeerde Brian Fiona's nurkse gedrag te verklaren. Marit voelde geen enkele behoefte om te reageren. Het leek Brian niet te deren en het bedierf zijn eetlust kennelijk niet. In razend tempo werkte hij de afgedankte maaltijd van Fiona naar binnen alsof hij al in geen dagen meer gegeten had.

Marit en Fiona liepen gearmd terug naar hun hotelkamer. Zoemende krekels begeleidden hun aftocht. De avondzon deed nog zijn uiterste best en zette het terrein in een gouden gloed. Brian was in het restaurant achtergebleven. Hij beweerde ergens op de eerste verdieping in het hotel een kamer te hebben geboekt. Die van Fiona en Marit lag op de begane grond. Achter het hotel stonden grote bomen. Het ging te ver om de dichte aanplant een bos te noemen, maar er was voldoende ruimte om je te verschuilen. Marit huiverde. 'In het donker is het hier volgens mij best eng. Ik zou hier niet graag als meisje alleen lopen 's nachts.'

Fiona lachte geamuseerd. 'Heldin!'

'Zou jij je hier 's nachts in je eentje dan op je gemak voelen?'

'Jawel hoor. De eerste de beste persoon die in mijn buurt komt, hoek ik neer.'

'Overdrijf je nu niet een beetje met je stoere praatjes? Je hoort altijd dat vrouwen met de grootste mond uiteindelijk de minste weerstand bieden als ze worden aangevallen.'

'Hmm, daar geloof ik helemaal niets van. Ik ben met vlag en wimpel geslaagd voor een cursus zelfverdediging, dus ik denk dat ik mijn vrouwtje wel sta.'

'Nou, laten we de proef maar niet op de som nemen en hopen dat het nooit zover komt.'

'Kijk nou om je heen, Marit. Wat kan hier nou helemaal gebeuren?'
Fiona spreidde haar armen en draaide met een gelukzalig gezicht een rondje. 'Het zonnetje schijnt, de krekels zingen en we hebben een kamer met een bad, wat willen we nog meer?'
Marit liet haar vriendin maar begaan. Het was fijn voor haar dat zij het allemaal niet zo zwaar opnam, maar zij had daar duidelijk een andere mening over.

29

Marit stond al onder de douche voordat Fiona wakker was. Ze had heerlijk geslapen. De bedden waren stevig maar aangenaam. Aangezien Fiona graag met het raam open sliep, had Marit gisteravond wel wat veiligheidsmaatregelen genomen. Zo'n open raam op de begane grond was haar veel te toegankelijk voor insluipers. De dichte bomenrij daarachter maakte het er in haar ogen ook niet veiliger op. Ze had tot groot vermaak van Fiona de twee stoelen die in de kamer stonden omgekeerd op elkaar gestapeld onder het raam om een barricade op te werpen voor eventuele indringers.

'Nou, dat zal ze leren,' zei Fiona lachend.

'Ja, lach me maar uit, hoor. Ik kan het hebben. Zo kan er in elk geval niemand geluidloos onze kamer in klimmen.'

'Wat ben je toch ook een lekker ding, Marit. Jij ziet echt overal gevaar. Probeer eens een beetje te ontspannen.'

'Niet iedereen kan zo luchtig door het leven fladderen als jij. Ik althans niet. Daarvoor heb ik te veel meegemaakt.'

'Jemig, nu klink je echt als een oude taart. Ik weet dat je het niet altijd even makkelijk hebt, maar soms moet je ook over dingen heen stappen. Je kunt zaken zo groot of zo klein maken als je zelf wilt.'

'Misschien moet je eens een carrière als life coach overwegen. Daar valt best nog wel wat in te verdienen volgens mij. Fiona Koelewijn, de Nederlandse Oprah Winfrey.'

'Nee, dank je, maar mocht ik toe zijn aan een carrièreswitch dan zal ik deze suggestie zeker in overweging nemen. Jij bent echt grappig, de Nederlandse Oprah Winfrey.' Daarna had Fiona zich opgekruld in bed en viel ze met een glimlach om haar mond als een blok in slaap.

Marit zette de douche uit en sloeg net een grote handdoek om zich heen toen Fiona geeuwend haar hoofd om het hoekje van de deur stak.

'Mogge, vroege vogel, lekker geslapen?'

'Heerlijk, jij?'

'Toen ik eenmaal gewend was aan je gesnurk wel.'

'Ik snurk niet,' reageerde Marit verontwaardigd.

'O ja, dat doe je wel. Ik heb het bewijs op mijn telefoon staan.'

'Heb je me opgenomen?'

'Jazeker,' grinnikte Fiona. Ze pakte haar telefoon en liet Marit het fragment horen.

'O, wat gênant. Ik snurk echt!'

'Geeft niet hoor, ik heb oordoppen mee mocht het uit de hand lopen.'

Marit gooide een handdoek naar haar vriendin. Fiona ving hem behendig op en hing hem klaar bij de douche. 'Dank, die had ik net nodig.'

Marit droogde zich verder af en kleedde zich aan. Fiona stond inmiddels luidkeels te zingen onder de douche. Op het moment dat Marit de badkamer verliet, werd er op de deur gebonsd en ging de klink naar beneden. Wat was dat nou weer? Ze hadden toch duidelijk het DON'T DISTURB-label aan de deur gehangen. Gelukkig hadden ze de deur aan de binnenkant ook nog op slot gedraaid. Zie je nou wel dat haar voorzichtige gedrag toch nog ergens goed voor was. Fiona kon er wel zo lacherig over doen, maar als ze die deur gisteravond niet op slot had gedraaid, stond er nu iemand in de kamer terwijl zij poedelnaakt was. Het gebonk op de deur hield aan en er werd weer ongeduldig aan de klink gerammeld.

'*Oui, oui, je viens!*' riep Marit richting de deur. '*Qui est là?*' Er kwam geen reactie. Aarzelend legde ze haar hand op de deurkruk. Openmaken of toch niet? Fiona was inmiddels gestopt met zingen en liep met een handdoek om haar hoofd en lijf de kamer binnen. 'Wat is dat allemaal?' vroeg ze verbaasd.

'Geen idee. Er staat iemand op de deur te bonken, maar ik krijg geen antwoord als ik vraag wie het is en wat hij of zij wil.'

Fiona duwde Marit kordaat aan de kant. Het leek haar niet te deren dat ze slechts in een handdoek was gehuld. Met een ferme zwaai opende ze de deur. '*Qu'est-ce que c'est?*' Ze keek recht in de ogen van Brian. Goedkeurend liet hij zijn ogen over haar schaars geklede lijf gaan.

'Dat ziet er niet verkeerd uit.'

Fiona wilde onmiddellijk de deur weer dichtslaan, maar Brian had zijn voet er al tussen gezet.

'Roomservice, dames. Help me eens mee om de boel naar binnen te dragen.'

Marit keek de gang in en inderdaad stonden er twee overvolle dienbladen naast hun deur. Toen pas viel het haar op dat Brian een pleister op zijn wang had en dat zijn rechterhand er wat gehavend uitzag.

'Wat heb jij nou?'

'O, dit?' Hij wees naar zijn wang. 'Uitgeschoten met scheren.'

'Scheer jij je hand ook?' vloog Fiona er meteen bovenop.

'Ik ben gisteravond gestruikeld,' zei hij.

'Handigerd.'

Brian wierp Fiona een zoete glimlach toe. Vervolgens bukte hij zich en pakte een van de dienbladen op. 'Neem jij de andere, Marit? Fiona heeft haar handjes al vol aan het vasthouden van haar handdoek.'

Fiona verdween zuchtend in de badkamer en gooide de deur met een klap dicht. Marit had het overvolle dienblad inmiddels in haar handen en liep achter Brian aan de kamer in. Ze wist het voor elkaar te krijgen om het dienblad ongeschonden op de tafel te zetten.

'Pff, nou weet ik weer waarom ik nooit een baan in de horeca heb geambieerd.'

Brian negeerde haar opmerking en begon met een serieus gezicht alle heerlijkheden uit te stallen. Marit liet hem zijn gang gaan. Ze bekeek de buit eens. Brian was niet zuinig geweest. Croissantjes, stokbrood, hardgekookte eitjes, yoghurt, muesli, koffie en thee, verse jus, jam, marmelade, tomaat, komkommer, ham en kaas en zelfs een klein flesje bubbels. Voor iemand die steeds maar beweerde geen geld op zak te hebben en zijn pinpas kwijt te zijn, had hij flink uitgepakt. Waar had hij dat in vredesnaam van betaald? Dit was niet het standaardontbijt dat bij de kamers werd geleverd. Of zou hij het op rekening van hun kamer hebben gezet en was het een sigaar uit eigen doos? Na het akkefietje bij het tankstation sloot ze dat scenario niet uit. Fiona kwam ondertussen volledig gekleed de kamer binnen.

'Die handdoek stond je beter,' merkte Brian op met een ondeugende uitdrukking op zijn gezicht.

Marit voelde een steekje van jaloezie. Ze moest toegeven dat ze het vervelend vond dat Brian nu ook insinuerende opmerkingen naar Fiona maakte. Haar vriendin negeerde hem echter en leek totaal niet onder de indruk van of gevoelig voor zijn charmes. Ze griste een croissant van tafel en stak hem gretig in haar mond.

'Kom, dit is geen lopend buffet, laten we er even gezellig bij gaan zitten.' Om zijn woorden kracht bij te zetten ontmantelde hij Marits stoelenbarricade voor het raam en zette ze bij de tafel neer. Hij wachtte galant tot beide dames plaatsnamen en schoof hun stoelen aan.

'Wat is het toch een rare druif,' fluisterde Fiona in Marits oor. 'Het ene moment hangt hij de onbeschofte vlerk uit en het volgende moment speelt hij de gentleman. Ik kan maar geen hoogte van hem krijgen.'

'Komt door die ziekte van hem,' lispelde Marit terug. 'Die ADD zorgt ervoor dat hij wat moeilijk in de omgang is en daardoor ook onvoorspelbaar.'

'Nou, dat lijkt me nogal een understatement dat hij lastig in de omgang is... Hoe kom jij trouwens aan die kennis?'

'Gisteravond even gegoogeld op mijn telefoon.'

'Zeg dames, jullie weten toch dat het heel onbeleefd is om te fluisteren in gezelschap?'

'In gezelschap ja, maar jij valt in een andere categorie.' Fiona snoerde hem meteen weer de mond.

Brian haalde zijn schouders op en speurde de kamer af op zoek naar een stoel voor zichzelf. Maar die ontbrak. Hij smeerde wat stukjes stokbrood met kaas, tomaat en komkommer en een croissant met jam en nam met zijn gevulde bord plaats op een van de bedden. Marit schonk voor iedereen wat verse jus in. De sfeer in de kamer was geladen. Ineens stond Brian op en pakte de fles champagne van tafel. Als een dolle begon hij ermee te schudden. Voordat Marit en Fiona hem tegen konden houden, ontkurkte hij de fles met een grote knal. De kurk schoot als een ongeleid projectiel door de kamer en kaatste af op de muur. De champagne spoot met een grote straal uit de fles over het bed en op de vloer.

'Doe even normaal, idioot!' Fiona sprong op en probeerde hem de fles afhandig te maken. 'Je maakt er één grote puinzooi van en wij kunnen straks weer voor de schade dokken!'

'Ach, stel je toch niet zo aan, het zijn maar spetters, dat droogt vanzelf weer op. En bovendien zullen ze hier weleens vaker vlekken in de bedden vinden...' Brian schudde nog eens extra met de fles en ging onverminderd door met het doneren van de drank aan vloer en bed. Toen hij was uitgeraasd, was de fles nog maar tot een kwart gevuld.

'Wat een verspilling,' zei Marit afkeurend. 'En dan heb ik het nog niet eens over de bende die je ervan hebt gemaakt. Zo kunnen we de kamer toch niet met goed fatsoen achterlaten?'

Brian nam niet de moeite om te reageren en pakte drie glazen van tafel die hij vulde met een bodempje van de overgebleven champagne. Met een stalen gezicht reikte hij beide dames een glas aan. Fiona weigerde het in eerste instantie, maar koos eieren voor haar geld toen Brian het glas leeg wilde laten lopen over de vloer. Ze griste het net op tijd uit zijn hand en sloeg de inhoud in één keer achterover. Ze spoorde Marit aan hetzelfde te doen.

'Maar ik moet nog rijden...'

'Van die ene slok word je echt niet dronken, hoor.'

'Maar ik verdraag alcohol niet zo heel goed en zeker niet 's ochtends. Als ik moet rijden, drink ik uit principe geen druppel.'

Fiona pakte het glas van haar vriendin en dronk dat ook leeg. 'Zo, opgelost.'

Brian stond nippend aan zijn eigen glas naar ze te kijken. Hij liet zijn blik afwisselend van Fiona naar Marit gaan en schudde zijn hoofd.

'Wat?' snauwde Fiona geïrriteerd.

'Met jullie valt er ook geen lol te beleven zeg. Wat is er mis met een beetje gein trappen?'

'Dit soort "gein" vond ik grappig toen ik zestien was, Brian. Moet je nou kijken.' Fiona pakte het plakkerige, met champagne doordrenkte laken vast en trok een afkeurend gezicht.

'Ach, stel je niet zo aan, dat droogt vanzelf weer op en dan zie je er niets meer van. We slaan dat bed gewoon dicht, sprei eroverheen en geen haan die ernaar kraait. Tegen de tijd dat iemand het opmerkt zijn wij al lang en breed vertrokken.'

'Wíj? Wie zegt dat we jou weer meenemen? Ik ben je eigenlijk meer dan zat.' Fiona zette uitdagend haar handen in haar zij.

'Maar ik heb nog wel zo'n heerlijk ontbijt voor jullie geregeld. Jullie kunnen me hier toch niet achterlaten?'

'Geef mij eens een goede reden waarom dat niet zou kunnen? We zijn je helemaal niets verschuldigd en je mag je handjes dichtknijpen dat we je al zo lang getolereerd hebben.'

'Marit?' Brian klonk smekend.

Marit probeerde weg te kijken. Ze wilde zich helemaal niet mengen in de discussie tussen Fiona en Brian. Ze had behoefte aan rust en het continue gekibbel droeg daar niet aan bij. Ineens verlangde ze ontzettend naar huis. Hoe zou het met Sem en Lotte zijn? Ze zou er heel wat voor overhebben om ze nu even in haar armen te kunnen sluiten. Sem over zijn zachte blonde haren te aaien, de heerlijke peutergeur van Lotte. Er ging een steek door haar hart. Waarom was ze niet gewoon lekker thuisgebleven? Waarom had ze zich door Fiona laten overhalen tot dit avontuur? Ze was zo in gedachten verzonken dat ze in eerste instantie helemaal niet doorhad dat zowel Brian als Fiona haar strak aankeek. Beiden wachtend op een reactie van haar kant. Fiona's blik was vinnig, die van Brian verwachtingsvol. Ze bekeek de man die alle onrust veroorzaakte nog eens goed. Hij hield zijn hoofd een beetje schuin en keek haar recht aan met die grote ogen van hem. Zijn haar zat wat piekerig en hij had zich duidelijk niet geschoren. Het maakte hem alleen nog maar aantrekkelijker en dat wist hij verdomde goed. Hij droeg een

T-shirt met dezelfde opdruk als gisteren, alleen aan de andere kleur was te zien dat hij het vanochtend schoon had aangetrokken. Een brede riem zorgde ervoor dat zijn korte spijkerbroek mooi aansloot om zijn strakke heupen. Zijn blote onderbenen waren licht behaard en een beetje tanig. Welgevormde kuiten gingen over in slanke enkels. Aan zijn voeten droeg hij All Stars-gympen die eens stralend wit geweest moesten zijn, maar door het vele gebruik een grauwige kleur hadden gekregen. Fiona begon ongeduldig met haar voet op de grond te tikken.

'Ik hoef die eikel niet meer mee te hebben,' maakte ze haar mening nog maar eens kenbaar. 'Ik zou het op prijs stellen als je die mening met me deelde en we nu kunnen vertrekken. Zonder hem. Dit hele gedoe heeft al veel te veel tijd gekost.' Demonstratief begon ze de laatste rondslingerende spullen in haar tas te stoppen.

Marit had het gevoel alsof ze in een spagaat zat. Haar ratio wilde de ene kant op en haar gevoel de andere. Waarom vond ze het zo moeilijk om Brian te vertellen dat het hier ophield? Hij had genoeg aanleiding gegeven om dat besluit te rechtvaardigen. Maar dat gedoe met die aandoening van hem zat haar niet lekker. Die jongen kon er toch ook niets aan doen dat hij daarmee geboren was? Waarschijnlijk bemoeilijkte het zijn leven enorm en liep hij continu tegen allerlei problemen aan. Ze kon zich voorstellen dat de mensen om hem heen daar niet altijd goed mee konden omgaan en hem vaker dan verantwoord aan zijn lot overlieten. Wat moest die jongen zich soms eenzaam voelen. Fiona was helemaal klaar met hem, dat was duidelijk, maar zij stond er toch duidelijk anders in. Het feit dat ze zich ondanks alles ook nog eens aangetrokken voelde tot Brian liet ze maar even achterwege.

'Ik vind dat Brian nog wel een stukje mee mag rijden.'

Een grote lach brak door op het gezicht van de lifter. Hij pakte Marit vast en omhelsde haar klungelig. 'O, dankjewel. Je bent een schat,' jubelde hij hoorbaar. 'En een lekker ding,' fluisterde hij onhoorbaar voor Fiona in haar oor. Hij drukte haar nog wat steviger tegen zich aan. Ze voelde dat het bloed alweer naar haar wangen steeg. Ze wurmde zich los uit zijn greep. Fiona keek haar razend aan.

'Je maakt zeker een geintje? Je meent toch niet serieus dat je nog een dag met die gast opgescheept wilt zitten?'

'Ik heb er gewoon geen goed gevoel over om hem hier achter te laten. Dat ene dagje kan er ook nog wel bij, toch? En hij heeft ook goede dingen gedaan. Kijk eens naar het ontbijt dat hij voor ons geregeld heeft.'

'Heel knap voor iemand die geen geld beweert te hebben. Waarschijnlijk heeft hij het op onze kamer laten zetten en krijgen wij bij het uitchecken de rekening gepresenteerd.'

'Wat een achterdocht, Fiona. Je denkt wel erg slecht over me.'

'Je hebt tot nu toe geen enkele aanleiding gegeven voor een rooskleuriger beeld. Mag ik je het tankstation nog even in herinnering brengen? Ik krijg totaal geen hoogte van jou, sterker nog, ik vertrouw je voor geen meter.'

'Altijd een oordeel klaar, hè Fiona? Gelukkig ben jij wel perfect.' Brians stem klonk cynisch. Toen wendde hij zich weer tot Marit. 'Dit ontbijt is geheel voor mijn rekening. Ik heb toch nog wat geld in mijn tas gevonden.' Hij diepte een stapeltje bankbiljetten op uit zijn broek. 'Ik was vergeten dat ik het in mijn tas had gestopt.'

'Jij hebt wel een heel handige ziekte, hè? Als het je uitkomt dan ben je dingen ineens pardoes vergeten en net zo makkelijk komt je geheugen als een donderslag bij heldere hemel weer terug. Doe mij ook een vleugje van die ADD.'

Marit keek Fiona geschokt aan. 'Hoe kun je dat nou zeggen? Net alsof hij erom gevraagd heeft om met ADD geboren te worden en het misbruikt als het hem uitkomt. Die beschuldiging gaat wel erg ver, Fiona, dat kun je niet maken.'

'Marit, die jongen is een intrigant. Helaas ben jij blind voor zijn spelletjes. Je blijft bij je standpunt dat hij weer mag instappen?'

'Ja.'

'Oké, het is jouw auto dus dat zal ik dan moeten accepteren. Maar als hij ook maar één ding flikt dan gooi ik hem er eigenhandig uit.' Fiona pakte haar tas en stampte de kamer uit.

'Ik betaal de benzine bij de eerstvolgende tankbeurt,' riep Brian haar na.

Zonder om te kijken stak ze haar middelvinger op. 'Ik ben bij de auto, succes met uitchecken.'

Marit keek haar vriendin beteuterd na. Het laatste wat ze wilde, was ruziemaken met iemand met wie ze nog twee weken moest doorbrengen. Had ze wel de juiste beslissing genomen? Had ze toch partij voor Fiona moeten kiezen? Fiona was haar vriendin en Brian was slechts een passant. Toch had ze meer behoefte gevoeld om het voor hem op te nemen. Het feit dat er iets niet helemaal goed zat in zijn kop, maakte hem kwetsbaarder dan Fiona. Ze had haar hele leven al een zwak gehad voor de underdog. Het maakte een soort zorgbehoefte in haar los waar ze zich prettig bij voelde. Het gaf haar het gevoel nodig en belangrijk te zijn. Zorgen voor anderen was nu eenmaal haar ding en Fiona moest daar maar mee leren leven als ze waarde hechtte aan hun vriendschap. Brian stond bij de deur op haar te wachten. Ze pakte haar spullen, controleerde nog een keer of ze niets hadden laten liggen en sloot de kamer toen af.

'Geef mij die tas maar.' Brian pakte hem van haar over voordat ze kon reageren.

'Mooie meisjes moeten niet sjouwen. Daar zijn sterke kerels voor uitgevonden.'

Ze liet het zich dankbaar welgevallen. Zie je wel, die jongen was zo slecht nog niet. Een beetje eigenaardig, dat kon ze niet ontkennen, maar zijn hart zat op de goede plek, daar was ze van overtuigd.

Fiona zat al achter het stuur toen Marit en Brian richting de auto liepen. Het uitchecken was probleemloos verlopen en het ontbijt was niet bijgeschreven op hun kamer. Brian had de rekening blijkbaar echt keurig betaald. Brian kroop zwijgend achter in de auto. Fiona gunde hem geen blik waardig en schroefde het volume van de radio op om een gesprek onmogelijk te maken. Édith Piaf vulde de stilte met *Non, je ne regrette rien*. Marit had amper haar gordel vastgeklikt of

Fiona drukte het gas al in en stuurde met een nors gezicht de auto van het parkeerterrein af.

'Nou Édith, ik heb wel degelijk ergens spijt van. Dat we die sukkel hebben meegenomen,' brieste Fiona. Op het moment dat ze de weg op reden kwam een ambulance met hoge snelheid en gierende sirenes hen tegemoet, gevolgd door twee politiewagens en een motoragent. Ze draaiden allemaal het hotelterrein op. Marit kon het hele tafereel in haar zijspiegel volgen. Wat was daar ineens aan de hand? Misschien was er iemand onwel geworden? Ook Fiona had de hulpdiensten die bij het hotel stopten inmiddels opgemerkt en nam wat gas terug om goed te kunnen kijken. Brian hing laag onderuit op de achterbank en deed of hij sliep. Als je van buitenaf de auto in keek, was hij nauwelijks zichtbaar. Fiona zette de radio wat zachter en wendde zich tot Marit: 'Nou, ik weet niet wat daar aan de hand is, maar het ziet er niet best uit. Heb je net niets gemerkt toen je ging uitchecken?'

'Nee, er was net nog niets aan de hand. Misschien is er iemand onwel geworden?' sprak ze haar eerdere vermoeden hardop uit.

'Ja, misschien,' antwoordde Fiona nadenkend, 'maar zouden ze daarvoor met zoveel grof geweld uitrukken?'

Marit haalde haar schouders op. Fiona drukte het gaspedaal weer wat verder in en maakte vaart. 'Wij gaan er in elk geval vandoor. Voor hetzelfde geld heeft hij ons weer een kunstje geflikt en moeten we ons voor de tweede keer verantwoorden bij de politie...' Ze keek nors naar hun verstekeling op de achterbank. 'Hij heeft ons al meer dan genoeg tijd en ergernis gekost.'

Brian hield zich nog steeds slapende en negeerde Fiona's insinuaties.

Ook Marit besloot wijselijk haar mond te houden. Brian kon bij Fiona niets meer goed doen dus het had weinig zin om hem te verdedigen. Ze zette de radio wat harder en liet zich meevoeren door de vrolijke muziek. '*Non, non rien n'a changé...*' Nog een paar uur volhouden en dan was Brian vertrokken en Fiona vast weer in een goed humeur.

30

Hij had gewacht tot het buiten net zo donker was als in zijn ziel. Hij had het liever nog wat langer willen rekken, maar de draaikolk in zijn hoofd raasde als een tornado en moest gestopt worden. Misselijk en draaierig werd hij ervan. Als hij nu niet ingreep zou er te veel verwoest worden met onherstelbare schade als gevolg. Dat kon hij zich niet permitteren. Snel handelen was cruciaal. Hij was in het geniep heel vakkundig te werk gegaan, puttend uit jarenlange ervaring. Dat zij in de buurt was en rustig lag te slapen omdat ze zich veilig waande, wond hem extra op. Het gaf precies de stoot extra adrenaline die hij nodig had. Het had hem moeite gekost om nog een paar uur te wachten toen hij het besluit eenmaal had genomen. Zijn gedachten gingen met hem op de loop en hij was zwaar overprikkeld. Muziek kon het lawaai in zijn hoofd niet overstemmen. Geforceerd had hij meegebruld met de band Megadeath tot zijn stem net zo rauw klonk als die van de zanger. *Symphony of Destruction* was zijn favoriete nummer.

You take a mortal man,
And put him in control
Watch him become a god,
Watch people's heads a'roll

Een god, dat was hij. Beslissen over leven en dood, koppen laten rollen. Hij bepaalde het hoe, het waarom en het wanneer. Alleen was hij geen schepper maar een tenietdoener.
De man en de vrouw hadden vredig liggen slapen toen hij hun kamer op de begane grond door het open raam was binnengedrongen.

Zachtjes had hij het raam gesloten en het gordijn goed dichtgetrokken. Het echtpaar had geen krimp gegeven. De vrouw had op haar rug gelegen met haar armen boven haar hoofd gevouwen. Het was een koud kunstje geweest om een prop in haar mond te stoppen en haar polsen samen te binden met een tiewrap. Hij had de neiging onderdrukt om het ding zo hard aan te trekken dat het haar bloedsomloop zou afknijpen. Alles om te voorkomen dat ze wakker werd voordat hij haar man had uitgeschakeld. Razendsnel had hij ook de man gekneveld aan handen en voeten. Met hem was hij wat minder zachtzinnig omgesprongen dan met zijn eega. Voordat de man het op een schreeuwen kon zetten, had hij een lap in zijn mond geduwd. Zijn vrouw was wakker geworden van de gesmoorde keelgeluiden naast haar. Prachtig die blik van doodsangst in haar ogen. Hij had heel even de tijd genomen om ervan te genieten. Hij koelde zijn woede op het gezicht van haar man tot er niet veel meer dan bloederige pulp van over was. Het radeloze gesnik en gesnotter maakten hem alleen nog maar woester. Was dit nou een vent? De vrouw probeerde hem te schoppen. Hij had haar benen niet samengebonden omdat hij plannen met haar had, maar besloot dat het toch beter was het wel te doen tot hij met haar man klaar was. Hij greep haar spartelende voeten vast met zijn grote handen. Haar enkels waren dun en eenvoudig in een tiewrap te vangen. Wanhopig kronkelde ze met haar lijf over het bed toen hij zich weer op haar man richtte. Het mietje kromp ineen en bood geen enkele weerstand. Daar baalde hij van. Hoe meer verzet hoe beter. Hij gaf de man nog een flinke vuistslag waardoor er een tand uit zijn mond vloog. Lijden moesten ze, nog meer lijden om zijn lijden te doen afnemen.

Hij sleurde de man van het bed en zette hem op een stoel tegenover zijn vrouw. Hij had hem gedwongen te kijken toen hij haar nam. Pas toen zag hij de blik die hij wilde zien in de ogen van haar man. De intense onmacht en pijn die littekens voor het leven nalieten, gevangen in pupillen. De vrouw had zich nog even flink verzet maar hem toen zijn gang laten gaan. Het was snel voorbij geweest omdat het al te lang geleden was. Na afloop had hij haar overeind gehesen en rechtop tegen de wand van het bed gezet. De doodse blik in haar ogen veranderde ogenblikkelijk weer in een angstige toen hij het mes tevoorschijn had gehaald. Met een snelle haal had hij de keel van de man doorgesneden. Zijn paniekerige gegorgel had niet lang geduurd. Samen met haar had hij gekeken naar het bloed dat met grote snelheid uit de wond stroomde. Het bleef een fascinerend gezicht waar hij nooit genoeg van zou krijgen. Een laatste stuiptrekking en toen was het over en uit.

De vrouw had hij nog een kwartier laten leven voordat hij haar uit haar lijden verloste. Hij wilde dat ze de pijn van het verlies van haar man zou voelen en doorleven. Hij vrat haar lijden als een meergangendiner bestaande uit allemaal lievelingsgerechten. Toen pas was zijn honger gestild. De rust was wedergekeerd en in zijn hoofd was het nu net zo stil als in de kamer. De zware last die hij al tijden met zich meedroeg, was even van hem afgevallen.

31

De warme lucht boven het asfalt veroorzaakte een fata morgana op de A6 richting Lyon. De breking van het felle zonlicht gaf een spiegelend effect en het leek net of er water op de weg lag. Marit keek er gefascineerd naar en probeerde het gezichtsbedrog te ontleden. Ze vroeg zich af of Fiona en Brian er net zo door gegrepen werden als zij. Vanuit haar ooghoek zag ze dat Fiona nog steeds een donderwolk boven haar hoofd had hangen. Brian hield zich extreem koest. Blijkbaar had hij zich toch iets aangetrokken van Fiona's dreigementen om hem uit de auto te zetten en wilde hij dat koste wat kost voorkomen. Hij had het helemaal niet meer over zijn vrienden en hun vorderingen met de pechauto gehad. Zou hij nog iets van hen hebben gehoord? Het bleef een beetje vaag allemaal.

Er doemde een bord op met AIRE DE JUGY, een speelparadijs langs de snelweg en daar vlak naast stond een grote paddenstoel waar een jongetje op zat. Ze voelde weer een steek van heimwee. Sem en Lotte zouden dit geweldig hebben gevonden. Ze zouden stuiteren van enthousiasme bij het zien van de glijbanen en andere speeltoestellen. Als ze weer thuis was, zou ze de kinderen een dagje meenemen naar de Efteling. Als kind kwam ze daar zelf ook graag. Uren had ze rondgedoold in het Sprookjesbos, betoverd door Roodkapje, Kleinduimpje en Doornroosje. Sneeuwwitje had ze het liefst zelf wakker gekust en het snoephuis waar Hans en Grietje aan knabbelden had een enorme aantrekkingskracht op haar. Voor elk bezoekje aan de Efteling vulde ze samen met haar moeder een plastic tas met propjes papier voor Holle Bolle Gijs. Bij elke 'papier hier' gehoorzaamde ze braaf en stopte ze een propje in zijn mond. Ze trok haar hand altijd snel weer terug, omdat ze bang was dat hij per ongeluk zou verdwijnen in de maag van de veelvraat. In die tijd geloofde ze nog heilig in sprookjes, maar inmiddels was ze door schade en schande wijs geworden. De realiteit had haar fantasie ingehaald. Het leven was geen roze wolk en sprookjes waren niet meer dan een illusie, dat besefte ze maar al te goed. Ze had geloofd in Hans, in hen samen, maar nadat hij haar bedrogen had met Claire was hij keihard van zijn voetstuk gedonderd. Het sprookje van de ideale liefde was in één klap uiteengespat. Waarom hadden mannen nooit genoeg aan één vrouw? Ze had een rol als bijvrouw voor de kinderen nog wel willen overwegen en dat ook aan Hans voorgesteld, ondanks het feit dat ze wist dat ze daar doodongelukkig van zou worden. Haar eigen geluk was ondergeschikt aan dat van de kinderen. Sem en Lotte verdienden het om op te groeien in een volwaardig gezin met een moeder én een vader. Hans had daar anders over gedacht en had onverbiddelijk voor Claire gekozen. Zijn eigen vlees en bloed had hij als oud vuil op straat gezet. Dat zat haar nog steeds dwars. Hoe kon iemand zoiets doen? Nee, voor haar bestonden er geen sprookjes meer, maar Sem en Lotte geloofden er nog wel in en dat wilde ze niet van ze afnemen. Ze moesten zo lang mogelijk kunnen genieten van hun onschuld en naïviteit. Zij zou op de achtergrond als waakhond fungeren en als dingen in haar ogen uit de hand liepen zou ze bijten. Heel hard bijten. Niemand kwam aan haar kinderen.

Ze wierp nog een blik op de inmiddels weer slapende Brian op de achterbank. Ook hij was een player, zoveel was haar wel duidelijk. Toch had ze een zwak voor hem door de combi van zijn aantrekkelijke uiterlijk en zijn kwetsbaarheid door zijn mankementje. Zijn mond hing een stukje open en zijn hoofd was naar opzij gevallen. Als de radio niet zo hard stond, zou ze hem ongetwijfeld zachtjes kunnen horen snurken. Zijn borstkas ging rustig op en neer bij elke diepe ademhaling. Het liefst zou ze hem in haar armen nemen en hem beschermen tegen de grote boze wereld. Ze kon het maar moeilijk geloven dat hij ook een kant had die onvoorspelbaar en uitermate vervelend was. Maar dat hij die wel degelijk had, had hij al een paar keer laten zien. Ergens begreep ze wel waarom Fiona zo fel op hem reageerde. Zij kon blijkbaar niet verder kijken dan haar neus lang was en doordringen tot de echte kern die onder zijn pantser verscholen zat. En waarom zou ze ook? Brian was een passant, een voorbijganger die over iets meer dan een uur voorgoed uit hun leven zou verdwijnen. Hoewel ze verlangde naar rust en de prettige sfeer die er was geweest tussen haar en Fiona voordat Brian op hun pad kwam, vond ze het toch ook wel jammer dat ze afscheid van hem moest nemen waardoor ze niet de kans kreeg om hem beter te leren kennen.

Haar blik viel op een Total-tankstation in de verte. Hoewel ze nog niet zo lang geleden vertrokken waren, was ze alweer toe aan een pitstop.

'Kunnen we daar zo even stoppen? Ik moet naar de wc,' stootte ze Fiona aan.

Haar vriendin slaakte een geërgerde zucht maar knikte bevestigend. Ze minderde snelheid en stuurde de auto de parkeerplaats op.

Brian schoot overeind. 'Waar ben ik?' Verwilderd keek hij om zich heen, greep naar zijn tas alsof zijn leven ervan afhing.

Voordat Marit iets kon zeggen, was Fiona haar alweer voor. 'Jij bent bijna op het punt dat je het weer zelf uit mag zoeken. Over een uurtje zijn we in Grenoble en dan scheiden onze wegen. Dan kun je daar wachten op die zogenaamde vrienden van je.'

'Hoezo "zogenaamde vrienden"?' De blik in Brians ogen was weer rustig geworden en hij leek weer volledig in de realiteit te zijn geland.

'Ik heb je helemaal niet meer gehoord over die vrienden van je. Hebben ze nog contact met je gezocht over hun vorderingen met de reis? Bestaan die vrienden van je eigenlijk wel?'

'Nou ja, zeg,' reageerde Brian verontwaardigd.

'Misschien heb je die vrienden die niet op kwamen dagen wegens autopech wel verzonnen om op die manier een plekje in onze auto te krijgen,' insinueerde Fiona.

Marit besloot dat het geen zin had om zich ermee te bemoeien, want wat Fiona in haar kop had, had ze niet in haar kont. Brian was blijkbaar tot dezelfde conclusie gekomen en reageerde gelaten.

'Wat jij wilt, Fiona. Als jij denkt dat ik denkbeeldige vriendjes heb, dan vind ik dat prima. *I see dead people...*'

'Ik ga even naar de wc,' deelde Marit geforceerd vrolijk mee in de hoop de gespannen sfeer wat te doorbreken. Het was beter dat Fiona en Brian zich aan haar ergerden dan aan elkaar. Ze verliet de auto toen een reactie uitbleef.

'Beetje lief zijn voor elkaar, hè?' kon ze niet nalaten door het open raam te roepen. De norse blik van Fiona maakte dat ze haastig naar de toiletten liep. Daar aangekomen werd ze tegengehouden bij het damestoilet. Een vrouw met een schoonmaakkar gebaarde driftig met haar dweilstok en brabbelde iets in onverstaanbaar Frans.

'*Do you speak English?*' probeerde ze de monoloog van de vrouw te stoppen door aan te geven dat ze er geen bal van begreep. Maar de vrouw bleef onverstoorbaar een Franse woordenbrij over haar uit-storten, ondertussen wijzend naar het herentoilet.

'*Ah, je comprends,*' mompelde ze in haar beste Frans. Dat was een van de zinnetjes die nog was blijven hangen uit haar middelbareschool-tijd.

Ze haastte zich naar het herentoilet. Gegeneerd keek ze weg van de pisbakken waar volop in geürineerd werd. De mannen leken er to-taal geen moeite mee te hebben dat een vrouw hun domein betrad. Vlug trok ze zich terug op een van de gewone wc's die zich tegenover de urinoirs bevonden. De wc-bril was te vies om op te gaan zitten. Het was duidelijk dat de overijverige schoonmaakster hier nog niet geweest was. Hangend boven de pot leegde ze haar blaas. Gelukkig was er nog net voldoende wc-papier. Vlug verliet ze het vieze hok en waste haar handen. Het droog laten blazen van haar natte handen liet ze maar even achterwege. Met een grote plof nam ze weer plaats in de auto. Ze wilde haar gordel al omdoen, maar bedacht zich.

'Ik wil eigenlijk zelf wel weer een stukje rijden.'

'Oké.' Fiona stapte uit en liep om de auto heen. Ze keek nog steeds niet erg blij. Haar hoofd was vuurrood en het was onduidelijk of dat nu door de warmte kwam of door ergernis. Brian zat muisstil op de achterbank. Van zijn gezicht viel niets af te lezen. Nog een uurtje volhouden, Marit, sprak ze zichzelf in gedachten moed in.

Ze zette haar zonnebril op en startte de auto. De radio begon meteen weer op behoorlijk volume te spelen. Ze reduceerde de herrie tot een acceptabel niveau, reed de parkeerplaats af en voegde in op de A6. Het begon alweer aardig druk te worden op de weg. Daar had ze eigenlijk een hekel aan. Misschien was het toch beter geweest om Fiona te laten rijden. Het verkeer voor hen stroopte onverwachts op en ze kon nog net uitwijken naar de linkerbaan om te voorkomen dat ze op haar voorganger klapte.

'Kijk uit!' schreeuwde Fiona.

De auto waar ze voor was geschoten op de linkerbaan moest vol in de remmen. Door de alertheid van de bestuurder werd een kettingbotsing voorkomen. Schuchter keek ze in haar achteruitkijkspiegel en zag dat de man in de auto achter haar zijn middelvinger naar haar opstak. Vervolgens drukte hij stevig op de claxon. Verontschuldigend stak ze haar hand op en hoopte dat dat genoeg zou zijn.

Brian reageerde op het getoeter en de middelvinger. Hij trok zijn broek een stuk naar beneden en toonde de bestuurder achter hen zijn ontblote achterwerk.

Fiona draaide zich woedend om en duwde hem terug op de achterbank. 'Als je ongelukken wilt veroorzaken, moet je vooral zo doorgaan, idioot!'

'Moet die vent maar normaal doen tegen Marit.' Brian rukte zich los uit Fiona's greep.

Marit voelde zich enigszins gestreeld dat Brian voor haar opkwam, maar de manier waarop verdiende nou niet echt de schoonheidsprijs. En dat bleek terecht, want de auto achter hen kwam links van hen rijden. In plaats van te passeren bleef hij naast hen hangen en tikte als een dolleman met zijn wijsvinger tegen zijn hoofd en zwaaide met zijn vuist.

Marit deed het in haar broek van angst. Als die vent maar geen rare dingen ging doen. Ze voelde zich ernstig bedreigd en probeerde oogcontact met de woedende bestuurder te vermijden. Als ze hem aankeek zou dat waarschijnlijk alleen maar meer agressie opwekken. Ze zag dat Brian de gebaren van de man imiteerde op de achterbank. Fiona had het ook opgemerkt.

'Kappen nou, eikel! Het is dat we op de snelweg niet kunnen stoppen, maar anders had ik je nu meteen uit de auto geflikkerd ongeacht wat Marit daarvan vindt. Het moge duidelijk zijn dat dit liftavontuur bij Grenoble voor jou eindigt.'

Marit had moeite om zich op de weg te blijven concentreren. Fiona sprong bijna uit haar vel van woede. De auto naast haar gaf gas bij en passeerde. Opgelucht haalde ze adem, maar het was maar van korte duur. De geagiteerde bestuurder stuurde zijn auto plotseling een baan naar rechts en ging voor haar rijden. Ineens trapte hij vol op de rem en zat ze alsnog bijna boven op hem. Brian die geen gordel om had, vloog naar voren en stootte zijn hoofd tegen de passagiersstoel.

'Wat een kutdag!' schreeuwde Fiona.

Marit probeerde al het rumoer om haar heen buiten te sluiten en zich volledig op de weg te focussen. Het huilen stond haar nader dan het lachen, maar ze wilde zich niet laten kennen. Het liefst manoeuvreerde ze de auto nu naar de vluchtstrook en liet ze Fiona het stuur weer overnemen. De bestuurder voor haar stak nog eenmaal zijn middelvinger op, schoof weer een baan naar links en vervolgde zijn weg. Pas toen hij helemaal uit het zicht was, kon Marit weer een beetje ontspannen. Ze waakte ervoor dat ze niet harder dan honderd kilometer per uur reed. Alles om te voorkomen dat ze de boze bestuurder even later weer tegen zouden komen. Liever iets langer onderweg dan weer een levensgevaarlijke confrontatie.

32

De snelweg richting Grenoble was glooiend. De vrachtwagens die als een treintje op de rechterbaan reden, leken wel stil te staan. Ook Marits oude Volkswagen had wat moeite om het tempo vast te houden. Ze drukte het gaspedaal helemaal in en voelde dat hij de bodem raakte. Toch zakte de snelheid langzaam terug.

'Dat komt door die kilo's boeken en tijdschriften van je,' grinnikte Fiona.

Marit wierp haar een scheve grijns toe. In de verte splitste de weg zich in de A46 richting Lyon en de A432 richting Grenoble. Marit zette haar richtingaanwijzer vast aan.

'Klikklak, klikklak,' papegaaide Brian met uitgestreken gezicht.

Fiona wierp een blik naar achteren en hij hield wijselijk zijn mond.

'Nog even en dan zijn we eindelijk van je verlost. Ik kan niet wachten tot ik je eigenhandig uit de auto kan schoppen. De eerste en de laatste keer dat ik een lifter meeneem.'

'Ik snap niet dat Marit met zo'n trut als jij bevriend wil zijn.'

'Oké, zo kan ie wel weer. Fiona probeert het nog even beleefd te houden tot we in Grenoble zijn en Brian gebruikt geen scheldwoorden,' sprak Marit haar medepassagiers sussend maar streng toe. Ze zat weer helemaal in haar moederrol en had het gevoel dat ze twee kiftende kinderen in bedwang moest houden. Deze twee deden niet onder voor Sem en Lotte. Het was maar goed dat Brian zo zijn eigen weg zou gaan, want ze had geen zin om nog langer politieagentje te moeten spelen. De verhouding tussen hem en Fiona was inmiddels zo gespannen dat daar met de beste wil van de wereld niets acceptabels meer van te maken was. Fiona had duidelijk moeite met zijn onvoorspelbare gedrag. Zij kon daar waarschijnlijk beter mee omgaan omdat het opvoeden van twee kleine kinderen nu eenmaal enige mate van flexibiliteit vereiste. Zij was het gewend om te schakelen en kon zich razendsnel aanpassen aan de situatie. Fiona, die als vrijgezel alleen maar rekening met zichzelf hoefde te houden, deelde haar dagen strak in volgens vaste patronen en een ADD'er als Brian paste daar niet bij.

Ze stuurde de auto de afslag richting Grenoble op en sloot aan in de lange rij voor de péage.

'*Péage rapide*,' las Fiona hardop van de borden. 'Weinig "rapide" aan met deze file.'

Auto voor auto kropen ze vooruit in de lange rij richting de slagbomen. De temperatuur in de auto begon alweer flink op te lopen. Marits jurkje plakte onaangenaam tegen haar rug en een verdwaalde zweetdruppel liep langs haar slaap. Ze kon niet wachten tot ze weer op de snelweg zaten en de wind door de open raampjes voor afkoeling zou zorgen.

Nog vier auto's te gaan. De bestuurder die nu bij de slagboom stond, was enorm aan het klunzen. Wat hij ook probeerde, de slagboom weigerde open te gaan en hem door te laten. Het was wel duidelijk dat dit nog even zou gaan duren. Marit keek over haar rechterschouder en zette snel haar knipperlicht aan. Er was een beetje ruimte ontstaan in de rij rechts van haar omdat een bestuurder niet goed aansloot. Ze had het te druk met haar mobiele telefoon. Levensgevaarlijk was dat toch. Ze stuurde de auto met de neus in het gat en stond nu schuin tussen beide rijen. De vrouw die onopgemerkt de ruimte had geboden, was klaar met haar mobiele telefoon en toeterde ongeduldig terwijl ze Marit een vuile blik toewierp. Ze leek niet van zins haar plekje in de rij af te staan en reed haar auto strak tegen de Volkswagen aan waardoor Marit geen ruimte had om verder bij te draaien. Ze stonden klem tussen twee rijen en konden geen kant meer op. De Française draaide haar raampje open en begon te schelden. Weer was Marit blij dat ze de taal niet goed genoeg beheerste om alle verwensingen te begrijpen, maar dat de vrouw weinig positiefs te melden had, was haar wel duidelijk. De vraag was nu hoe ze uit deze impasse kwamen. Als de vrouw bleef weigeren om een beetje ruimte te geven dan stonden ze hier morgen nog. Fiona leek zich dat ook te realiseren en bemoeide zich ermee.

'Gewoon doordrukken, Marit. Jouw auto is stukken ouder dan die van haar, dus ze zal een kras in haar glimmende lak graag willen voorkomen. Dat barrel van jou zit toch al onder de krassen dus een krasje meer of minder maakt niet zoveel uit.'

'Een beetje meer respect, hè! Dat "oude barrel" brengt ons toevallig wel overal waar we wezen moeten, ja.'

Marit wist ook wel dat haar auto niet meer de nieuwste en de mooiste was, maar ze was er enorm aan gehecht. Het ding was onmisbaar voor het vervoeren van de kids en ze had hem van haar eigen zuurverdiende geld gekocht. Haar eerste zelfstandige aankoop na de scheiding van Hans en haar ticket naar de vrijheid. De symbolische functie die haar auto vervulde, was niet in geld uit te drukken. Geen denken aan dat ze er vrijwillig een deuk in zou rijden. De vrouw in de auto naast hen tetterde onverminderd door, haar hoofd rood van woede. Inmiddels was de auto die vooraan stond de slagboom gepasseerd. Bij zijn defecte broertje stond nu een reparateur. De auto's voor hen reden verder en er ontstond weer wat ruimte. Marit gaf voorzichtig gas, haar blik afwisselend gericht op de boze vrouw en de auto voor haar. De vrouw liet haar motor intimiderend ronken en gaf ook gas.

'Doordrukken, ze wacht maar.' Fiona hing half uit het open raam, gaf een klap op de motorkap van de vrouw en begon de vervelende bestuurster in het Nederlands flink uit te schelden. Of het nou Fiona's gescheld of de klap op de motorkap was, het maakte in elk geval zoveel indruk dat de vrouw haar poging hen klem te rijden staakte. Marit reed de auto recht in de rij zonder verdere schade op te lopen. Pas toen ze de slagboom gepasseerd waren en de snelweg weer op reden, kon ze weer een beetje ontspannen. Ze had nog nooit zoveel gedoe gehad op de weg als de afgelopen dagen. Omdat ze een rustige rijder was en bij voorkeur op de rechterbaan reed, had ze eigenlijk nooit conflicten met andere weggebruikers. Deze nieuwe ervaringen bevielen haar helemaal niet en maakten haar onzeker en nerveus. Als ze Brian in Grenoble hadden afgezet, mocht Fiona het stuur weer overnemen.

Ondanks het feit dat ze zich goed op de weg concentreerde, probeerde Marit ook een beetje te genieten van het landschap om haar heen. Het viel haar op dat de bergen steeds hoger werden en daarmee de weg steiler. Steeds vaker moest ze terugschakelen naar de vierde versnelling om de gang erin te houden. Wat voelde je je als mens toch nietig als je naar die massieve bergen keek. Het landschap was verder erg groen en zo af en toe versierd met prachtige boogviaducten die de sfeer uitstraalden van vroeger tijden. Ze wierp een blik op de achterbank via de binnenspiegel. Brian lag met zijn ogen dicht naar zijn iPod te luisteren en leek geen hinder te ondervinden van de autoradio die dwars door zijn muziek heen moest schallen. Dat begreep ze dan weer niet, dat iemand die zoveel moeite had om zich te concentreren zich blijkbaar voldoende kon focussen om ongewenste omgevingsprikkels buiten te sluiten. Ze besloot meegaand te zijn en zette de radio wat zachter.

'Hé, ik zat net zo lekker te luisteren,' reageerde Fiona meteen.

'Anders kan hij zijn iPod niet goed horen,' wees ze naar achteren.

'Nou en? Wat kan mij dat nou schelen?'

'Hij is net zo lekker rustig, laten we dat het laatste stukje zo houden. We zijn bijna in Grenoble en dan mag je de muziek zo hard zetten als je wilt.'

Fiona stemde mokkend toe. 'Jeetje Marit, word jij nou nooit eens moe van dat rekening houden met anderen? De gulden middenweg in het leven is alleen door jouw voetstappen volledig afgesleten. Altijd maar die rechte lijn zonder gekke zijsprongen, ik begrijp niet dat je dat volhoudt.'

'Zeg, Fioontje, dat je hém loopt af te kammen, kan ik nog enigszins begrijpen, maar tegen mij mag je best een beetje vriendelijker doen, hoor. We hebben samen de beslissing genomen om hem een lift te geven. Oké, het heeft iets anders uitgepakt dan we hadden gedacht, maar we moeten de rit nu eenmaal uitzitten.'

'Ja sorry, je hebt gelijk ook. Jij kunt er ook niets aan doen dat hij een eikel is.'

Brian begon vals mee te zingen met zijn iPod. Hij had nog steeds zijn ogen dicht en zijn hoofd deinde mee op het ritme van de muziek. Hij scheen geen flauw idee te hebben dat hij het onderwerp van gesprek was. Fiona zette de radio resoluut weer harder.

'Er zijn grenzen. Het is toch niet om aan te horen dat geblèr.'

Marit glimlachte en kon Fiona geen ongelijk geven. De radio en Brians gezang waren inderdaad geen prettige combi. Verstoord trok Brian de dopjes uit zijn oren.

'Hé, kan het wat zachter, ik kan mijn eigen muziek niet eens horen.'

'En wij willen jou niet horen. Het spijt me zeer, maar de voorrondes van *The voice of Holland* ga je duidelijk niet halen. Voor jou geen carrière als popidool.'

'Als ik Marits idool dan maar ben...'

Marit richtte haar blik bij het horen van zijn woorden meteen weer op de weg. Ze kon geen weerstand bieden aan die doordringende ogen van hem die meer van haar zagen dan ze wilde tonen. Ze voelde weer die ongrijpbare spanning in haar buik. We zijn er bijna, we zijn er bijna, zong ze zichzelf in gedachten toe. *Maar nog niet helemaal,* vulde een cynisch stemmetje aan.

'Hé kijk, Albertville staat op de borden.'

'Ja, en?' reageerde Brian.

Ook Marit begreep niet waarom Fiona daar zo enthousiast van werd.

'Albertville! Duhuh!' Ze ondersteunde haar uitroep met een handgebaar.

Marit zocht oogcontact met Brian, maar die schudde zijn hoofd ten teken dat ook hij geen flauw idee had wat er zo bijzonder aan die plaats was.

'De Olympische Winterspelen van 1992? Gouden medaille voor Bart Veldkamp?'

'Wie is Bart Veldkamp?' vroeg Brian aan Fiona.

'Leg jij hem dat maar uit, Marit.'

'Uhm, nou, eigenlijk weet ik ook niet wie Bart Veldkamp is...'

'Dat meen je niet! Dat is basiskennis. Van welke planeet komen jullie?'

'Jeetje, schreeuw niet zo, ik krijg hoofdpijn van je.' Brian hield demonstratief zijn handen voor zijn oren. In plaats van hem gelijk weer een kat terug te geven, dempte Fiona haar stem.

'Bart Veldkamp was een schaatser.'

'Wás? Is hij dood?'

'Nee, maar zijn schaatscarrière wel,' antwoordde ze geïrriteerd. 'Keek jij nooit schaatsen op tv, Marit?'

'Uhm, nee, om eerlijk te zijn niet. Ik ben nooit zo'n sportfreak geweest.'

'Ik ben opgegroeid met *Studio Sport*. Ik keek altijd samen met mijn vader. Zondagavond was het altijd vaste prik; Mart Smeets op de buis en wij met een toetje op de bank.'

'Sorry, ik heb er niet zoveel mee,' verontschuldigde Marit zich.

'Nou, ik ook niet,' beaamde Brian.

Fiona zuchtte diep. 'Sportbarbaren. Ik ga wel weer koetjes kijken, want het is onmogelijk om een fatsoenlijk gesprek met jullie te voeren.'

Marit nam een flinke ademteug als opmaat naar de repliek waar ze Fiona van wilde dienen, maar blies de lucht snel weer uit toen Fiona haar een vette knipoog gaf. 'Grapje.'

33

Fiona zat weer achter het stuur en ze reden de Alpen in richting Gap via de Route Napoléon. Marit genoot volop van het landschap vol zonnebloemen en heerlijk geurende lavendelvelden. De rust in de auto was weergekeerd. Brian had de auto verlaten bij Grenoble en dat had de sfeer aanzienlijk verbeterd. Fiona maakte weer volop grapjes en liet haar vinnige opmerkingen achterwege en Marit voelde zich weer helemaal ontspannen. Voordat Brian de auto verliet, haalde hij een stapeltje bankbiljetten uit zijn broekzak en strooide een paar honderd euro door de auto. 'Voor een extra tankbeurtje en wat jullie overhouden, kunnen jullie beschouwen als gezelschapsloon.'

'Nou nou, jij bent in een gulle bui,' reageerde Fiona terwijl ze snel de biljetten bij elkaar raapte en opborg in het dashboardkastje.

'Hebberd,' zei Brian verongelijkt.

'Binnen is binnen en met jou weet je het maar nooit.'

Na die opmerking had Brian Fiona genegeerd bij het uitstappen, maar Marit had hij een stevige knuffel en drie zoenen gegeven. De laatste zoen was vol op haar mond terechtgekomen. Ze vroeg zich af of dat bedoeld of onbedoeld was geweest. Hoe dan ook, het was beter zo. Brian was zes jaar jonger dan zij en gedroeg zich het grootste deel van de tijd als een groot kind. Niet iemand waar je een gelijkwaardige relatie mee kon opbouwen of die een goede vader voor haar kinderen zou kunnen zijn. Bovendien leek Brian haar ook niet het type dat eeuwige trouw beloofde en dat was iets waar ze na al het gedoe met Hans ontzettend veel behoefte aan had. Iemand die echt voor haar en de kinderen ging, niet alleen in het begin, maar ook als de ergste verliefdheid over was. Daarnaast voldeed Brian niet aan het type man waar ze normaliter op viel. De rijpere man was meer haar ding. Je kon veel over Brian zeggen, maar niet dat hij rijp was. Het was maar goed dat Fiona haar gedachten niet kon lezen. Die zou haar keihard uitlachen dat ze überhaupt nog met Brian bezig was. Zij had hem waarschijnlijk meteen uit haar systeem gegooid op het moment dat hij de auto had verlaten. Kon zij dat maar zo makkelijk. Ze was nooit goed geweest in afscheid nemen en dingen loslaten, zoals dat zo mooi heette. Het strookte niet met haar behoefte aan veiligheid en vaste ankers. Alleen onder die voorwaarden kon ze zich staande houden in het leven dat zeker niet altijd makkelijk was.

'Zalig hè, dat we weer met zijn tweetjes zijn!' Fiona gaf haar een blij tikje tegen haar been. 'Ik vreesde even dat onze hele vakantie in het water zou vallen door die mafkees, maar gelukkig zijn we nu van hem af en was hij niet meer dan een klein wolkje voor de zon. Niets staat onze heerlijk relaxte vakantie nog in de weg.' Met een tevreden blik concentreerde ze zich weer op de weg.

'De sfeer is wel meteen merkbaar anders sinds Brian is uitgestapt ja,' moest Marit toegeven.

'Merkbaar anders? Flink verbeterd zou ik willen zeggen.'

'Oké, jij je zin,' zei Marit lachend. 'Achteraf gezien hadden we hem misschien toch beter niet mee kunnen nemen, maar ik vond het zo zielig dat hij daar maar stond te wachten op die vrienden van hem en geen kant op kon.'

'Wanneer laat je het idee nou eens los dat je de hele wereld moet redden, Marit? Ik maak me daar serieus weleens zorgen om.' Fiona werd ineens ernstig. 'Het brengt je nog eens in gevaar.'

'Ik zou Brian nou niet echt een gevaar willen noemen.'

'Hoe weet je dat nou zo zeker? Wat ken je die jongen nou helemaal? En je kunt niet ontkennen dat hij op zijn minst raar was en ons in een vervelende situatie heeft gebracht door dat incident bij het tankstation.'

'Ja, dat is wel zo, maar dat heeft hij toch niet expres gedaan?'

'Daar heb ik dus zo mijn twijfels over. Hij kan ons van alles wijsmaken, we kunnen het toch niet controleren. Ik durf hem niet op zijn mooie bruine ogen te geloven. Maar genoeg over die eikel, we zijn eindelijk van hem af. Laat de vakantie maar beginnen! Wat ga je als eerste doen zodra we zijn aangekomen en gesetteld zijn?'

'Op het strand liggen met een lekker boek, zonnen, wijn drinken, stokbrood kopen en kaasjes...' Marit werd steeds enthousiaster. Bij de gedachte aan zon, water en strand raakte ze weer helemaal in vakantiestemming. Ze kon niet ontkennen dat het gedoe met Brian haar vakantiegevoel geen goed had gedaan. Door zijn onberekenbare gedrag was er van ontspannen geen sprake geweest. Ja, eigenlijk was ze toch ook wel heel blij dat ze hem in Grenoble hadden achtergelaten en ze had een wijze les geleerd, ze zou nooit meer een lifter meenemen.

'Geef mijn mobiel eens aan,' haalde Fiona haar uit haar gedachten, 'dan check ik even of we nog flitsers kunnen verwachten.'

'Dat is verboden in Frankrijk hoor, wist je dat niet?'

'O, Marit, doe toch niet zo braaf. Er mag zoveel niet. Ik durf het risico wel aan, hoor.'

'Oké, dan moet je het zelf maar weten, maar ik betaal niet mee aan de boete. Waar ligt je telefoon?'

'In de uitsparing achter de pook volgens mij.'

Marit klikte haar gordel los en boog naar achteren. 'Nou, ik zie hier niks liggen, hoor. Weet je zeker dat je hem niet in het dashboardkastje hebt gestopt?'

'Ik kan me niet herinneren dat ik hem daar heb neergelegd, maar controleer het maar even voor de zekerheid.'

Marit draaide zich weer terug in haar stoel en keek in het dashboardkastje. 'Nee, hier ligt hij ook niet.' Ze pakte haar eigen toestel. 'Wacht, ik bel je wel even. Staat het geluid aan?'

Fiona knikte bevestigend en zette de radio even uit zodat ze zich beter konden concentreren op het belgeluid. Marit toetste het nummer in en hoorde een kiestoon, maar in de auto bleef het stil. Ze belde nogmaals en hield de verbinding net zo lang in stand tot ze de voicemail van Fiona kreeg. Wederom geen aanwijzing dat de telefoon zich in de auto bevond.

'Shit, waar is dat ding nou?' Fiona keek nerveus om zich heen.

'Waarschijnlijk heb je hem per ongeluk in een tas gestopt die in de kofferbak ligt. Als we straks op de camping zijn, duikt hij vast wel weer ergens op.'

'Nou, dat hoop ik dan maar. Ik lijd namelijk aan een ernstige vorm van nomofobie.'

'Aan wat voor enge ziekte?'

'Nomofobie. Dat is wanneer je helemaal in de vlekken schiet als je je telefoon niet in de buurt hebt en niet bereikbaar bent.'

'O, ja natuurlijk. Stom van me. In kinderziektes ben ik aardig thuis, maar op het gebied van deze moderne aandoeningen kan ik geloof ik wel wat bijscholing gebruiken.'

De weg was weer aardig vlak en Fiona drukte het gaspedaal nog wat verder in. De teller kroop langzaam boven de 110.

'Ik had toch gezegd dat ik niet meebetaal aan eventuele boetes, hè?' Marit controleerde met een angstig gezicht of haar gordel wel goed vastzat.

'Ja, alle bekeuringen zijn voor mijn rekening.'

'Dat dat maar even helder is.' Marit stopte een winegum in haar mond. 'Jij ook een?'

'Nee, dank je.'

Ze legde het inmiddels half leeggegeten zakje tussen hen in. De zoetige drop plakte aan haar tanden en verspreidde een chemische smaak in haar mond. Tussen het kauwen door checkte ze om de haverklap of er geen politie op de weg reed.

'Blijf eens stil zitten, ik word bloednerveus van je. Met al dat gedraai loop je nog een nekhernia op.'

'Ik vind het gewoon niet prettig als je zo hard rijdt. Daar word ík bloednerveus van.'

Fiona liet de auto zuchtend wat in snelheid terugzakken. 'Ik ben het gewoon zat. Ik wil zo snel mogelijk naar die camping en mijn telefoon zoeken.' Even was ze stil, maar aan haar gezichtsuitdrukking was te zien dat haar hersenen op volle toeren draaiden. 'Wacht eens even, die klootzak zal mijn telefoon toch niet hebben meegejat?'

'Natuurlijk niet! Waarom denk jij altijd het slechtste van mensen?'

'Mensen krijgen van mij altijd het voordeel van de twijfel, maar Brian valt voor mij in een andere categorie,' snibde ze. 'Hij heeft veel indruk gemaakt, maar niet in positieve zin.'

'Nou, zo erg was het nou ook weer niet. Hij was wat apart, maar ik ben ervan overtuigd dat hij geen crimineel is.'

'Hoe kun je dat nou zo zeker weten? Je bent amper vierentwintig uur met die jongen opgetrokken.'

'Dat noemen ze mensenkennis, Fiona. Ik heb niet zo heel lang nodig om iemand te kunnen doorgronden.'

'Ach, je hebt ook gelijk, jij bent kampioen mensenkennis. Daarom ben je ook op Hans gevallen.'

Marit keek Fiona gekwetst aan. 'Waar was dat nou weer goed voor?'

'Sorry. Zo bedoelde ik het niet. Ik weet niet wat het is met die Brian, maar hij brengt het slechtste in me naar boven. Het ergste is dat hij verdomme steeds tussen ons in staat. Dit is al de zoveelste keer dat we kibbelen met hem als aanleiding.'

Marit kon niet ontkennen dat het waar was wat Fiona zei. Voordat ze Brian ontmoetten was er nog nooit een onvertogen woord tussen hen gevallen en nu hadden ze steeds onenigheid. Ze leken wel zo'n stel dat voor het eerst samen op vakantie ging en er dan achter kwam dat continu op elkaars lip zitten misschien niet zo'n goed idee was voor hun relatie. Hoeveel verkeringen sneuvelden er niet na de eerste gezamenlijke vakantietest? Gold dat ook voor vriendschappen? Ze hoopte van niet. Fiona vormde echt een verrijking van haar leven die ze niet kwijt wilde. Hopelijk gold dat andersom ook. Ze besloot nog beter haar best te gaan doen om de sfeer goed te houden.

'Het wordt een topvakantie, echt waar,' zei Fiona alsof ze haar gedachten kon lezen.

'Natuurlijk wordt het een topvakantie. Voor minder doen we het niet.'

Ze staken de rivier la Romanche over richting Gap. Aan de linkerkant lagen dorpjes tussen de bergen. Campings, hotels en restaurantjes waren in overvloed aanwezig. De lucht was nog steeds strakblauw en de zon brandde onverminderd door. Marit stak haar arm uit het raam in de hoop wat verkoeling te vinden. Al snel begon haar gevoelige huid te schrijnen. Ze was zich weer vergeten in te smeren vanochtend. Een routine die door het aanhoudende druilerige weer in Nederland nog niet in haar systeem zat. Dat de zon hier wel overuren maakte, was duidelijk.

Ze bogen af richting de provinciale weg en reden door dorpjes waar bakken met vrolijke wit-roze petunia's aan de sierlijke lantaarnpalen hingen. Daar mocht Nederland wat haar betreft een voorbeeld aan nemen. De overvloed aan asfalt in hun eigen land oogde een stuk minder vriendelijk en vrolijk dan de bloemenpracht die je in het buitenland vaak langs de weg tegenkwam. Ze reden weer door een ander dorpje en Marit salueerde naar een standbeeld van Napoleon dat langs de weg stond. Het viel haar op dat de beste man veelvuldig vertegenwoordigd was in standbeelden, straat- en restaurantnamen. Toch wel een prestatie als je het voor elkaar kreeg dat mensen je zo lang na je dood nog levend hielden door herinneringen. Ze probeerde zich voor te stellen hoe de omgeving er in de tijd van Napoleon uit had gezien, maar ze kon zich er geen beeld bij vormen. De gebouwen waren ongetwijfeld minder versleten, dat kon ze zelf wel verzinnen, maar verder liet haar fantasie haar in de steek. De weg maakte een bocht en een bord langs de weg kondigde een afdaling aan met een steilte van 8%. Fiona stuurde de auto behoedzaam over de steile slingerweg richting het dal. Ze staken de rivier La Bonne over. Rechts in een bocht stond een schattig kapelletje. Een beetje angstig keek ze naar de rotswanden waar een dikke laag gaas voor zat. Dat impliceerde dat er weleens wat naar beneden kwam rollen hier. Een paar grote keien die verderop in de netten hingen bevestigden haar vermoeden.

'Een gedeelte van deze route is een tijd afgesloten geweest. Jaren geleden is hier een stuk rots naar beneden gekomen,' wakkerde Fiona nietsvermoedend haar angst nog even extra aan.

Met grote schrikogen keek ze naar haar vriendin. 'Rij maar snel door, ik vind het een doodenge gedachte dat we elk moment door een rotsblok van de weg gevaagd kunnen worden.'

'Haha, overdrijf je nou niet een beetje? De weg is hersteld en er zijn allerlei voorzorgsmaatregelen getroffen mocht er weer een stuk naar beneden komen.'

'Zo'n dun netje is toch helemaal niet opgewassen tegen dat rotsgeweld? Je maakt mij niet wijs dat dat afdoende is.'

'Wat ben je toch een angsthaas,' zei Fiona lachend. 'Ik zal er zo snel mogelijk voorbijrijden als jij je daar prettiger bij voelt. Maar, vergeet ook vooral niet om om je heen te kijken. Het is echt prachtig hier! Ik voel me altijd zo nietig als mens als ik die oeroude bergen zie die boven het landschap uittorenen.' Fiona voegde de daad bij het woord en ging harder rijden.

Al snel was Marit misselijk. De bochtige wegen en de angst voor vallende stukken steen, sloegen op haar maag. Haar ogen dichtdoen hielp ook niet. Sterker nog, dat maakte het alleen maar erger. Ze was zelden wagenziek, maar vandaag had ze er behoorlijk last van. 'Misschien moet je toch maar weer wat rustiger gaan rijden. Ik voel me niet zo lekker.' Ze raakte Fiona's been even aan om haar aandacht te krijgen.

'Jij weet ook niet wat je wilt. Maar prima hoor, u vraagt wij draaien.' Fiona liet de snelheid van de auto terugzakken en reed rustig op de naderende bocht af. Ze stuurde de auto er bedreven in en keek met een schuin oog naar Marit die toch wel erg bleek zag.

'Bakje nodig?'

Marit schudde haar hoofd.

'Neem anders nog een winegum. Soms helpt het tegen de misselijkheid als je ergens op zuigt.'

Marit gehoorzaamde en de misselijkheid zakte inderdaad wat af. Of de winegum of de rustigere rijstijl van Fiona daar nou de oorzaak van was, liet ze maar even in het midden. Misschien was het wel de combinatie van die twee. Maar wat maakte het ook uit, het ging erom dat ze minder misselijk was.

'Nu begint het echt op te schieten,' deelde Fiona mee toen ze Gap binnenreden.

In een perk langs de weg werd de plaats aangekondigd in bloemen.

Dat moest een precisiewerkje zijn geweest om die letters aan te planten in bloemen. Misschien moest ze thuis voor Lotte ook maar eens zo'n naamperkje maken. Het kind was dol op bloemen en zou vast ongelofelijk trots zijn als ze haar eigen tuintje met haar naam in bloemen had die ze zelf mocht verzorgen en water geven. Meteen zag ze het blije snoetje van haar dochter voor zich en er ging een steek van gemis door haar hart. Als ze veilig en wel op de camping waren, zou ze eerst haar ouders eens bellen om te vragen hoe het met de kleintjes was. Misschien kon ze ze zelfs wel even aan de telefoon krijgen. Zouden ze haar net zo missen als zij hen? Sem en Lotte waren een niet meer weg te denken onderdeel van haar leven en zodra ze niet in de buurt waren, voelde ze zich niet compleet. Dat had ze zich in de afgelopen twee dagen meer dan eens gerealiseerd. Ze begreep niet hoe ze ooit stiekem had kunnen wensen dat ze een paar dagen geen kinderen om zich heen zou hebben zodat ze ook eens aan zichzelf toekwam. Dat verlangen was van de aardbodem verdwenen. Wat kon haar het nou schelen dat ze zelf ook een individu was, een vrouw, met haar eigen behoeftes en verlangens. Ze was moeder en dat ging boven alles.

'Wat kijk je ernstig.'

'Ik zat even aan Sem en Lotte te denken en dat ik ze mis.'

'Hmm, snap ik. Over een kleine twee weken kun je ze weer in je armen sluiten en tot die tijd gaan wij ontzettend veel lol maken.'

Fiona haalde een hand van het stuur en stak hem in de lucht. Ze gaven elkaar een high five. Ze naderden een rotonde die hen Gap weer uit leidde. Aan hun linkerhand lag een station. Even moest Marit aan Brian denken. Hoe zou het met hem zijn? Zou hij al herenigd zijn met zijn vrienden? Ze zou het nooit weten, want nadat ze hem in Grenoble hadden afgezet waren er geen telefoonnummers of andere contactgegevens uitgewisseld. Het was maar goed dat Fiona geen gedachten kon lezen, want die zou het vast afkeuren dat Brian ook nog maar een seconde van haar gedachten in beslag nam.

34

Het klikklakgeluid van de richtingaanwijzer vulde de auto. Fiona stuurde de auto naar rechts richting een witte brug met elf bogen die over het Lac de Serre-Ponçon lag. Marit vergaapte zich aan het prachtige uitzicht. Ruige bergen omsloten het stuwmeer en diamantjes van zonlicht glinsterden op het water. Ze deed haar zonnebril af om het landschap in zijn authentieke kleuren te zien, maar zette hem snel weer op. De natuurlijke blingbling deed pijn aan haar ogen. Het water had een aanlokkelijke deining die een enorme aantrekkingskracht op haar had. Ze sprong het liefst meteen uit de auto en van de brug af om een frisse duik te nemen.

'O wauw, wat fantastisch om hier na al die tijd weer te zijn,' verzuchtte Fiona. 'Ik heb niet aan geschiedverfraaiing gedaan, want het is nog net zo mooi als in mijn herinnering.' Ze draaide het raampje aan haar kant helemaal naar beneden. Haar haren wapperden woest mee met de aangename wind die door de auto waaide. Met een gelukzalig gezicht keek ze Marit aan. 'Nou, heb ik iets te veel gezegd?'

'Geen woord, wat een plaatje!' Bij de aanblik van het mooie landschap voelde Marit even al haar zorgen langs haar schouders afglijden. Ze stak haar hoofd uit het raam om de geur van het water op te snuiven. 'Joehoe!' brulde ze. Een golf van energie ging door haar lijf, een gevoel dat ze lang niet meer had gehad. Ze wist het zeker. Twee weken aan dit meer en ze zou als herboren zijn. Alle moeheid van de afgelopen jaren zou ze in het heldere water van zich afspoelen.

Ze verlieten de brug en de camping kwam in zicht. Fiona reed het terrein op waar een groot houten bord de Camping Municipal aankondigde. Aan de linkerkant voor de slagboom die het campingterrein afsloot voor onbevoegden stond een houten receptiegebouwtje.

Ervoor was een keurig perkje met vrolijke bloemen aangelegd.

'Daar zijn parkeerplaatsen,' wees Marit Fiona op een plek links van het perkje en de receptie waar nog een paar plekken vrij waren voor nieuwkomers die zich moesten melden bij de receptie. Ze knikte en parkeerde de auto. Beide dames pakten hun handtassen met waardevolle spullen en Fiona klikte de TomTom van het raam voordat ze de auto afsloten.

'O, we zijn er eindelijk,' riep Marit verheugd. Ze liep achter Fiona aan de receptie binnen waar twee vrolijke Françaises achter de desk stonden.

'*Bonjour*,' riep Fiona enthousiast.

'*Bonjour mesdames.*'

'*Parlez-vous anglais aussi?*'

'*Yes, we do.*' De receptionistes knikten bevestigend.

Fiona graaide in haar handtas, haalde de geprinte reservering van hun tentplek eruit en overhandigde die aan een van de dames. Met de papieren in haar hand draaide ze zich om naar de muur achter haar waar allemaal haakjes met sleutels hingen. Ze pakte er een en gaf hem aan Fiona.

'Dit is de sleutel voor de slagboom,' verduidelijkte ze. 'U kunt tot tien uur 's avonds het terrein op via de slagboom, daarna kunt u uw auto buiten het campingterrein parkeren op de daarvoor bestemde parkeerplaatsen. De plekken zijn wel beperkt, dus hou daar rekening mee.'

'Maar kunnen we dan zelf de camping nog wel op na tienen? Als we een avondje gaan stappen, zou het best weleens nachtwerk kunnen worden.'

'U kunt zelf langs de slagboom gewoon vierentwintig uur per dag het campingterrein op lopen. Alleen voor auto's hebben we een tijdsklok ingesteld om de rust van onze gasten later op de avond zo veel mogelijk te kunnen garanderen.'

'Nou, dat worden geen late slempavondjes,' fluisterde Fiona in Marits oor.

De receptioniste overhandigde de sleutel aan Fiona terwijl de andere dame haar collega een plattegrond van de camping aangaf. De vrouw tekende met pen een route uit op de kaart. 'U hebt tentplek 32 toegewezen gekregen. Er staat een lekkere grote boom die wat bescherming biedt tegen de zon.' Ze wees met de punt van haar pen de plek aan op de kaart. 'Als u uw auto op het terrein hebt geparkeerd, loopt u naar de trap aan uw rechterhand. Als u de trap naar beneden neemt dan ziet u aan uw linkerhand de sanitairgebouwen en aan uw rechterhand bevinden zich de tentplekken. Bij elke plek staat een bordje met een nummer en tweeëndertig is hier.' De vrouw zette een blauwe stip op de plek die bestemd was voor hun tent.

'Dat gaan we vinden, geen probleem,' zei Fiona.

'We hebben uw aanbetaling destijds in goede orde ontvangen bij uw boeking. U kunt het resterende bedrag betalen aan het einde van uw verblijf op onze camping.'

'Ah, dat is prima.'

'Dan wens ik u een prettig verblijf toe op onze camping en mocht u nog vragen hebben dan staan mijn collega's en ik voor u klaar.'

Fiona haakte haar arm in die van Marit en ze liepen al richting de uitgang toen Marit zich bedacht.

'Sorry,' draaide ze zich om naar de receptie. 'Ik heb nog één vraag. Als er 's nachts onverhoopt iets is, waar kunnen we dan terecht?'

'We hebben een campingmanager c.q. bewaker die vierentwintig uur per dag op de camping aanwezig is. Hij woont in chalet nummer 1 en zijn naam is François Gaballier.' Ze pakte weer een plattegrond, zette een cirkel op de kaart op de plek waar het chalet van de manager zich bevond en gaf het A4'tje aan Marit.

'Op de achterkant van de plattegrond staat ook een overzicht met telefoonnummers van de alarmlijn, dokters, et cetera.'

'Fijn, dank u wel,' bedankte Marit de vrouw opgelucht.

Fiona zwaaide naar de dames van de receptie en trok Marit mee. 'Kom doemdenker, we gaan de tent opzetten en mijn telefoon zoeken.'

'Ja, lach jij maar, maar mocht er iets buiten receptietijden gebeuren dan zul je me nog dankbaar zijn dat ik daarnaar heb geïnformeerd.'

'Marit, we hebben vakantie. Dat betekent een hoop lol, ontspanning en geen calamiteiten.'

'Hoe kun je daar nou zo zeker van zijn? Je weet nooit hoe dingen lopen.'

'Dat is waar, maar op pad zijn zonder kinderen brengt gewoon minder risico's met zich mee.'

Marit wierp haar een boze blik toe.

'O, een gevoelig puntje, sorry. Ik weet dat je ze mist, maar je kunt toch wel twee weken zonder ze? Bel anders straks je ouders even hoe het met Sem en Lotte gaat. Hopelijk kun je je daarna iets meer ontspannen.'

'Ja, ik denk dat ik dat inderdaad maar even ga doen. Ik heb me al twee dagen moeten bedwingen.'

Ze liepen allebei naar hun eigen kant van de auto en Fiona reed richting de slagboom. Het was eigenlijk al een vanzelfsprekendheid dat zij achter het stuur kroop en Marit vond het prima. De slagboom reageerde meteen toen Fiona de sleutel in het daarvoor bestemde gat stak en opende soepel. Fiona gaf een dot gas en reed de camping op. Een man en een vrouw die net aan kwamen lopen, sprongen verschrikt opzij.

'Wow, kalm aan joh.' Marit greep zich vast aan haar stoel.

'Sorry hoor, maar ik heb het niet zo op slagbomen. Ik ben altijd bang dat dat ding te vroeg naar beneden komt en dwars door het dak heen gaat.'

'En dan noem je mij een doemdenker...'

'Ach, gun mij ook mijn dingetje.'

'Ik gun jou best je dingetje, maar ik geloof dat die mensen er anders over denken.' Marit doelde op de campinggasten die Fiona bijna van hun sokken had gereden en die vernietigende blikken hun kant op wierpen.

Fiona zwaaide vriendelijk naar ze en brulde '*Excusez!*' door haar open raampje. '*Très, très beaucoup!*' liet ze er nog op volgen. Marit keek beschaamd de andere kant uit. Fiona parkeerde de auto, sprong energiek naar buiten en begon meteen alle tassen uit de auto te tillen.

Marit keek eerst eens om zich heen. Haar oog viel op een paar tafeltennistafels die op het terrein stonden. 'Kijk, we kunnen zelfs een potje pingpongen mochten we ons vervelen.'

Fiona staakte haar gesjor aan de tassen en volgde Marits blik.

'Ha, leuk! Weet je dat ik vroeger heel goed was in tafeltennis? Ik kreeg op een gegeven moment zelfs privétraining zodat ik wedstrijden kon gaan spelen.'

'Ik ben nooit verder gekomen dan niveau pingpong. Mijn spel zou ik niet eens tafeltennis durven noemen.'

'Nou, mijn tafeltenniscarrière is uiteindelijk ook nooit van de grond gekomen, hoor. Ik vond het veel te veel gedoe om elke avond te trainen. Eén of twee keer per week kon ik nog wel handelen, maar ik zag het niet zitten om al mijn vrije tijd te wijden aan een klein balletje en een batje. Ik had toen al door dat er meer was in het leven.'

'Wijs geboren,' grinnikte Marit.

'Zoiets ja.'

Marit pakte de tent die aan de andere kant van de kofferbak lag. Het ding was zwaarder dan ze in eerste instantie dacht. Ze legde de tent op de grond neer achter de auto en dook de kofferbak weer in voor de laatste tas.

'Volgens mij is onze plek daar op dat veld.' Fiona wees in de verte.

'Ik denk dat je gelijk hebt.'

Bepakt en bezakt liepen ze richting de houten trap en daalden af. Aan hun linkerhand lagen de toiletgebouwen en de spoelbakken om de afwas in te doen.

'Kijk, daar hou ik nou van, alles lekker in de buurt.'

Marit knikte enthousiast. Met een pleerol de hele camping over moeten was toch een soort spookbeeld dat zich had vastgezet in haar hoofd. Tot haar grote opluchting hoefde ze nog geen honderd meter te overbruggen voor het toilet en de douche. Daar kon ze wel mee leven. Ze hoopte dat ze aan het eind van de vakantie de charme van een camping en de spartaanse levensstijl wat beter zou begrijpen. Aangezien massa's mensen elk jaar hun vakantie op deze wijze doorbrachten, moest er toch 'iets' zijn wat het aantrekkelijk en voor herhaling vatbaar maakte. Als het nou goed beviel, kon ze weleens een poging wagen met Sem en Lotte. Die vonden het vast fantastisch om in een tent onder de sterrenhemel te slapen. Sem speelde weleens tentje op zijn kamer. Dan pakte hij twee stoelen en gooide zijn dekbed eroverheen en daar kroop hij dan onder. Hij had het weleens een hele middag volgehouden in zijn 'tent'. Ze had hem een appel, ranja en chipjes gebracht die hij tevreden had opgepeuzeld terwijl hij met een zaklamp een boek las. Lotte had verwoede pogingen gedaan de tent van haar broer binnen te dringen, maar Sem had zijn domein met verve verdedigd tot groot verdriet van Lotte. Ze had het jammerende meisje uiteindelijk meegenomen naar haar eigen kamertje en samen met haar een nieuwe tent gebouwd. Toen het ding eenmaal stond, was Lotte al snel haar aandacht verloren en had ze zich op haar poppen gestort. Voor de vorm was ze zelf nog even in de tent gaan zitten voordat ze de boel weer opdoekte. Soms was ze weleens jaloers op de zeer beperkte aandachtspanne van haar dochter. Ze kon het ene moment intens verdrietig zijn en het vijf minuten later weer net zo makkelijk vergeten zijn. De volwassen wereld zou daar soms een voorbeeld aan mogen nemen, dan zou de wereld er vast een stuk vriendelijker uitzien. Wat zou het mooi zijn als hoog oplopende conflicten alweer vergeten waren voordat ze goed en wel waren begonnen. Hoe was die uitspraak ook al weer? Als gij niet zijt als kinderen, zult gij het rijk der hemelen nooit betreden?

35

Ondanks Marits gebrek aan kampeerervaring stond de ruime twee-persoonstent vrij vlot. De heldere aanwijzingen van Fiona waren on-misbaar geweest in het hele proces. Haar leiderschapskwaliteiten waren duidelijk naar boven gekomen en Marit had zich moeiteloos in haar uitvoerende rol geschikt. Er was geen onvertogen woord gevallen. Trots bekeek Marit hun woning voor de komende twee weken. De voortent stond uitnodigend open en Fiona was druk bezig met het neerzetten van een tafeltje en stoeltjes. De boom die bij hun plekje stond gaf inderdaad de schaduw die de receptiedame had beloofd. Het stuwmeer zag er uitnodigend uit en de Pic de Morgon, een vier-entwintighonderd meter hoge berg, torende hoog boven de rest van de omgeving uit. Had Fiona onlangs niet laten vallen dat ze die berg wilde beklimmen? Marit kreeg bij de gedachte alleen al spontaan kramp in haar kuiten. Ze had een stel oude gympen meegenomen, die daar niet erg geschikt voor waren. Haar teenslippers bevielen prima. Ineens staakte Fiona haar inrichtwerkzaamheden. 'Mag ik je telefoon nog even lenen? Ik wil mijn toestel nog een keer bellen nu we alle spullen uit de auto hebben gehaald.'
'Natuurlijk.' Marit pakte haar toestel uit haar tas en gaf het aan Fiona. Na het intoetsen van het nummer ging de kiestoon duidelijk hoorbaar over, maar het gerinkel van Fiona's toestel bleef uit.
'Verdorie! Waar is dat ding toch?' Gefrustreerd belde ze nogmaals. Weer leek het een zinloze actie, maar net voordat ze de verbinding wilde verbreken werd er opgenomen.
'*Bonjour?*' zei een aarzelende mannenstem.
Fiona's ogen werden groot van verontwaardiging. Haar toestel was toch gejat! Maar door wie en wanneer?

'Bonjour,' zei de stem nogmaals, wat ongeduldiger deze keer.

'*Uh, oui, bonjour monsieur. 'Que faites-vous avec mon télèphone?*'

'Wablief?' klonk het aan de andere kant van de lijn.

Fiona's hoofd werd op slag rood. 'Brian! Dus toch! Wat doe jij met mijn telefoon? Je hebt mijn telefoon gejat! Is dat je dank voor al onze moeite, hufter?' Ze stampte met haar voeten op de grond van frustratie. De campinggangers op de plek naast hen, keken verstoord op. Marit lachte vergoelijkend. 'Fi, een beetje zachter alsjeblieft.' Ze knikte met haar hoofd richting hun nieuwe buren.

Fiona haalde haar schouders op maar ging wel wat zachter praten. 'Ik wist wel dat je niet te vertrouwen was, klootzak.'

'Woho,' onderbrak Brian haar woedende monoloog. 'Ook fijn om jou weer te spreken, Fiona.'

'Wat doe je met mijn telefoon?' siste Fiona.

'Op dit moment bel ik ermee,' was de droge reactie die Fiona alleen nog maar kwader maakte.

'Ik heb per ongeluk jouw telefoon meegenomen. Die iPhones lijken ook allemaal zo op elkaar, hè?'

'Lul niet, je hebt hem gewoon gejat. Je bent een ordinaire dief, een landloper en we hadden je nooit mee moeten nemen.'

'Ik ben geen dief, ik heb me gewoon vergist.'

'O, en je vond het niet nodig om die "vergissing" even te melden?'

'Tsja, jou kon ik niet bellen hè, en Marits nummer heb ik niet.'

'Je had haar nummer toch op kunnen zoeken in mijn contactenlijst? Je komt toch niet uit een ei?'

'Dat had ik kunnen doen ja, maar ik was nogal afgeleid door je, uhm, fotoalbum.' Zijn stem klonk insinuerend.

'Mijn fotoalbum? Waar heb je het over?' Op het moment dat ze de woorden uitsprak, realiseerde ze zich dat er nogal wat 'beeldmateriaal' van haar laatste date op het toestel stond. Ze was het alweer vergeten en had daardoor niet de moeite genomen de foto's te verwijderen. 'O, fuck...'

'Nou, dat kun je wel zeggen ja. Dat dekt wel zo'n beetje de lading.'

'Blijf met je poten van mijn spullen af! Hoe durf je mijn privémateriaal te bekijken? Heb je dan helemaal nergens respect voor?'

'O, zeker heb ik respect. Wat ben jij een hete chick, zeg.' Hij grinnikte plagerig. 'Ik durf te wedden dat jij en ik het samen heel gezellig zouden kunnen hebben. Ik ben mijn positie al aan het bepalen. Misschien zou jij dat ook eens moeten doen.' Weer dat insinuerende lachje dat het bloed onder Fiona's nagels vandaan haalde. Ze wilde van alles zeggen maar kwam niet verder dan 'klootzak'.

Brian negeerde haar gescheld. 'Weet je wat? Ik kom je dierbare toestel wel brengen. Ik verheug me nu al op het vindersloon, haha.'

'Vindersloon,' schamperde Fiona. 'Ik zou je moeten aangeven bij de politie met je ordinaire jatwerk.'

'Zo kan die wel weer, Fioontje. Ik zei toch dat ik me vergist had. Een vergissing is menselijk weet je wel.'

'Jij valt voor mij niet in de categorie menselijk, Brian.'

'*Whatever*. Luister, ik pak de trein naar Gap en wacht je daar op. Ik ben er om 19.00 uur. *Be there.*'

Voordat Fiona ook maar iets kon zeggen, had hij al opgehangen. Woedend belde ze weer terug. Het toestel ging over en sprong toen op de voicemail. 'Waag het niet om met mijn telefoon te bellen!' sprak ze in. Ze probeerde het nog vier keer, maar steeds hetzelfde verhaal, Brian negeerde haar oproepen. Er zat niets anders op dan vanavond om 19.00 uur op de gok naar station Gap te rijden in de hoop dat Brian zich aan zijn woord hield en daar zou staan met haar telefoon. Gadverdamme, waren ze nog niet van die eikel af.

'Heeft Brian je telefoon?'

'Ja, ik zei toch dat die lul hem gejat heeft. En begrijp ik nou goed dat hij foto's van je heeft bekeken?'

'Ja, en het zijn foto's die je zeg maar niet met anderen wilt delen.'

'Wat onbeschoft.'

'Schaamteloos! En jij maar zeggen dat ik altijd het slechtste van mensen denk. Nou, zal ik je eens wat vertellen, Marit, een gezonde dosis achterdocht is tegenwoordig geen overbodige luxe. Er zijn een hoop goede mensen, maar er zijn er helaas ook die niet deugen en Brian is er daar één van.'

'Maar hij kan zich toch echt vergist hebben?'

'Marit hou op, doe niet zo naïef. Natuurlijk heeft hij zich niet vergist.'

'Maar waarom zou hij dan ook maar enige moeite doen om het ding terug te komen brengen? Een dief zou zoiets niet doen.'

'Ik heb geen idee wat zijn beweegredenen zijn, maar ik ben ervan overtuigd dat ze niet deugen. Bij die jongen zit altijd een addertje onder het gras, let maar op mijn woorden.'

'Ach, dat zal vast meevallen,' gaf Marit nog wat tegengas, maar de kracht was uit haar stem verdwenen. Verdorie, waren ze weer aan het kibbelen over Brian. Hij wist de sfeer zelfs te verpesten als hij niet in hun buurt was. Ook Fiona leek zich dat te realiseren. 'Een intrigant, dat is het. We halen vanavond die telefoon op en dan wil ik nooit meer iets van hem horen of zien. Die jongen is heel slecht voor mijn humeur.'

Marit vroeg zich af waarom ze Brian steeds bleef verdedigen. Waarom had ze een zwak voor hem terwijl ze hem amper kende? Zou het komen omdat zijn kwetsbaarheid haar ergens aan Sem deed denken? Sem die ook wat moeite had met sociale contacten en vaak alleen was. Was alles terug te voeren op haar moedergevoel dat getriggerd werd? Of was het toch meer dan dat? Ze had ook duidelijk een zwak voor Brians uiterlijk, wat in zijn voordeel sprak. Ze haalde haar schouders op. Wat maakte het ook eigenlijk uit? Als het goed was zou vanavond echt de laatste keer zijn dat ze Brian zouden zien. Stiekem verheugde ze zich erop om hem weer te zien, ook al zou het maar kort zijn en zonder verdere gevolgen.

'Koffie?' stelde Marit voor om de gespannen sfeer wat te doorbreken.

'Ja, lekker. Ik ben wel toe aan een stevig bakkie.'

Marit dook de tent in, zette de cafetière vast klaar en pakte de waterkoker die ze van thuis had meegenomen. Ze liep ermee naar de sanitairgebouwen in de hoop daar ergens een stopcontact te vinden. Nu merkte ze pas hoe afhankelijk ze was van stroom en hoe onhandig het was als je het niet had. Weer een minpuntje voor de tent. Uiteindelijk lukte het om koffie te zetten, al was het wat omslachtig. Ze liep met een gevuld dienblad naar buiten met daarop twee bekers dampende koffie, suiker- en melkstaafjes en een pak Café Noir-koekjes. Met een klap zette ze het blad op het opklaptafeltje.

'Zo, de vakantie kan beginnen.' Ze pakte haar koffiebeker en stak hem in de lucht. 'Proost.'

36

Vanavond kon hij weer observeren, van afstand begeren. Die rooie had nog altijd zijn voorkeur, maar hij was haar vriendin inmiddels ook met andere ogen gaan bekijken. Pittig ding, vooral tussen de lakens. Zonde om dat niet met de wereld te delen. Hij glimlachte. Haar wachtwoorden van Facebook en Twitter stonden als notities opgeslagen in haar telefoon. Het was een koud kunstje om haar accounts even te 'lenen'. De foto's die hij in haar telefoon had gevonden, lieten niks aan de verbeelding over. Wat op zich ook weer jammer was, want fantasie en eigen invulling waren een groot goed en hielden hem op de been. Het sleepte hem door de oersaaie dagen waarin zwart de boventoon voerde en de herrie hem gek maakte. Zijn enige uitdaging was om het lawaai te laten verstommen en de stilte vervolgens zo lang mogelijk vast te houden. Maar ook dat behoorde inmiddels tot de routine. Het voelde alsof hij continu achter zijn eigen staart aan liep. Rondjes draaien tot zijn evenwichtsorgaan protesteerde en hij op zijn bek ging. Soms, op de donkerste dagen, was hij het zo zat. Steeds weer datzelfde patroon, dezelfde uitkomst, hetzelfde resultaat. Geen structurele oplossing, slechts het tijdelijk sussen van de orkaan in zijn hoofd. Soms, heel soms wenste hij dat hij nooit geboren was. Dat hij zichzelf kon wegvegen als de letters op een krijtbord. Hij wilde niet meer die krassende nagels op het schoolbord zijn die door merg en been gingen. Hij wilde geen kippenvel en rillingen meer bezorgen. Maar willen en kunnen waren twee verschillende dingen. Hij was er nou eenmaal met al zijn gebreken en eigenaardigheden en daar moest hij, maar ook de mensen om hem heen, mee leren leven.
Hij zou zijn modus operandi willen aanpassen, verfijnen, maar hoe-

veel rek zat er nog in? Hoe creatief was hij nog na al die tijd? Misschien moest hij ze uiteindelijk alle twee nemen. Die vriendin als opwarmertje en die rooie als sluitstuk? Het proces wat langer rekken dan normaal? Wat nieuwe dingen uitproberen? Maar de onrust werd groter en daarmee ook zijn haast. Ongeduld werkte onbesuisd handelen in de hand en was dodelijk voor de creativiteit. Het had hem al eens eerder bijna genekt. Voorzichtigheid was geboden, nu meer dan ooit. Hij was nog geen vierentwintig uur geleden zwaar over de schreef gegaan. In tegenstelling tot andere keren had het hem nauwelijks iets opgeleverd. De stilte en de rust waren binnen een paar uur alweer verdwenen en het zoemende verlangen voerde weer de boventoon. Zijn begeerte naar die rooie was allesoverheersend en kon door niets of niemand gestopt worden. Alleen zij kon hem redden, daar was hij van overtuigd. Maar hij moest het zorgvuldig aanpakken. Hij mocht zijn scherpte niet verliezen, want dan zouden de consequenties niet te overzien zijn. Maar hoe bleef je scherp in de botte werkelijkheid die hem steeds meer in zijn greep kreeg?

37

De sms'jes bleven maar binnenstromen. Of hij het al gezien had? Reacties van vreemden vulden de tijdlijn op Facebook en Twitter. Van vermakelijk tot ronduit ranzig. Wat had haar bezield? Hij probeerde haar al de hele ochtend te bereiken om verhaal te halen, maar ze nam haar toestel niet op. Haar voicemail had hij al tig keer ingesproken. Eerst rustig, later steeds woedender. Op Facebook en Twitter had hij haar persoonlijke berichten gestuurd. Ook daar had ze niet op gereageerd. Ze zette niet alleen hem maar ook zichzelf voor lul, dat besefte ze toch wel? Was het een schreeuw om aandacht geweest of was ze gewoon een exhibitionist die kickte op dit soort dingen? Ging ze zomers naar het naaktstrand en bezocht ze nudistencampings? Ambieerde ze stiekem een rolletje in een pornofilm en was dit een verkapte sollicitatie? Hij zou het pas weten als hij haar gesproken had. De vraag was hoe hij dat voor elkaar kreeg.

Wat hij wel zeker wist, was dat hij spijt had dat hij haar ooit was tegengekomen. Was hij maar nooit ingegaan op haar avances. Als hij die avond niet met haar mee was gegaan dan was deze ellende hem bespaard gebleven. Toen ze foto's maakte van hun uitspatting had hij dat wel geil gevonden. Hij had haar wel laten beloven dat ze ze voor zichzelf zou houden en bij voorkeur snel zou wissen. Haar belofte was niks waard, daar was hij nu door schade en schande achter gekomen. Waarom was hij toch zo goedgelovig? Hij kon zichzelf wel voor zijn kop slaan. Ineens sloeg de schrik hem om het hart. Zijn zus was ook vrij actief op Facebook en zijn moeder was onlangs ook toegetreden tot die digitale wereld. Ze zouden deze inkijk in zijn sociale leven allerminst kunnen waarderen. Als ze de foto's maar niet gezien hadden. Hij had ze meteen van zijn prikbord verwijderd toen hij inlogde op Facebook en ze had zien staan, maar wat nou als zijn familie vóór dat moment al op Facebook had gekeken? En op haar prikbord stonden ze natuurlijk nog wel. In paniek toetste hij wederom haar nummer in. Die dingen moesten verwijderd worden, hoe eerder hoe beter.

38

'Ik bel even naar mijn ouders om te laten weten dat we goed zijn aangekomen.' Marit pakte haar telefoon.

'Doe ze de groeten van me en geef de kleintjes een kus!'

Marit liep de tent binnen. Ze wist dat de dunne wandjes slechts schijnprivacy gaven, maar toch trok ze zich liever even terug. Ze had een ontzettende hekel aan 'publiek' bellen. In de trein kon ze zich daar ook zo aan storen. Ze vond het onbegrijpelijk dat mensen hun hele hebben en houden zonder enige gêne door zo'n coupé tetterden. Ze hoefde niet te weten dat Kees maar liefst twee keer achter elkaar was klaargekomen of dat Anouk een spastische darm had waar ze allerlei inwendige onderzoeken voor had gehad. En zo hoefden haar medecampingbezoekers, die aan de kentekens te zien grotendeels uit Nederland kwamen, haar gesprek met het thuisfront niet te horen. Ze nestelde zich op haar luchtbed en toetste het nummer van haar ouders in. Bij het horen van haar moeders vrolijke stem, trok er een golf van heimwee door haar heen.

'Hé, mam, met mij.'

'Marit, wat leuk! Hoe is het met je?'

'Prima. We zijn net aangekomen op de camping. Het weer is prachtig en de tent staat al.'

'Waar hebben jullie afgelopen nacht eigenlijk geslapen?'

'In een hotelletje langs de snelweg in Mâcon.'

'Weet je zeker dat het Mâcon was?'

'Ja, hoezo?'

'Er stond vanochtend op teletekst dat er in een hotel in Mâcon een roofmoord is gepleegd op een Nederlands echtpaar.'

'Dat meen je niet! Ben je dan tegenwoordig nergens meer veilig?

Welk hotel was het?'

'Dat stond er niet bij.'

Even flitsten de ambulance en politiewagens die aan kwamen rijden toen ze het hotel verlieten door Marits hoofd. Nee, dat kon niet. Als zoiets afgrijselijks in hun hotel was gebeurd, hadden ze iets moeten horen, er iets van moeten merken. Daarbij wilde ze niet aan het idee dat terwijl zij lagen te slapen een paar kamers verderop een dubbele moord had plaatsgevonden. Fiona had toch alleen slecht geslapen vanwege haar gesnurk? Die had niet gezegd dat het verder onrustig was geweest. Ook Brian had niet geklaagd en naar eigen zeggen heerlijk geslapen.

'Nou, dat was in elk geval niet in ons hotel, mam,' stelde ze haar moeder en zichzelf gerust.

'O, gelukkig. Ik maakte me toch wel een beetje zorgen. Omdat jullie geen echtpaar zijn, wist ik dat het niet om jullie ging, maar ik kreeg er toch wel een beetje de kriebels van. Kijk maar uit met vreemde mensen.'

Marit besloot te zwijgen over Brian en het feit dat ze hem een lift hadden aangeboden. Er melding van maken had geen enkele toegevoegde waarde en zou haar moeder alleen nog maar ongeruster maken nu ze dat bericht op teletekst had gezien. Ze besloot het onderwerp te laten rusten.

'Hoe gaat het met Sem en Lotte, redden ze zich een beetje zonder mij?'

'Het gaat uitstekend met ze. Ze hebben de grootste lol met pa die de hele dag met ze aan het spelen is. Ze slapen en eten uitstekend en ze zijn elkaar nog niet één keer in de haren gevlogen.'

'Hebben ze nog naar mij gevraagd?'

'Nee, eigenlijk niet. Ze zijn veel te druk met je vader. Morgen gaan we naar de Efteling als het weer een beetje meezit en voor overmorgen staat het pannenkoekenhuis op het programma.'

'Ik hoor het al, ik kan probleemloos nog een paar weken langer wegblijven. Mag ik Sem even aan de telefoon?'

'Ik zal even kijken of ik hem uit de tuin kan plukken.' Het geluid van een telefoon die werd neergelegd. 'Sehém!' hoorde ze haar moeder in de verte roepen. 'Sem, mama is aan de telefoon, kom je even?'

Ze hoorde zijn vertrouwde kinderstemmetje, maar kon niet verstaan wat hij zei. Even later werd de telefoon weer opgepakt.

'Sem?' zei ze verlangend.

'Sorry, schat, het is je moeder maar. Sem zit midden in een spannend potje voetbal met je vader en Lotte is enorm druk met het bakken van zandtaartjes. Ze hadden allebei geen tijd om aan de telefoon te komen.'

Marit voelde een steek van teleurstelling en knipperde verwoed met haar ogen terwijl ze de opkomende brok in haar keel wegslikte. 'Gelijk hebben ze ook. Wie wil er nou met zijn moeder kletsen als je lekker aan het spelen bent?' Ze probeerde opgewekt te klinken en haar teleurstelling te verbergen. Maar aan de reactie van haar moeder te horen was dat duidelijk mislukt.

'Het zijn kinderen, liefje, die gaan anders met gemis om dan wij. Ze zijn dol op je, dat weet je. Ga jij nou maar lekker vakantie vieren. Wij zorgen voor Sem en Lotte en jij hoeft je om niemand anders druk te maken dan om jezelf en Fiona. Geniet nou maar lekker. Is met Fiona ook alles goed?'

'Zoals ze zelf altijd zegt, met slechte mensen gaat het altijd goed.'

'Maak er iets moois van, meisje. Dikke kus van mij en je vader en doe Fiona de groeten.'

Een verongelijkt antwoord lag al op het puntje van haar tong, maar ze hield zich in. Wat had het voor zin? 'Dag mam, ik spreek je snel.'

Ze liep de tent uit. Fiona had inmiddels een stapel tijdschriften voor haar neus liggen en was geconcentreerd aan het lezen. Pas toen Marit haar stoeltje achteruit trok om te gaan zitten, keek ze op.

'Wat kijk jij sip, gaat het niet goed met de kindjes?'

Marit haalde haar schouders op en probeerde de tranen die haar ogen belaagden terug te dringen.

'Hé, wat is er?' Fiona sloeg bezorgd een arm om haar heen.

Dat was de druppel. Marit begon luid te snikken. 'Het gaat juist heel goed met de kindjes. Zo goed dat ze niet eens aan de telefoon wilden komen. Ik ben amper twee dagen weg en ze zijn me al vergeten.'

'Natuurlijk zijn ze je niet vergeten. Je weet toch hoe kinderen zijn? Die hebben een geheugen van een goudvis en leven heel erg in het nu. Zouden wij volwassenen ook eens wat vaker moeten doen.'

'Geheugen van een goudvis?'

'Nou ja, dat is misschien niet helemaal de juiste omschrijving in deze context, maar je snapt vast wel wat ik bedoel.'

Marit humde wat verongelijkt.

'Het is toch juist hartstikke fijn dat Sem en Lotte het zo naar hun zin hebben bij je ouders?'

'Jawel...' Marits stem klonk aarzelend.

'Maar... Ik voel een maar aankomen.'

'Maar ik voel me toch een beetje afgewezen. Ik heb alles opzijgezet voor mijn kinderen, hoe moeilijk dat soms ook was. Als moeder moet je offers brengen, dat weet ik ook wel en ik weet ook dat je daar weinig voor terugkrijgt de eerste jaren, maar toch doet het pijn. Alsof ik niet meer nodig ben. Alsof ik inwisselbaar ben of zo.'

'Wat is dat nou weer voor onzin? Ten eerste zijn je ouders niet de eerste de beste "vervanging", daar doe je ze tekort mee en ten tweede ben je niet ingewisseld, maar even tijdelijk op pauze gezet. Wat schieten die kinderen ermee op als ze twee weken lang buikpijn hebben omdat hun moeder er niet is?'

'Ach, laat ook maar, je begrijpt het toch niet.'

'Ik begrijp het heel goed. Het feit dat ik geen kinderen heb wil nog niet zeggen dat ik volledig empathisch gestoord ben. Ik probeer je alleen in te laten zien dat je het misschien wat te zwaar opvat en dat je er ook op een positieve manier naar kunt kijken. Voor kinderen uit een zo goed als eenoudergezin doen ze het uitstekend. Jij hebt ze zoveel veiligheid geboden dat ze ook op eigen benen durven te staan als jij er niet bent. Hoe mooi is dat!'

Rationeel gezien wist Marit natuurlijk dat Fiona gelijk had en dat ze ietwat overtrokken reageerde, maar gevoelsmatig lag dat heel anders. Ze wreef de tranen uit haar ogen en glimlachte flauwtjes naar Fiona.

Fiona gaf haar een zoen op haar wang en zong zachtjes in haar oor: '*Oud en afgedankt...*'

Marit gaf haar een verontwaardigde duw.

'Grapje. Haha, humor. Je weet wel.'

'Ja, erg leuk hoor.'

'Kom op, kleine pessimist van me, begin de dag met een dansje, begin de dag met een lach.'

Marit besloot op een ander onderwerp over te gaan. 'Weet je wat mijn moeder trouwens vertelde?'

'Nou?'

'Dat er in een hotel in Mâcon een roofmoord is gepleegd op een Nederlands echtpaar.'

'Serieus? Niet in ons hotel neem ik aan, anders hadden we heus wel iets gemerkt.'

'Mijn moeder wist niet in welk hotel, maar ik ga er ook van uit dat het niet het onze was. Het was in elk geval wel in dezelfde plaats.'

'Gadverdamme, wat een ontzettend naar idee.'

'Ik wil zo wel even naar het campingwinkeltje lopen om te kijken of er nog een *Telegraaf* te krijgen is. Daar zal vast iets in staan.'

'Goed plan, ik ben wel erg benieuwd. Wat een eng idee dat je in je hotelkamer dus blijkbaar ook niet meer veilig bent.'

'Die barricade van mij voor het raam was dus heus zo gek nog niet, dat blijkt maar weer.'

'Ja, inderdaad. Ik vond het nogal paranoïde eigenlijk, maar als ik dit zo hoor dan kan ik je alleen maar gelijk geven.'

'Hoe zit het eigenlijk met de veiligheid op een camping? Zo'n tentje houdt natuurlijk niets of niemand tegen.'

'Hè, Marit, maak het nou niet nog erger. Ik wil over dat soort dingen helemaal niet nadenken, want dan doe ik geen oog meer dicht. Ik ga ervan uit dat die beheerder zijn mannetje staat en goed voor ons zal zorgen.'

'Laten we daar inderdaad maar van uit proberen te gaan. Scheelt weer een pilletje tegen hoge bloeddruk. Ik loop even naar het winkeltje voor een krant, loop je mee?'

'Nee, ik bewaak ons territorium wel even en als je terugkomt, praat ik je bij over alle nieuwste roddels.' Ze wapperde met een van de bladen die voor haar lag.

Marit lachte. 'Maak me gek.'

39

Marit kwam hijgend uit het verkoelende water. Ze had een flink stuk gezwommen in het stuwmeer dat grensde aan de camping. Haar armen voelden zwaar en haar spieren protesteerden hevig. Ondanks het feit dat ze trouw elke week naar de sportschool ging, viel haar conditie toch wat tegen.

'Zwemmen is een activiteit waar je net weer andere spieren bij gebruikt,' had Fiona haar toegeroepen toen ze haar zag ploeteren en hijgen. Fiona zelf leek nergens last van te hebben en zwom nog een rondje extra toen zij er al de brui aan gaf. Dobberen op een luchtbedje was meer haar ding. Ze was blij dat ze haar badschoenen had meegenomen, want die kwamen goed van pas. De bodem van het meer bestond uit kleine keitjes in plaats van zand en zelfs door haar badschoenen heen voelde ze de scherpe uitsteeksels. Fiona had haar in eerste instantie uitgelachen toen ze met die foeilelijke dingen aan haar voeten de tent uit stapte, maar daar kwam ze snel van terug toen ze haar teen openhaalde. 'Jij bent ook werkelijk op alles voorbereid hè, je lijkt wel een prepper.'

'Een prepper? Wat is dat nou weer?'

'Iemand die zich tot in de puntjes voorbereidt op rampen en dat soort dingen.'

'Nooit van gehoord.'

'National Geographic heeft een serie over dat soort mensen die ik weleens kijk, vandaar. Het fenomeen is in 2008 ontstaan na de financiële bankencrisis.'

'Ik kan niet ontkennen dat ik graag op zeker speel, daar heb je wel een punt, maar om me nou meteen een prepper te noemen lijkt me wat te veel eer.'

'Niet zo bescheiden, ere wie ere toekomt,' grinnikte Fiona. Daarna was ze weer het water ingedoken. Marit had zich lui op haar badhanddoek genesteld met een boek. *Vijftig tinten grijs* stond er op de kaft, het eerste deel van een erotische trilogie die enorm succesvol was. Eigenlijk hield ze niet zo van boeken waarin seks de boventoon voerde, maar door alle ophef over de serie was ze net als al die andere vrouwen overstag gegaan. Ze moest eerlijk bekennen dat ze wel gevoelig was voor hypes en reclames. Het uitproberen van nieuwe producten die voor een introductieprijs op de markt werden gebracht, was wel aan haar besteed. Haar moeder, die extreem merktrouw en productvast was, stak haar verbazing daarover niet onder stoelen of banken. 'Van wie heb je dat wispelturige koopgedrag toch?' had ze regelmatig uitgeroepen als Marit weer met allemaal extra en in haar ogen onnodige dingen thuiskwam dan die oorspronkelijk op het lijstje stonden.

'Van de melkboer,' diende Marit haar moeder dan standaard van repliek.

Bij de gedachte aan het thuisfront overviel haar weer een gevoel van droefheid. Ze was nog steeds hevig teleurgesteld dat ze Sem en Lotte niet te spreken had gekregen. Ze was er toch altijd voor ze? Hoe kon het dan dat ze haar zo makkelijk aan de kant zetten? Was zij als kind ook zo geweest? Had ze haar ouders vroeger ook onbedoeld gekwetst door ze te negeren? Zou haar pa het erg hebben gevonden dat hij wel voor taxi mocht spelen als ze naar de kroeg ging, maar dat hij haar nooit voor de deur af mocht zetten? Als puber wilde je niet met je vader gezien worden, want dat maakte de kans op een geslaagde versierpoging aanzienlijk kleiner. Het was überhaupt niet stoer om met je ouders gezien te worden. Zou haar vader zich toen net zo gevoeld hebben als zij zich nu voelde? Miskend, alsof ze het niet waard was gezien te worden. Als ze weer thuis was zou ze het hem eens vragen en hem zo nodig met terugwerkende kracht haar excuses aanbieden. Hij zou toch wel begrijpen dat ze hem nooit bewust had willen kwetsen? En dat gold ook voor Sem en Lotte. Kinderen wisten niet beter. Die waren nog niet in staat om de consequenties van hun daden en handelingen volledig te overzien, met alle gevoeligheden die daarbij hoorden. De leeftijd waarop iemand als volwassen werd beschouwd was niet voor niets achttien...

Zuchtend ging ze op haar buik liggen en sloeg ze haar boek open. Het flesje zonnebrandspray dat voor haar stond, viel om. Dat was waar ook, ze moest zich misschien nog maar eens extra insmeren. Hoewel de zonnebrand waterproof zou moeten zijn, leek het haar beter om op safe te spelen en een nieuwe beschermlaag aan te leggen. Dat was met haar sproetige huid geen overbodige luxe. Ze sprayde zich vluchtig in en smeerde de vettige substantie nog wat beter uit. Daarna ging ze weer liggen en waagde een nieuwe poging met haar boek. Na de eerste hoofdstukken kon ze concluderen dat het vlot las, maar dat de zon voor meer hitte zorgde dan de semi-erotische gekunstelde zinnen die haar in vuur en vlam zouden moeten zetten. Tot nu toe begreep ze de ophef over het boek nog niet. Misschien was ze gewoon frigide, of moest ze eerst nog wat verder lezen voordat het verhaal haar in zijn greep kreeg.

'Hé, slaapkop. Goed boek zeker?' Fiona schudde haar natte haren boven Marit uit, die huiverde toen de koude waterdruppels haar warme rug raakten.

Shit, ze was in slaap gevallen! Verschrikt keek ze om zich heen of er veel mensen in haar buurt zaten. Zou ze gesnurkt hebben?

Fiona pakte het boek van Marit af en las de flaptekst. 'Zo zo, jij bent erg "geboeid" door dit verhaal zie ik.' Ze lachte overdreven om de woordspeling die een knipoog was naar de attributen die het seksleven van de hoofdpersonen opleukten.

Marit wreef de slaap uit haar ogen en grijnsde lauwtjes.

'Zeg, heb jij je eigenlijk wel ingesmeerd?'

'Ja, twee keer zelfs, hoezo?'

'Je bent zo rood als een kreeft. Misschien moet je een sterkere factor overwegen.'

Marit voelde voorzichtig aan de huid op haar schouders. Het licht schrijnende gevoel voorspelde niet veel goeds.

'Je moet deze goedkope troep ook niet kopen. Dat is vragen om problemen.'

'De Lidl heeft best goed spul hoor,' protesteerde Marit tegen Fiona die met een afkeurend gezicht de fles zonnespray bestudeerde.

'Nou, echt kwaliteitsspul inderdaad, dat zie je meteen. Ik hoop dat je vanavond niet op de blaren hoeft te zitten. Letterlijk.'

Marit trok een pijnlijk gezicht en kwam overeind.

'Oeps.'

'Wat nou weer?'

'De hele rechterkant van je gezicht ziet eruit als een Tasty Tom en Bassie zou jaloers zijn op je neus...'

Marit pakte haar handdoek en sloeg hem om haar hoofd. Met het boek onder haar arm en gebogen hoofd liep ze richting de tent.

'Neem jij de zonnebrand mee?' riep ze Fiona toe.

'*Yes, ma'am,*' salueerde Fiona.

40

Het was vijf voor zeven en Fiona en Marit waren bijna bij de plaats van bestemming. In de verte zagen ze het station van Gap al liggen. 'Ik hoop maar dat die lul op tijd is, want ik heb honger.' Fiona's gezicht stond weer op onweer bij de wetenschap dat ze Brian weer ging zien.

'Hij houdt zich vast aan de afspraak,' suste Marit.

'Dat is hem geraden. Ik trek dat heerschap sowieso al bijzonder slecht en ik krijg echt moordneigingen als hij er nog een schepje bovenop doet.'

'Maak je toch niet zo druk, joh.'

'Maak je niet zo druk? Die eikel heeft mijn telefoon gejat en ik moet nog maar afwachten of ik hem ooit terugkrijg. Jij steekt misschien je handen in het vuur voor hem, maar ik niet. Voor hetzelfde geld "vergeet" hij onze afspraak en gooit hij het weer op die vage ziekte van hem. Dat zou me niets verbazen.'

Harder dan nodig was trok ze de handrem aan. De auto schokte en kwam abrupt tot stilstand op de parkeerplaats. Marit greep zich vast, maar hield wijselijk haar mond. Ze had wel wat bijgeleerd de afgelopen dagen. Als Fiona in zo'n bui was, kon je haar beter in haar eigen tempo laten uitrazen. Vergoelijken, kalmeren en bagatelliseren hadden een averechts effect.

Marit pakte haar tas en stapte zwijgend uit. De temperatuur was nog steeds zeer aangenaam, het beloofde een zwoele avond te worden.

Fiona had zich inmiddels ook uit de auto gewurmd en gooide met een klap het portier dicht. 'Nou, daar staan we dan,' verzuchtte ze leunend tegen de nog warme motorkap. Ongeduldig keek ze op haar horloge. 'Hij is al drie minuten te laat.'

'Fi, overdrijf je nu niet een beetje? Hij komt er vast zo aan.'

'Afspraak is afspraak. Ik heb een ontzettende hekel aan mensen die te laat komen. Tijd is kostbaar en die wil ik niet besteden aan nutteloze dingen. Het leven duurt al veel te kort. Elke minuut die ik aan die eikel moet besteden, zijn er twee te veel.' Haar gezicht was rood van ergernis.

Marit besloot haar mond te houden. Wat moest ze hier verder nog op zeggen? Fiona zou pas weer voor rede vatbaar zijn als ze haar telefoon terug had en haar hongerklop kon bestrijden in een restaurant. Bij de gedachte aan eten begon haar eigen maag ook te knorren. Ze merkte dat ze best honger had. Buiten de koffie met een paar koekjes hadden ze vanmiddag eigenlijk geen fatsoenlijke maaltijd meer gehad. Morgen maar wat beter opletten. Het verbaasde haar dat ze haar vaste ritme van drie maaltijden per dag zo makkelijk kon loslaten. Een leven met kleine kinderen vergde rust, reinheid en regelmaat, een regime waar ze zichzelf ook strak aan hield. Blijkbaar werkte uit je eigen omgeving geplukt worden andere spel- en leefregels in de hand. Hoewel ze het nog niet helemaal onder ogen wilde zien, kreeg ze toch stiekem een klein beetje meer begrip voor de houding van haar kinderen.

De tijd verstreek en er was nog steeds geen spoor van Brian.

'Bel mijn toestel eens.' Fiona's stem klonk grimmig.

Marit pakte haar telefoon en deed wat haar gevraagd werd. Er ging een zenuwkriebel door haar buik toen ze de telefoon hoorde overgaan. Als hij nu maar opnam. Na een eindeloos gerinkel kreeg ze uiteindelijk de voicemail. Fiona slaakte een vloek. Het was vreemd om Fiona's stem in haar ene oor live en in haar andere oor blikkerig te horen. De blikkerige variant klonk wel een stuk vriendelijker.

'Nog een keer bellen,' beval Fiona korzelig.

Marit drukte op *redial*. Weer rinkelde het toestel lange tijd en Marit begon de hoop al op te geven. Ze verwachtte elk moment weer de voicemail te krijgen. Schouderophalend keek ze Fiona aan toen er een 'Hallo' in haar oor klonk.

'Brian?'

'Spreek je mee.'

'Marit hier. We staan op je te wachten op station Gap, ben je er bijna?'

'Ja, ja, ik had wat oponthoud onderweg.' Zijn stem klonk vaag en afwezig.

'Had je trein vertraging?'

'Zoiets ja.'

'Maar ben je er nou bijna, want we staan hier wortel te schieten.'

'Je ziet me wel verschijnen.' De verbinding werd verbroken voordat ze kon reageren.

'Ik geloof dat hij eraan komt. Hij had wat vertraging.'

'Brian en geloof in één zin noemen is een contradictio in terminis van de allerergste soort,' corrigeerde Fiona haar fijntjes. 'Dus hij komt eraan. Enig idee of dat vandaag nog is?'

'Nope. Maar ik mag toch aannemen dat hij ons niet veel langer laat wachten.' Marit weigerde nog steeds pertinent om mee te gaan in Fiona's wantrouwen jegens Brian. Hij kreeg van haar nog steeds het voordeel van de twijfel. Het 'keiharde bewijs' dat hij niet deugde had hij volgens Fiona al meer dan geleverd, maar zij zag het toch graag wat genuanceerder. De soep werd nooit zo heet gegeten als hij werd opgediend en tot nu toe had Brian voor de meeste akkefietjes een in haar ogen plausibele verklaring gehad.

Ze werd uit haar gedachten gehaald door het gepiep van haar telefoon. Een sms, zag ze op het scherm. Ze opende het bericht.

Voor Fiona: Hé lekker ding, ik ben ontzettend geil, jij ook? Tijd voor een vluggertje?

X je swaffeltje

'Uhm, ik geloof dat dit bericht voor jou bestemd is. Het komt via jouw telefoon bij me binnen.' Marit kon haar lachen amper inhouden.

Fiona griste het toestel uit haar handen en las het bericht. Ze kreeg een kop als een tomaat. Van schaamte én van woede. 'Die gast zit gewoon met mijn telefoon te klooien en mijn oude berichten te lezen! En erger nog, hij stuurt ze ook nog naar jou door.'

Marit probeerde uit alle macht haar gezicht in de plooi te houden, maar kreeg het niet voor elkaar. Ze proestte het uit.

'Dit is helemaal niet grappig, Marit,' riep Fiona verontwaardigd uit. 'Voor hetzelfde geld stuurt hij mijn privémateriaal naar meer mensen door. Daar zit ik echt niet op te wachten.'

'Nee, dit is een heel serieuze zaak, maar kom op nou Fi, je swaffeltje?'

'Ach, hij is beter in bed dan met woorden,' verdedigde Fiona haar voormalige minnaar.

'Dat mag ik wel hopen, ja. Ken ik hem?'

Fiona schudde ontkennend haar hoofd.

'Waar heb je die nou weer opgeduikeld?'

'Supermarkt, tussen de komkommers en de aubergines.'

'Opwindende setting,' giechelde Marit.

'Ik beleef tenminste nog eens wat. Jij staat al tijden zo droog als een woestijn.'

'Au, die was raak,' reageerde Marit geamuseerd. Zij mocht dan misschien een woestijn zijn, maar ze was totaal niet jaloers op Fiona. Het seksleven van haar vriendin stond symbool voor een leegte die Marit niet benijdde of ambieerde.

Inmiddels was er al ruim een uur verstreken en nog steeds geen enkel teken van Brian. Ook Marit begon het nu goed zat te worden.

'Hoe lang zullen we nog blijven wachten? Ik ga van mijn graat. Straks zijn alle restaurantjes dicht.'

'Ja, weet ik veel. Ik wil gewoon mijn telefoon terug! Stel dat hij wel komt opdagen en we zijn er niet... O, ik haat het dat hij ons zo in de tang heeft!' Fiona pakte een steentje dat voor haar voeten lag en smeet hem uit frustratie weg. *Pats*, klonk het en meteen daarop volgde een autoalarm. Er zat een flinke barst in de achterruit van de rode Peugeot aan de overkant. Marit kromp ineen.

'Oeps,' reageerde Fiona terwijl ze zenuwachtig om zich heen keek. 'Misschien moeten we toch maar een eindje verderop gaan staan.'

Ze had het geopende autoportier al in haar hand en was al bezig om in te stappen. Marit maakte nog geen aanstalten, maar bedacht zich toen Fiona de motor startte en al achteruit begon te rijden.

'Hé, wacht op mij!' Ze ging snel zitten. 'Moeten we niet even een briefje onder de ruit van die auto doen?'

'O, nee, het enige wat we moeten is zo snel mogelijk wegwezen. Geloof me, je wilt echt geen ruzie hebben met een Fransman.'

'Maar het zou wel zo netjes zijn als we de schade vergoeden. Een nieuwe ruit kost algauw 600 euro.'

'Nou, ik hoop voor de bestuurder dat hij een goede glasverzekering heeft afgesloten en anders heeft hij gewoon vette pech.' Fiona scheurde ondertussen in volle vaart richting de uitgang van de parkeerplaats en keek zenuwachtig in haar achteruitkijkspiegel of niemand hun kenteken noteerde of meer dan belangstellend naar hen keek. Dat was niet het geval. De paar mensen die zich op het terrein bevonden waren druk met zichzelf en het halen van hun trein bezig en leken zich niet te bekommeren om de loeiende auto met ruitschade. Plotseling kwam er een man het parkeerterrein op rennen. Hij stoof in volle vaart naar de Peugeot toe en maakte woeste armgebaren. Hij vroeg iets aan een man die bij een auto verderop stond. De andere man knikte en wees hun kant op. Hij stapte meteen zijn beschadigde auto in en reed vol gas achteruit.

'O shit...' mompelde Fiona. 'Dat is niet goed. Helemaal niet goed.' Ze trapte het gaspedaal flink in en scheurde het terrein af. De rode Peugeot kwam achter hen aan. Met een gevaarlijke manoeuvre wist Fiona zich tussen het drukke verkeer op de doorgaande weg te wringen. De rode Peugeot moest wachten en de bestuurder toeterde gefrustreerd. Vervolgens pakte hij zijn mobiel en hield hem voor de ruit. Waarschijnlijk maakte hij een foto. Daarna typte hij iets in. Hun kenteken? Het zweet brak Marit uit. Hier kon alleen maar weer ellende van komen. Ze hadden toch veel beter de schade van de man kunnen vergoeden dan er op deze laffe wijze vandoor te gaan? Zij zou ook woedend zijn als ze haar auto beschadigd had aangetroffen en de dader niet eens het fatsoen had gehad om er melding van te maken, laat staan de kosten op zich te nemen. Het leek wel of deze vakantie in het teken stond van verkeerde keuzes. Als ze niet besloten hadden om Brian mee te nemen, zou het allemaal heel anders zijn gelopen. Buiten het feit dat hij continu voor gekibbel tussen haar en Fiona zorgde, waren ze dankzij hem ook al in aanraking geweest met de politie en als het een beetje tegenzat zou het niet bij die ene keer blijven. Als Brian Fiona's mobiel niet had meegenomen, per ongeluk of expres, dat liet ze maar even in het midden, waren ze überhaupt nooit naar het station in Gap gereden en was er geen enkele reden voor Fiona geweest om dat steentje te gooien. Bizar eigenlijk hoe een goedbedoelde keuze een domino-effect in gang kon zetten. Een harde les over oorzaak en gevolg die ze graag had willen missen. Gespannen keek ze achterom of ze hun achtervolger zag. De schrik sloeg haar om het hart toen ze zag dat hij rap naderde. 'Rijden, Fi!' gilde ze paniekerig.

Fiona wist de auto vakkundig in een gat op de linkerbaan te sturen en liep daardoor weer een stukje uit op hun belager. De achtervolgingsstress had geen enkele invloed op haar rijvermogen. Marit keek bewonderend naar haar vriendin. Zelf reed ze als een krant wanneer ze gestrest was. Zelfs nu als bijrijder stond ze zo strak als een snaar en had ze de hele tijd de neiging om Fiona aanmoedigende porren te geven. Ze kon zichzelf gelukkig inhouden. Eén duwtje was genoeg om Fiona uit haar concentratie te halen en de situatie nog erger te maken dan ze al was.

Haar telefoon ging. Ze besloot in eerste instantie om niet op te nemen. Als ze haar echt nodig hadden, belden ze haar maar op een later tijdstip terug.

'Opnemen!' bemoeide Fiona zich ermee terwijl ze een slinger aan het stuur gaf. 'Misschien is het Brian.'

Marit wist de telefoon nog net op tijd op te nemen.

'Waar zijn jullie nou?' klonk het verongelijkt in haar oor.

'We bevinden ons momenteel in een netelige situatie,' reageerde ze kortaf.

'Eikel!' brulde Fiona richting de telefoon. 'Zet hem eens op de speaker, Marit.' Zodra Marit dat gedaan had, nam Fiona het gesprek over. 'Waag het niet om nog eens in mijn sms-box te kijken, Brian. Hoe haal je het in je hoofd om die sms naar Marit door te sturen! Ooit van privacy gehoord?'

'Nou, als we zo gaan beginnen dan bekijken jullie het maar. Zit ik een beetje moeite te doen en dan word ik zo onbeschoft behandeld.'
'Onbeschoft behandeld! We hebben verdorie ruim anderhalf uur op je staan wachten!'
'Ik zei toch dat ik vertraging had. Daar kan ik toch ook niks aan doen?'
'Je weet je er weer mooi uit te lullen.'
'Nou, dan geloof je me toch niet. Bij nader inzien denk ik dat ik die telefoon nog maar even hou en er nog wat lol mee ga maken. Kijken hoeveel privacy je dan nog hebt.'
'Ik waarschuw je, Brian. Je komt nu zoals afgesproken naar het station want anders...'
'Want anders wat? Zoek het lekker uit.' De verbinding werd verbroken.
'Brian, waag het niet om op te hangen,' riep ze tevergeefs. Fiona zag eruit alsof ze elk moment kon ontploffen.
Ze naderden een verkeerslicht. De auto voor hen begon al af te remmen zonder dat daar enige aanleiding voor was. Fiona duwde aanhoudend op de claxon. 'Doorrijden, sukkel!' Het leek effect te hebben, want de bestuurder gaf weer wat gas bij. Fiona volgde zijn voorbeeld en reed op de valreep nog door oranje. De auto achter haar bleef keurig voor het inmiddels rode verkeerslicht staan. De rode Peugeot kon geen kant op en moest geduldig zijn beurt afwachten. Fiona maakte dankbaar van de gelegenheid gebruik om haar achtervolger van zich af te schudden. Bij de eerste de beste mogelijkheid sloeg ze rechts af en verliet de doorgaande weg. 'Zie ons nou maar eens terug te vinden, fucker.'
Marit was opgelucht dat ze hun achtervolger afgeschud leken te hebben, maar de houding van Fiona stond haar allerminst aan. De man voor fucker uitschelden terwijl ze zelf de oorzaak was van zijn terechte boosheid, ging haar echt te ver. Toen ze het verbeten gezicht van Fiona zag, besloot ze om er niets van te zeggen. Het kwaad was al geschied en ze had geen zin in een nieuwe ronde bekvechten.

41

Hij was vandaag in een zachte, milde bui. Dat gevoel gonsde aan de oppervlakte, maar vanbinnen broeide en kolkte het nog steeds. Er was weinig voor nodig om de boel te laten ontploffen, dat realiseerde hij zich maar al te goed. Hij betwijfelde ten zeerste of het wel verstandig was om de rechtstreekse confrontatie nu aan te gaan. Vooralsnog stond hij daarom verdekt opgesteld op de afgesproken plek en misschien moest dat ook maar zo blijven. Kijken en bespieden op afstand was veiliger. Ruim van tevoren was hij al aanwezig geweest. Elk risico om iets te missen vermijdend. Hij glimlachte toen ze aan kwamen rijden en die rooie uit de auto stapte. Vluchtig keek hij naar haar vriendin, maar zijn ogen werden vrijwel meteen naar haar toe getrokken. Ze bleef een prachtige verschijning. Hij likte verlangend over zijn lippen.

Haar schouders waren bijna net zo vuurrood als haar haren. Hij was jaloers op de zon. Die had haar huid beroerd zoals hij zou willen doen. Aan haar neus hingen kleine witte velletjes. Hij zou ze er stuk voor stuk af willen trekken. Langzaam, tergend langzaam. Het zachte, scheurende geluid van opperhuid die losliet. Kleine, rauwe wondjes achterlatend, glinsterend van het wondvocht wellicht vermengd met een beetje bloed. De velletjes zou hij het liefst bewaren in een klein doosje dat hij altijd bij zich zou dragen als een talisman. Ter bescherming en om nooit te vergeten.

De gedachte om haar DNA, dat vernuftige unieke celmateriaal in contact te brengen met zijn eigen huid, wond hem op. Hij kon zijn gedachten maar met moeite onderdrukken. Hij moest voorkomen dat zijn fantasie met hem aan de haal ging en hem tot onnadenkend gedrag zou aanzetten. Dat kon hij zich niet veroorloven. Hij had met open mond gekeken hoe de wind met haar haren speelde. Hoe een lok werd opgetild door de luchtstroom en even zweefde. Hij had zich eraan vast willen klampen en mee willen zwieren, de vrijheid tegemoet. Alle banden en ketens die hem al zijn hele leven in de tang hadden voorgoed verbroken. Hij kon de vrijheid bijna proeven op zijn tong. Het smaakte zoet. Een volmaakt bevredigende smaaksensatie die zijn honger voorgoed zou stillen. Zou het ooit zover komen? Of zou het ook nu weer op een grote teleurstelling uitdraaien? Een desillusie die haar weerga niet kende en hem nog verder de duisternis in zou trekken. Zo ver de krochten van het donker in dat het licht voorgoed onbereikbaar werd. Een vrije val naar beneden, rechtstreeks naar de hel. Hoorde hij daar thuis? Hij dacht van niet.

Zij zou hem naar het licht leiden. Als een engel zou ze voor hem uit zweven als haar haren in de wind. En hij zou volgen met een brede lach om zijn mond die al zijn tanden zou ontbloten.

Ze begon wat ongeduldig te worden. Keek op haar horloge en schuifelde wat met haar voeten. Hij zou willen dat hij de grond onder haar ranke voeten was en dat ze die zou kussen. Dat haar voeten hem zouden strelen bij elke stap die ze vanaf nu zou zetten. Haar roodgelakte nagels glinsterden in het zonlicht. Hij zou haar bleke lippen ook wel rood willen schilderen. Vuurrood en ze dan net zo lang likken tot ze weer hun natuurlijke kleur zouden hebben. Af en toe zachtjes bijten. Een beetje speels en ondeugend. Ze zou kirren van genot en hem laten begaan. Ze zou zelf ook weten dat dat het beste voor hen allebei was.

Hevige twijfel sloeg ineens toe. En angst. Angst dat zijn verlangens nooit bevredigd zouden worden. Dat de praktijk ongenadig tegen zou vallen. Zijn hoop vervlogen in de wind die eigenlijk voor vrijheid had moeten zorgen.

42

Marit werd misselijk wakker. Ze had kramp in haar maag en haar buik rommelde. Wonder boven wonder had ze ondanks die ongemakken toch goed geslapen. Blijkbaar was ze zo moe geweest dat niets het zandmannetje had kunnen tegenhouden. De adrenaline die haar gisteravond volledig in zijn greep had gehad, was ze nu gedeeltelijk kwijt. Er zat nog een staartje dat zich meteen roerde zodra ze terugdacht aan het gedonder met Brian en de terecht boze eigenaar van de Peugeot die Fiona ruitschade had bezorgd. Gelukkig hadden ze de Fransman weten af te schudden, maar Marit wist zeker dat hij hun kenteken had genoteerd. Of het echt met een sisser zou aflopen, was dus nog maar de vraag.

Tegen de tijd dat Fiona gisteravond hun achtervolger had weten af te schudden waren de keukens van sommige restaurantjes al gesloten. Bovendien leek het hen ook niet verstandig om in Gap te gaan eten met het risico dat ze de boze Fransman alsnog tegen het lijf zouden lopen. Het had hen het beste geleken om zo snel mogelijk terug te gaan naar de camping en dat was ook de enige optie waar ze zich beiden prettig bij voelden.

In de buurt van de camping zat een snackbar waar ze even een vette hap hadden gegeten. Erg smakelijk was het niet geweest. Het eten smaakte naar oud frituurvet, de patatjes waren slap, de bijgeleverde salade bestond uit sla met bruine randjes, een te lang doorgekookt groenig uitgeslagen stuk ei en een zachte, smakeloze tomaat. Met lange tanden hadden ze het junkfood toch maar naar binnen gewerkt. Helemaal niet eten was ook geen optie geweest.

Nu wenste ze dat ze het smerige eten had gelaten voor wat het was en in plaats daarvan de zak met verkruimelde chips had leeggegeten die nog in haar koffer zat. Er golfde weer een kramp door haar buik. Ze vreesde dat het tijd was voor een toiletbezoekje. Kreunend kroop ze uit haar warme slaapzak. Ondanks de alweer aardig oplopende temperatuur stond het kippenvel op haar huid. Elke nieuwe kramp gaf een rilling. Ze pakte een wc-rol uit het voordeelpak dat in de voortent stond. Ze wilde absoluut niet het risico lopen dat ze zonder wc-papier kwamen te zitten. Ze twijfelde even of ze er een plastic tasje omheen zou doen. Het bleef toch gênant dat iedereen kon zien dat je op weg was naar het toilet. Ze wist dat het volkomen menselijk was om een paar keer per dag je behoeftes te doen, maar bij het zo expliciet uitdragen daarvan voelde ze zich hoogst ongemakkelijk. Weer een kramp en deze keer was het er een die haar tot haast maande. Dan toch maar gewoon de wc-rol onder haar arm, ze had geen tijd meer om de boel te verdoezelen. De wc te laat bereiken was nog veel erger.

Zachtjes sloop ze de tent uit om Fiona niet wakker te maken. Haar vriendin had duidelijk geen enkele last van het vettige eten van de avond daarvoor en ronkte onverstoorbaar verder. Fiona had geen enkele regelmaat in haar eetpatroon en nam nauwelijks de moeite om zelf te koken. Een schril contrast met haar uiterst sportieve inborst, maar je kreeg er blijkbaar wel een sterke maag en spijsvertering van. Marits gestel daarentegen was het absoluut niet gewend om junkfood te eten. Twee kleine kinderen zorgden er wel voor dat je gezonde en verantwoorde maaltijden tot je nam. Maar te 'gezond' maakte je blijkbaar ook minder weerbaar. Misschien moest ze toch af en toe eens oogluikend een bezoekje aan de McDonald's toestaan. Sem zeurde er al tijden over, maar tot nu toe was ze nog niet overstag gegaan.

Ze liep vlug naar het toiletgebouw dat tegenover het terrein lag waar hun tent stond. De hokjes werden nog drukdoende schoongemaakt door een Algerijns uitziende vrouw op het moment dat ze binnen kwam lopen. De vrouw was bezig met de wc halverwege de rij dus Marit ging ervan uit dat ze de voorgaande wc's al gedaan had. Ze dook het eerste het beste hokje in. Ze had goed gegokt. De ruimte stonk nog naar een chemisch schoonmaakmiddel en de wc-bril was nog vochtig van de poetsdoek die eroverheen was gehaald. Ze veegde de bril droog met een stukje wc-papier en leegde vervolgens opgelucht haar darmen waarbij ze haar uiterste best deed om geen geluid te maken. Bah, wat had ze toch een hekel aan openbare toiletten.

Met het afnemen van de buikkrampen zakte ook de misselijkheid naar een acceptabel niveau. De kou trok uit haar lijf en maakte plaats voor klam zweet. Ze verlangde naar een verkwikkende douchebeurt. Misschien kon ze dat maar beter meteen doen, nu het nog niet zo druk was. In de rij staan voor een douchebeurt was wel het laatste waar ze zin in had.

Ze verliet snel het toilethok om een handdoek en haar twee-in-één doucheschuim te gaan halen. Toen ze de benodigdheden uit haar toilettas pakte, zag ze dat Fiona net een beetje wakker begon te worden. 'Ben even douchen,' zei ze zonder op een reactie te wachten.

Nog net niet hollend maakte ze rechtsomkeert naar het sanitairgebouw. In die tien minuten dat ze weg was geweest, was het al aardig druk geworden. Ze kon nog net voor een andere vrouw de laatste vrije douche in schieten. Opgelucht sloeg ze de deur achter zich dicht en draaide hem snel op slot. Hoewel ook de douches zo te ruiken net een poetsbeurt hadden gehad, besloot ze toch haar teenslippers aan te houden. Het risico op voetwratten was meer dan aanwezig in dit soort openbare ruimtes en de gedachte alleen al deed haar gruwelen. De douche was eenvoudig. Aan de muur was een rekje bevestigd waar ze haar doucheschuim neerzette. Aan de deur hingen twee haakjes om kleren en een handdoek aan op te hangen. Het formaat van de douchekop deed geen riante straal vermoeden en het ding kon zo te zien ook wel een ontkalkingsbeurt gebruiken. Ze wist maar al te goed dat wat met het blote oog schoon leek, op microscopisch niveau weleens desastreus kon zijn. Ze moest er maar niet te veel bij nadenken.

Op hoop van zegen drukte ze op de knop met een rode stip in het midden. Halleluja, en toen was er water. De eerste stralen waren koud, maar al snel kon het water voor warm doorgaan. De kracht achter het water viel haar nog mee, maar was uiteraard niet te vergelijken met haar douche thuis.

Ze stond met haar gezicht richting de douchekop en hield haar adem in terwijl het water over haar gezicht stroomde. Even bleef ze genietend staan terwijl de stralen langs de voorkant van haar lijf liepen. Ze verzamelde moed om zich om te draaien. Het warme water over haar flink verbrande schouders laten lopen, was vast minder aangenaam. Dat bleek inderdaad het geval. Ze boog iets voorover om haar schouders te ontzien.

Er klonk ongeduldig gebonk op de deur. 'Rustig aan!' mopperde ze. 'Ik sta er net twee seconden onder.' Het gebonk hield op maar het stromende water ook.

Geïrriteerd drukte ze de knop weer in. Hadden ze hier water op de bon of zo? Spartaans gedoe. Vlug zeepte ze zich in en waste haar haren, maar weer hield de douche ermee op voordat ze klaar was. 'Drie keer is scheepsrecht dan maar,' verzuchtte ze. Precies binnen de tijd spoelde ze al het sop van zich af. Even relaxed douchen kon ze de komende twee weken dus wel vergeten.

Er werd weer op de deur gebonkt. '*Dépêchez-vous!*' klonk het nors.

Ze had geen idee wat het betekende, maar ze gokte dat het zoiets als opschieten moest zijn. Verdorie, wat had ze hier toch een hekel aan. Thuis moest ze altijd al gehaast douchen vanwege de kinderen, maar uitgebreid poedelen op vakantie zat er blijkbaar ook niet in.

Het geklop op de deur bleef maar aanhouden. 'Wie-hie!' reageerde ze geërgerd en ze gaf een trap tegen de deur. Blijkbaar maakte dat indruk want het gedrein aan de deur hield op.

Ze nam amper de tijd om zich fatsoenlijk af te drogen en trok snel een shirt en een korte broek aan. De kleren bleven onaangenaam tegen haar nog vochtige lichaam plakken. De natte handdoek wikkelde ze om haar natte haren om de robuuste krullen een beetje in toom te houden. Ze zette haar gezicht op onweer voordat ze het douchehokje verliet. Ze zou die ongeduldige Harry weleens laten merken wat ze ervan vond dat hij haar doucheritueel had verstoord. Op het moment dat ze naar buiten stapte, klapte de deur naast haar dicht. Recht voor 'haar' douche stond niemand die een ongeduldige indruk maakte. Iets verderop stond een vrouw met een handdoek onder haar arm bescheiden te wachten tot ze aan de beurt was. Marit kon zich niet voorstellen dat zij de deurbonker was. Haar gezicht ontspande zich weer en ze wenkte vriendelijk naar de vrouw dat de douche vrij was.

Fluitend liep ze terug naar de tent. Fiona zat met een slaperig hoofd op een klapstoeltje in de zon. Ze geeuwde ongegeneerd toen ze Marit zag.

'Ook goeiemorgen,' begroette Marit haar. 'Beetje geslapen?'

Fiona mompelde iets onverstaanbaars wat voor een antwoord moest doorgaan. Marit vatte het maar op als een positief antwoord op haar vraag.

'Ik heb er al een halve dag op zitten,' wees ze Fiona fijntjes op haar luie gedrag.

'Ja, ik weet het. Had ik al gezegd dat ik op vakantie altijd schandalig lang uitslaap?'

'Niet specifiek.'

'O, nou, op vakantie slaap ik altijd schandalig lang uit. Ik kan de rest van mijn leven nog vroeg genoeg opstaan.'

'Maar vind je het niet jammer dat je dan zoveel van de dag mist?'

'Nee hoor. De omgeving ligt er later op de dag ook nog wel.'

'Enig idee wat je allemaal in die tijd kunt doen?'

'Ja, me nog eens heerlijk omdraaien.'

'Jij bent echt onmogelijk. Koffie dan maar?'

'Zalig!'

Marit borg haar spullen op in de tent en liep met de waterkoker naar een stroompunt. Na het opgieten van het hete water in de cafetière kleedde ze zich snel om. Het vocht kleurde al lekker donker en de geur die ervan afkwam deed haar nog meer verlangen naar koffie. Nu haar misselijkheid over was, kon haar maag het waarschijnlijk wel weer aan. Ze goot twee melkcupjes en twee suikerstaafjes in de koffiebekers en keek met een schuin oog naar Fiona. Haar vriendin had nog geen vin verroerd sinds zij zich op het koffiezetten had ge-

stort. Het was waarschijnlijk ijdele hoop om te denken dat ze stokbrood voor het ontbijt had gehaald.

In de afgelopen dagen had Marit Fiona van een heel andere kant leren kennen. Waar ze thuis altijd vrolijk en enorm actief was, bleek ze
toch ook haar nukkige trekjes te hebben, soms ongeduldig te zijn en
ze had haar ook nog niet echt op veel activiteit kunnen betrappen.
Ondanks dat ze van tevoren van alles van plan was geweest. Marit
zou willen dat ze net zo snel kon omschakelen als Fiona. Zij zat nog
behoorlijk in het thuisritme dus een gat in de dag slapen zat er voor
haar niet in. Ze hoopte dat Fiona na een paar dagen onthaasten weer
wat actiever zou worden. Nu ze in deze prachtige omgeving was,
wilde ze er ook zo veel mogelijk van zien en genieten. En buiten zijn,
vooral veel buiten zijn. Na alle regen die de afgelopen tijd in Nederland was gevallen, was de warme zon een verademing. Alhoewel. Ze
voelde aan de pijnlijk verbrande huid op haar schouders. Misschien
was het toch wel verstandig om vandaag een zonnebrand met een
hogere factor te kopen.

Ze liep met de gevulde koffiebekers naar buiten. Fiona stak haar
neus erin en snoof de geur vol overgave op.

'Zalig!' Ze dronk de beker bijna achter elkaar leeg. 'Zo, ik ben er
klaar voor.'

'Waarvoor?'

'De dag.'

'Nou, ik nog niet. Wat dacht je van een ontbijtje, de belangrijkste
maaltijd van de dag...'

Fiona stond meteen op. 'Ik haal wel even een stokbrood en wat beleg
bij de campingwinkel. Ik ben zo terug!'

Marit nipte genietend aan haar koffie terwijl ze Fiona nakeek.

43

Marit knabbelde tevreden op een stuk krakend vers stokbrood met Nutella. 'Niet te vergelijken met de stokbroden in Nederland, hè?' Fiona kauwde vol overgave op een chocoladecroissant.

'Inderdaad. Je kunt veel van die Fransen zeggen, maar zoete broodjes bakken kunnen ze.'

Marit had eigenlijk al meer dan genoeg gegeten, maar omdat het zo lekker was, bleef ze maar dooreten. Nog een laatste stukje om het af te leren, want anders was ze straks weer misselijk. Ze pakte het broodmes dat ze van thuis had meegenomen en sneed nog een klein stukje af. Grote kruimels bleven achter op de plastic snijplank die tevens als broodplank fungeerde.

'Wat zullen we vandaag gaan doen?' vroeg Fiona met volle mond.

'Niet al te veel meer, want de dag is al bijna voorbij.'

'Nou, overdrijven is ook een vak hoor. Het wordt pas laat donker dus we hebben tijd zat om nog iets te ondernemen.'

'Zullen we straks anders even naar Embrun rijden?'

'Misschien kunnen we dat beter woensdag doen, want dan is er ook markt.'

'Paardrijden?'

'Paardrijden? Ik heb het niet zo op dingen met vier poten.'

'Een paard heeft bénen, Fiona, want het is een edel dier en geen ding zoals jij het noemt.'

'O ja, dat is waar ook, jij bent natuurlijk zo'n paardenfanaat. Nou, het enige plekje dat ik vroeger op de manege bezocht was de hooiberg, haha.'

'Jij moet ook echt overal een ranzige draai aan geven, hè? Paardrijden is echt hartstikke leuk en zeker in een prachtige omgeving als deze. Wil je niet een poging wagen? Ah, doe het voor mij.'

Marit imiteerde het pruillipje waar Lotte haar altijd mee over de streep trok. Fiona keek haar met een schuin hoofd nadenkend aan.

'Oké, als jij denkt dat je me in een middagje kunt leren paardrijden dan wil ik wel een poging wagen, maar... daar staat wel iets tegenover. Dan moet jij iets doen wat ik graag wil.'

'En dat is?'

Fiona draaide zich om. 'Die berg met me beklimmen.' Ze wees in de richting van de Pic de Morgon die hoog boven het meer uittorende.

Marit slikte hoorbaar. 'En hoe hoog is dat ding?'

'Die berg bedoel je,' corrigeerde Fiona haar.

'Zeg, als jij een paard een ding mag noemen dan mag ik die term ook voor een berg gebruiken,' reageerde Marit.

'De Pic de Morgon is zo'n vierentwintighonderd meter hoog en het duurt een uurtje of zes om bij de top te komen.'

'Nou, ik weet niet of ik dat wel zie zitten, hoor.'

'Ik zie dat geschud op een knol ook niet zitten, maar ik ben tenminste bereid om me daar overheen te zetten...'

Marit draaide met haar ogen. 'Oké dan. Hoewel ik er als een "berg" tegenop zie, hebben we een deal. Vanmiddag gaan we paardrijden en zullen we dan morgen meteen maar die pukkel beklimmen? En dan daarna minstens een week bijkomen op het strand.'

Fiona stak haar duim op ter goedkeuring. 'Dan lust ik nu nog wel een bakkie. Jij ook?'

'Ja, graag.' Marit gaf haar kopje aan Fiona.

'Mag ik dan zo je telefoon nog even lenen? Ga ik die lul nog een keer bellen dat hij als de sodemieter mijn telefoon komt terugbrengen, want anders doe ik aangifte van diefstal.'

44

Hij zat echt zwaar in de problemen. De foto's stonden nog steeds online en zijn moeder had ze gezien. Ze had hem volkomen hysterisch opgebeld en geëist dat die troep die de familie te schande maakte onmiddellijk werd verwijderd. Hij had haar proberen uit te leggen dat hij geen toegang had tot andermans account en dat het hem nog steeds niet was gelukt om haar te pakken te krijgen. Het was duidelijk tegen dovemansoren gezegd. Zijn moeder schreeuwde zo hard dat hij er niet doorheen kwam. Hij probeerde zijn redelijkheid te bewaren, maar slaagde daar uiteindelijk niet in. Zo ging het altijd, al zijn hele leven lang.

Over het algemeen kon hij zich prima redden in de buitenwereld en zijn uiterlijk suggereerde dat hij best een stoere vent was, maar zijn zwakke plek was zijn moeder. Hij gaf het niet graag toe, maar het viel niet te ontkennen. Hij kon er niet tegen als zij boos was of verdrietig. Hij vond het vreselijk als hij daar zelf direct of indirect de veroorzaker van was, of haar gevoelens nou terecht waren of niet. Hij wilde haar beschermen. Ze had al genoeg ellende meegemaakt in haar leven. Maar hij bleek geen Superman te zijn en zijn moeder soms toch onbedoeld te kwetsen. Met een bloemetje en zoete woordjes wist hij een en ander altijd wel weer recht te breien, maar hij betwijfelde of dat nu ook zou lukken. Hij zou heel wat uit de kast moeten trekken vreesde hij.

Hij kon haar razernij deze keer heel goed begrijpen. Het was ook niet zomaar iets om je zoon volop in actie te zien met een vrouw. Als hij die trut niet snel te pakken kreeg, moest hij andere maatregelen nemen. Ze moest ervoor boeten dat ze hem publiekelijk te kakken had gezet en de verhouding met zijn moeder ook nog eens op scherp had gezet. Hij zou haar laten weten dat haar daad niet zonder consequenties kon blijven, linksom of rechtsom. Hij checkte nogmaals haar Facebook-pagina. Tegen beter weten in hoopte hij dat de foto's inmiddels verwijderd waren, maar helaas. Hij las een aantal oudere posts die ze had geplaatst en stuitte op een bericht van ruim twee weken geleden.

Nog een paar dagen werken en dan op naar Lac de Serre-Ponçon met Marit! Verheug me op avondjes ouderwets swingen in discotheek Klub Nitro waar ik mijn allereerste zoen kreeg van mijn vakantieliefde Antoine. Bringing back sweet memories...

Wat een slet was die griet toch ook! Het bericht wakkerde zijn woede alleen nog maar meer aan. Terwijl hij hier in de shit zat, was zij dus lekker vakantie aan het vieren in Zuid-Frankrijk. Hij pakte zijn telefoon en drukte op de redial-knop. Hij sprak haar voicemail in met afgemeten stem. 'Ik weet waar je bent en ik ga je vinden, bitch. Je zult boeten.'

45

Marit genoot met volle teugen. Ze streelde het paard dat haar was toegewezen en snoof de geur van de bruine ruin op. Echte paardenlucht gemixt met stro en hooi. Wat had ze deze geuren gemist. Het bracht haar weer terug naar haar vroege jeugd toen ze voor het eerst met paarden in aanraking was gekomen. In een weiland in de buurt van haar ouderlijk huis stond een witte pony die ze wekelijks brood voerde met haar vader. Ze moest altijd lachen als ze de fluweelzachte paardenlippen over de binnenkant van haar hand voelde kriebelen. Op een dag was de eigenaar aanwezig toen ze aan kwamen lopen en die had haar een rondje op de rug van het beest laten rijden. Vanaf dat moment was ze verkocht. Ze wilde nooit meer anders dan paardrijden.

'Het stinkt hier naar stront.' De stem van Fiona bracht haar weer terug in het hier en nu.

'Stel je niet zo aan joh, niks lekkerder dan de geur van paarden.'

Fiona trok haar neus op ten teken dat ze daar duidelijk anders over dacht. Marit pakte het zadel dat over de staldeur hing en tilde het op de rug van haar paard. De ruin zwenkte wat opzij toen hij het leer op zijn huid voelde. Met handen en voeten had ze aan de manegehouder duidelijk gemaakt dat ze de paarden zelf wilde opzadelen. Fiona stond buiten de stal met een moeilijk gezicht naar haar verrichtingen te kijken. Toen het zadel goed op zijn plek zat, pakte Marit het hoofdstel van de haak in de stal en deed de halster af. Het paard hapte gretig in het bit toen ze het tegen zijn lippen hield.

'Dat je wijs kunt worden uit al die riempjes en gespjes...' Er klonk bewondering door in Fiona's stem.

'Het is minder ingewikkeld dan het lijkt hoor. Dat kun jij ook.'

'Ik geloof er helemaal niks van.'

Fiona stapte opzij toen Marit de stal verliet om vervolgens Fiona's paard startklaar te maken. Met een afkeurend gezicht keek ze naar Fiona's blote benen. Ze had zelf een zwarte legging aangetrokken om haar benen te beschermen tegen schuurplekken van het zadel. Met de woorden 'mij veel te warm' had Fiona een lange broek geweigerd. Ze moest het zelf weten, maar ze kon nu al voorspellen hoe Fiona's benen er na de rit uit zouden zien.

Ze krabbelde de zwarte merrie, waar haar vriendin zo op zou gaan rijden, achter haar oren. Het beest schuurde genoeglijk zijn hoofd langs haar bovenlijf. Vervolgens snuffelde het paard aan Marits gezicht. Marit blies in het grote neusgat vlak bij haar mond.

'Wat doe jij nou?' vroeg Fiona verbaasd.

'Paarden maken kennis met elkaar door in elkaars neus te blazen, dat is hun manier van handen schudden.' Marit blies in het andere neusgat.

'Nou, als je het niet erg vindt dan hou ik het graag bij zwaaien op afstand.' Fiona liep nog wat verder bij de stal vandaan. 'Waar ben ik in godsnaam aan begonnen,' verzuchtte ze.

'Wedden dat je het hartstikke leuk vindt?' stelde Marit haar gerust.

'Dat zullen we wel zien.'

Een vrouw met een groot wit paard liep door het gangpad. Fiona sprong geschrokken opzij. 'Jeetje, wat is dat ding, ik bedoel beest, groot. Die van mij is toch wel een stukje kleiner hoop ik?'

'Die van jou heeft denk ik dezelfde schofthoogte,' schatte Marit in, 'maar als je erbovenop zit heb je dat helemaal niet in de gaten.'

'Ik denk dat ik acuut last van hoogtevrees krijg.'

'Dat zou mooi zijn, want dan hoef ik morgen die berg niet op...'

'Ha, reken maar dat jij morgen die berg op gaat. Nou, kom maar op met die knol dan heb ik het maar gehad.'

Marit leidde de zwarte merrie de stal uit en overhandigde de teugels aan Fiona. Ze versteende toen het paard met zijn hoofd tegen haar schouder stootte en haar gezicht besnuffelde.

'Haal dat ding bij me vandaan,' siste Fiona nauwelijks hoorbaar.

'Ze vindt je lief,' grinnikte Marit. 'Ik wil jullie romantische onder-onsje niet verstoren.' Ze haalde haar eigen paard uit de stal en liep voor Fiona uit.

'Marit! Help!' klonk het paniekerig.

Marit liep door met een glimlach op haar gezicht. Ze was ervan overtuigd dat haar vriendin vanzelf zou volgen.

46

'O, wat een hel.' Fiona liet zich kreunend op de passagiersstoel van de auto zakken. 'Ik ben echt bont en blauw.'

'Wacht maar tot morgen,' grinnikte Marit. 'Dan zul je een nieuwe vorm van spierpijn ontdekken.'

'En het voelt nu al alsof er nog steeds een paard tussen mijn benen zit,' jammerde Fiona. 'En ik maar denken dat ik goed getraind ben. Ik kan je wel zeggen dat dit eens maar nooit meer was.'

'Morgen bergje beklimmen?' reageerde Marit met zoetgevooisde stem.

'Denk maar niet dat je daar onderuit komt, hoor. Morgen beklimmen wij gewoon die berg. Afspraak is afspraak.'

'We zullen zien, we zullen zien.'

Marit startte de auto en ze reden rustig terug naar de camping. 'Ga jij maar vast je wonden likken bij de tent, dan haal ik even een flesje wijn en wat brood en kaasjes. Ik geloof dat we dat wel verdiend hebben.'

Fiona knikte dankbaar en strompelde overdreven weg.

'Aanstelster,' riep Marit haar na. Als ze eerlijk was, voelde ze haar liezen ook wel een beetje trekken. Het was al een behoorlijke tijd geleden dat ze paard had gereden en zo'n eerste keer na een periode van rust was altijd weer afzien.

Het was niet druk in het campingwinkeltje. De grote hausse aan mensen was waarschijnlijk rond lunchtijd al geweest. Door Fiona's uitslapritueel liepen ze niet in de pas met de andere gasten. Er stonden nog twee stokbroden in de rieten mand. Ze besloot ze voor de zekerheid allebei maar mee te nemen. Ze vulde het mandje dat ze bij de ingang had gepakt met een stuk roquefort, gorgonzola, chèvre en

La vache qui rit en gooide er nog wat nootjes en chips bij. Flessen water hadden ze nog voldoende, maar een extra flesje cola en wat spa rood kon geen kwaad. Hoewel ze van plan was geweest maar een paar dingetjes te halen, zat haar mandje ineens tot de nok toe vol en was het behoorlijk zwaar door alle flessen drank. Ze wist er nog net wat wijn bij te proppen.

Ze liep linea recta door naar de kassa en keek niet meer naar de verleidelijk gevulde rekken met producten. Ze konden morgen beter even naar een supermarkt in de buurt gaan, concludeerde ze toen ze de boodschappen afrekende. De campingwinkel pakte een flinke marge. Op deze manier zou ze binnen twee weken door haar vakantiebudget heen zijn.

Ze liep op haar gemakje terug naar de tent. Fiona zat met een kussen onder haar kont op de klapstoel. Ze keek nog steeds niet dolgelukkig. Ze gaf haar de fles wijn en een opener aan. 'Hier, dit is vast een goede pijnstiller en spierontspanner.'

Fiona pakte de fles dankbaar aan en begon hem meteen vakkundig open te maken. Marit pakte twee glazen en stalde de kaasjes uit op tafel.

'O lekker zeg,' reageerde Fiona verheugd. Gretig maakte ze de verpakkingen open.

'Ik ga het brood even snijden. Heb je ook nog behoefte aan zoetigheid?'

'Nee, de jam en chocopasta zijn wat mij betreft voor het ontbijt. 's Middags heb ik liever een hartige hap met wijn. Veel wijn,' grinnikte ze terwijl ze haar gevulde glas in de lucht hield om te proosten.

'Helemaal mee eens. Ik kom zo met je meedoen.' Marit liep snel de tent in om het brood te snijden en nog wat messen te pakken. Bij de gedachte aan die overheerlijke Franse kaasjes liep het water haar al in de mond. Vlug sneed ze het brood en deed het in het leuke rieten mandje dat ze daar speciaal voor van thuis had meegenomen. Het oog wilde tenslotte ook wat. Ze pakte een paar messen en een plankje om de kazen op uit te stallen en liep met volle handen weer naar buiten. Fiona vulde net haar glas bij. Aan haar rode wangen te zien had ze haar eerste glas als limonade achterovergeslagen. Voordat Marit de kans kreeg haar broodmandje op tafel te zetten had Fiona er al een paar stukken uit gegraaid.

'Ik verga ineens van de honger.' Gretig belegde ze een stuk brood met een flink stuk roquefort en zette haar tanden erin. 'Zalig,' kreunde ze.

Marit volgde haar voorbeeld nadat ze eerst een flinke slok wijn had genomen. Ook Marit had haar glas wijn snel leeg en was toe aan een *refill*. Een heerlijk loom gevoel overviel haar en ze ging lekker onderuit zitten nadat ze had bijgeschonken. Ze kauwde tevreden op het stukje brood dat Fiona zojuist voor haar gesmeerd had. Dit was nou vakantie! Even sloot ze haar ogen.

Ze schrok op van het geluid van een vallende stoel naast zich. Was Fiona al zo dronken dat ze niet meer op haar stoel kon blijven zitten? Ze deed haar ogen open. Fiona rende briesend weg, als door een wesp gestoken. Het was Marit niet duidelijk wat er precies aan de hand was. Fiona stevende doelgericht op iets af. Marit kneep haar ogen tot spleetjes en haar adem stokte in haar keel. Brian! Fiona vloog hem aan en stompte hem tegen zijn borst.

'Geef mijn telefoon terug, idioot!'

Brian hield zijn armen gekruist voor zich om Fiona af te weren. Marit rende naar ze toe voordat het uit de hand zou lopen. Het viel haar op dat Brian er slecht uitzag. Zijn haren zaten door de war en het was duidelijk te zien dat hij zich niet meer geschoren had sinds de laatste keer dat ze hem gezien hadden. Ook zijn kleren waren niet al te schoon.

'Dag Marit, kom jij me net zo warm begroeten als je vriendin?'

Fiona gaf hem nog een klap. Hij draaide zich met verhit gezicht naar haar toe. 'Oké, nu is het genoeg. Je wilt echt niet dat ik je een mep teruggeef, geloof me.' Zijn stem klonk dreigend.

Fiona stak haar hand uit. 'Mijn telefoon, nú!'

Brian graaide in zijn broekzak. Er zaten flinke rouwranden onder zijn nagels. Voordat Fiona het toestel uit zijn handen kon grissen, gooide hij het weg. Het vloog met een boogje over haar heen. Fiona slaakte een kreet van frustratie en twijfelde duidelijk of ze zich op

Brian zou storten of haar telefoon zou pakken. Ze koos uiteindelijk eieren voor haar geld en dook naar haar telefoon.

'En nu wil ik je nooit meer zien,' siste Fiona. 'En o wee als ik erachter kom dat je op mijn kosten hebt lopen bellen.'

'En wat dan?' vroeg Brian uitdagend. 'Bellen misschien niet, maar internetten...'

Marit zag wat campinggasten langslopen die geërgerd hun kant op keken. 'Kom, laten we er even rustig over praten bij onze tent.' Ze pakte Fiona, die alweer furieus op Brian af sprong, bij haar arm en trok haar mee.

'Ik hoef die gast niet bij onze tent te hebben en er valt ook niets te bespreken. We hebben al veel te veel tijd en energie aan hem besteed. Ik heb mijn telefoon terug. *C'est ça.*' Ze wilde zich al omdraaien en teruglopen naar de tent.

Brian stond nog steeds op dezelfde plek en keek haar vuil aan.

'Misschien is het beter als je nu gaat,' zei Marit een stuk vriendelijker dan haar vriendin zojuist had gedaan. Met schelden en schreeuwen kwam je niet zover was haar ervaring.

De manier waarop Brian haar aankeek, bracht een schokgolf in haar buik teweeg. Ze voelde de kleur van verlegenheid weer naar haar wangen stijgen. Ze moest tot haar schaamte bekennen dat ze hem ondanks zijn landloperlook nog steeds aantrekkelijk vond.

'Weet je zeker dat je wilt dat ik ga? Misschien kom ik wel nooit meer terug. Wil je dat echt, mooie Marit?'

Voordat Marit kon reageren had Fiona het woord al genomen. 'Ja, dat wil ze. En nu wegwezen jij.'

Ze pakte Marit stevig bij haar arm en trok haar zo hard mee dat ze bijna struikelde. Brian liep op gepaste afstand achter hen aan en leek niet van plan het campingterrein te verlaten. Bij de trap die naar het terrein leidde waar hun tent stond, bleef hij staan. Hij volgde hen slechts met zijn ogen. Marit kreeg er een beetje de kriebels van. Hoewel Brian verder niets deed, had zijn aanwezigheid toch ineens iets dreigends. Fiona gunde hem geen blik meer waardig, misschien moest ze dat voorbeeld maar volgen.

Bij de tent aangekomen kon ze het toch niet laten om nog even om te kijken. De plek waar Brian had gestaan was leeg en toen ze de omgeving scande met haar ogen zag ze hem nog net in het sanitairgebouw verdwijnen. Een douche leek inderdaad geen overbodige luxe.

Ze keek op haar horloge. Het werd tijd om eens na te gaan denken over het avondeten. Fiona trok blijkbaar dezelfde conclusie en zei: 'Zullen we vanavond wat vlees op de barbecue gooien en een salade in elkaar flansen?'

'Goed plan! Zal ik zo even wat halen? Het recept voor een salade met tonijn zit helemaal in mijn hoofd.'

'Prima, dan bewaak ik de tent voor als die eikel het in zijn hoofd haalt om terug te komen.' Fiona's stem klonk grimmig.

'Die komt niet terug,' stelde Marit haar gerust. 'Hij heeft hier niets meer te zoeken.'

Ze pakte haar portemonnee en een boodschappentas en liep voor de tweede keer die dag richting de campingwinkel. De schappen waren alweer een stuk leger dan toen ze hier vanmiddag was. Ze liep meteen richting de koelafdeling. Snel pakte ze de laatste twee verpakkingen met brochettes van varkens- en rundvlees en ze nam ook nog wat chipolataworstjes mee. Dat zou voldoende moeten zijn, aangezien ze allebei geen grote eters waren. Ze pakte nog een zak met gewassen sla, een blikje tonijn, olijven, rode ui, tomaat, een grote fles honing-mosterddressing en een zakje pijnboompitten. Ze kon het niet laten om nog twee extra flesjes wijn in haar mandje te gooien. De fles die ze vanmiddag hadden aangebroken, was al bijna op en het smaakte toch echt wel naar meer.

Ze rekende af bij de kassa en weer viel het haar op dat ze hier geen vriendelijke toeristenprijzen rekenden. Maar inslaan bij een grote supermarkt was bij nader inzien geen optie vanwege het gebrek aan een fatsoenlijke koelkast.

Toen ze terugkwam bij de tent zat Fiona als een cipier de boel te bewaken. Haar ogen schoten van links naar rechts en ze draaide onrustig op haar stoeltje. Er stond een half leeggedronken glas wijn voor haar neus op tafel met daarnaast een lege fles. Glimlachend verving Marit de lege fles voor een volle, wat haar een dankbare blik van Fiona opleverde en ze liep met de boodschappen de tent in.

'Zullen we zo maar meteen gaan eten?'

'Dat lijkt me heerlijk,' klonk het van buiten.

Marit schrok. Het was niet Fiona's stem die ze hoorde, maar die van Brian. Was hij nou nog steeds niet vertrokken?

'Sodemieter op, je bent niet uitgenodigd,' hoorde ze haar vriendin zeggen.

Ze legde de slakom die ze in haar handen had neer en haastte zich naar buiten om de boel in goede banen te leiden. Brian werkte als een rode lap op een stier en wijn had bij Fiona geen positieve uitwerking op haar geduld. Ze was net op tijd om tussen Fiona en Brian in te gaan staan. Fiona stond al met gebalde vuisten klaar in kickbokshouding en kon Brian elk moment aanvliegen. Zijn haren waren nat, hij rook naar deodorant en hij had andere kleren aan. Hij had dus inderdaad een douche genomen.

'Brian, zou je ons nu alsjeblieft met rust willen laten?' viel ze maar meteen met de deur in huis. De tijd voor *chit-chat* was nu wel voorbij. 'Fiona en ik hebben je uit coulance een stuk op weg geholpen met je reis, maar nu willen we graag met z'n tweetjes onze vakantie voortzetten.'

Voordat Brian kon reageren, schalde er een oproep over de camping. Ze spitste haar oren in een poging er iets van te verstaan. De Franse versie was te hoog gegrepen, maar bij de Engelse variant sloeg de schrik haar om het hart.

'Wil mevrouw Marit van Doorn zich onmiddellijk melden bij de receptie. Ik herhaal: dit is een oproep voor mevrouw Marit van Doorn. Wilt u zich melden bij de receptie.'

Ze voelde al het bloed uit haar wangen wegtrekken en de wereld om haar heen leek te tollen. 'Mijn kinderen,' fluisterde ze en toen harder: 'mijn kinderen, er is iets met mijn kinderen!' Zonder te aarzelen liet ze Fiona en Brian staan en rende weg richting receptie.

Ze nam de trap met twee treden tegelijk en rende bijna tegen een gast aan die net naar beneden kwam lopen. Hij mopperde verontwaar-digd. Ze nam niet de moeite om haar excuses aan te bieden of er anderzijds op in te gaan. Zo snel mogelijk bij de receptie komen was het enige doel op dit moment, al het andere deed er niet toe.

'Marit!' hoorde ze Fiona achter zich roepen. 'Wacht nou even, dan ga ik met je mee.'

Er klonk gebonk van rennende voetstappen achter haar op de trap. Fiona had haar snel ingehaald en samen renden ze verder. Met ver-hitte hoofden stoven ze de receptie in.

'Mijn kinderen, is alles goed met mijn kinderen?'

De receptioniste keek haar vragend aan. Bij haar stonden twee politie-agenten die hun verbazing ook niet onder stoelen of banken staken.

'Ik ben Marit van Doorn,' brulde ze ongeduldig. 'Alsjeblieft, zeg me dat er niets aan de hand is met mijn kinderen.'

Een van de agenten deed een stap in haar richting en stelde zich mompelend voor. Het ging haar ene oor in en het andere weer uit. 'Mijn kinderen?'

'Ik heb geen idee hoe het met uw kinderen gaat mevrouw, we willen u graag over iets anders spreken. Wilt u met ons meekomen?'

Zijn collega ging voor naar een deur achter de receptie en verdween in de ruimte daarachter. Fiona stond er in eerste instantie een beetje verbijsterd bij te kijken.

'Je laat me niet alleen gaan, Fi,' zei Marit smekend terwijl de tweede politieagent haar met gepaste dwang richting het kamertje duwde.

Fiona kwam haar kant op en fluisterde: 'Dit zal toch niet over giste-ren gaan, hè? Dat akkefietje met die auto.'

'Shit, die vent heeft natuurlijk ons kenteken genoteerd en de auto staat op mijn naam...' Marits opluchting over het feit dat de agenten niets kwamen melden over haar kinderen sloeg meteen weer om in paniek. 'O mijn god, straks moet ik nog de Franse bak in.'

'Wat ze ook zeggen, gewoon alles ontkennen,' siste Fiona nerveus.

Shit, daar had ze niet op gerekend. 'Eerlijkheid duurt het langst, Fi. We kunnen beter vragen wat de schade is en die vergoeden. Volgens mij levert dat het minste gezeur op.'

'Je gaat me niet verlinken hoor, dat zou echt een naaistreek zijn!'
Fiona keek Marit aan met een blik die zowel boosheid als paniek uitdrukte. Marit negeerde haar en zei tegen de agent die naast haar stond: 'Hoeveel?'
De man keek haar niet-begrijpend aan.
'Voor de ruit,' verduidelijkte ze.
Zonder succes want de agent keek nog steeds of hij water zag branden. De andere agent wees naar de stoelen die rond een tafel stonden in het verder kale vertrek. Zo te zien werd er niet veel gebruikgemaakt van deze ruimte.
'Gaat u alstublieft zitten.'
Marit en Fiona voldeden schaapachtig aan het verzoek. Marit kreeg spontaan buikpijn van de zenuwen. Wat keek die man streng zeg. Een barst in een autoruit was vervelend, maar geen zaak van leven en dood, toch?
'Klopt het dat u in de nacht van 21 op 22 juli verbleef in het Ibis-hotel in Mâcon?'
'Uhm, ja, dat klopt. Waarom wilt u dat weten?'
'Die moord waar je moeder het over had!' riep Fiona ineens uit.
Marit voelde zich ineens niet zo lekker. Ze was het verhaal van haar moeder eigenlijk al zo goed als vergeten. *De Telegraaf* waar ze het verhaal in had willen checken was al uitverkocht toen ze ernaar op zoek ging. De dag erna had er niks meer over in de krant gestaan, dus had ze er verder geen aandacht meer aan geschonken. Ze kon zich niet voorstellen dat het in hun hotel was gebeurd en mocht het toch zo zijn dan wilde ze het eigenlijk niet weten. Zij waren er zonder kleerscheuren van afgekomen en daar hield ze zich aan vast. Het was natuurlijk vreselijk wat er met dat echtpaar was gebeurd, dat stond buiten kijf, maar als ze er dieper over nadacht dan pakte ze onmiddellijk haar biezen en ging naar huis. Slapen in een tent was al een uiterst dappere poging om haar gevoel van onveiligheid te lijf te gaan.
'Een Nederlands echtpaar is in die nacht op brute wijze vermoord. We zijn bezig om alle mogelijke getuigen te achterhalen. We willen

praten met iedereen die in die bewuste nacht in het hotel verbleef.'

'O mijn god,' mompelde Marit. Ze zag zo mogelijk nog bleker. Met grote, angstige ogen keek ze Fiona aan.

'Zijn we verdachten?' vroeg Fiona.

'Iedereen is verdacht.'

Het was niet duidelijk of de agent een grapje maakte of het serieus meende. Marit probeerde zijn gezichtsuitdrukking te duiden, maar slaagde daar niet in. Het maakte haar nog nerveuzer. Ze zat niet genoeg in de materie om te weten wat hun rechten en de do's en don'ts waren. Ze wilde dat ze meer tijd had genomen om naar misdaadseries te kijken, daar had ze misschien iets van kunnen opsteken wat op dit moment van nut zou kunnen zijn. Maar tv-kijken met twee kleine kinderen en een baan was een utopie. Ze was 's avonds vaak zo moe dat ze bij het achtuurjournaal al op de bank in slaap viel.

'Ik heb niks gedaan, ik kan niet eens tegen bloed. En zij was de hele nacht bij me dus...'

'Bent u geliefden?' onderbrak de agent Fiona.

'Ieuw, nee!' riep Fiona verontwaardigd uit. 'Gewoon vriendinnen.'

De andere agent maakte een aantekening in het notitieboekje dat hij voor zich op tafel had liggen.

'Is u iets ongebruikelijks opgevallen tijdens uw verblijf in het hotel? Hebt u vreemde dingen gezien of gehoord? Waren er bijvoorbeeld mensen die zich nerveus gedroegen?'

'Nee, we hebben niets verdachts gezien,' bemoeide Marit zich ermee.

Fiona keek haar aan. 'Wel waar, wat dacht je van die eikel?'

'Brian?'

'Wie is Brian?' vroeg de politieagent.

'Mijn broer,' flapte Marit eruit.

Fiona wilde reageren, maar hield haar mond toen ze een schop onder tafel kreeg.

'En waar is uw broer nu? Verbleef hij ook in het hotel in Mâcon?'

'Mijn broer is op dit moment thuis. In Nederland.' Het liegen ging haar makkelijker af dan ze dacht. In stilte stuurde ze een excuus aan Sem en Lotte, die ze steevast inpeperde dat ze altijd de waarheid moesten spreken. Het is maar goed dat ze haar niet konden betrappen op dit leugentje om bestwil. Sem was oud genoeg om dat te snappen en zou uiterst verontwaardigd zijn.

'Ik begrijp jou niet hoor,' siste Fiona haar toe. 'Waarom ga je die gast in hemelsnaam uit de wind houden? Een stevige ondervraging door de politie zou hem goed doen.'

'Wilt u niet fluisteren, we horen graag wat u zegt,' merkte de agent geïrriteerd op.

'Natuurlijk, sorry,' mompelde Marit.

'Vriendelijk bedankt,' reageerde de agent afgemeten. 'Oké, laten we beginnen bij het moment dat u bij het hotel arriveerde. Ik zou graag een verslag van minuut tot minuut van u beiden horen. Wie wil er eerst?'

'Zij,' wees Fiona meteen naar Marit.

'Hoe attent, Fi.'

'Niet smoezen!' De agent verhief zijn stem.

Marit kromp in elkaar. Ze was als kind al onder de indruk geweest van mannen in uniform en dat was nog steeds niet veranderd, merkte ze nu. Het was voor haar gevoel belangrijk om Brian buiten beschouwing te laten in het hele verhaal. Dat kon alleen maar gedonder opleveren. Ze wist zeker dat hij niets te maken had met de moorden en nog steeds had ze de neiging om hem te beschermen. Zijn ADD maakte hem uiterst kwetsbaar en daarom had ze steeds de behoefte om hem onder haar hoede te nemen. Fiona dacht daar duidelijk anders over, maar dat was dan maar zo.

'Ik verzoek u om dit vertrek te verlaten en te wachten bij de receptie tot we u komen halen,' zei de agent tegen Fiona.

Ze wist niet hoe snel ze het kamertje uit moest vluchten.

Het zweet brak Marit uit. Ze had verwacht dat ze samen mochten blijven als ze gehoord werden, maar dat was dus niet het geval. Ze hoopte dat ze erop kon vertrouwen dat Fiona hetzelfde verhaal vertelde als zij, want anders hadden ze echt een groot probleem. Toen

Fiona de deur achter zich dicht had getrokken, schraapte Marit haar keel en begon te vertellen.

De ene agent stelde af en toe een vraag en de ander schreef driftig mee in zijn notitieboekje.

47

Fiona kwam naar buiten. Ze zag wat bleekjes en gedroeg zich timide. Marit stond in de receptieruimte op haar te wachten en tikte nerveus met haar geslipperde voet op de vloer. Het zweet brak haar uit toen ze de agenten zag. Ze probeerde wederom hun gezichten te lezen, maar kwam ook deze keer niet verder. Ze vroeg zich af of ze ooit mensen was tegengekomen die zo stoïcijns konden kijken als deze blauwjassen. Ze gluurde naar Fiona. Die beantwoordde haar blik nerveus. Een van de agenten wenkte Marit dichterbij te komen. Ze gehoorzaamde als een schoolmeisje.

'Als u zich ook maar iets herinnert, neem dan contact met ons op.' Hij overhandigde beide dames een visitekaartje.

Snel las Marit de eerste regel die op het kaartje stond zodat ze eindelijk wist met wie ze van doen had. BRIGADIER CHEF DE POLICE JACQUES CLEMENT.

Fiona stopte het visitekaartje zonder erop te kijken in haar broekzak. Het was duidelijk dat ze geen seconde langer dan noodzakelijk was in het gezelschap van beide heren wilde verblijven. 'Mogen we nu gaan?'

'Ja, u mag gaan. Waar kunnen we u de komende weken bereiken, mochten we nog meer vragen hebben?'

'We vertrekken op 4 augustus weer richting Nederland,' specificeerde Fiona hun verblijf op de camping.

De agent stak zijn hand uit ter afscheid, het eerste vriendelijke gebaar sinds hun kennismaking. Fiona pakte hem aarzelend aan en Marit volgde haar voorbeeld. Ze groetten de dame achter de receptie en verlieten het gebouw.

Het eerste stuk liepen ze zwijgend naast elkaar. Toen verbrak Marit de stilte. 'Heb je Brian buiten het verhaal gelaten?' Gespannen keek ze Fiona aan.

'Ja, maar alleen om jou te beschermen. Ik had niet echt een keus, hè. Ik begrijp soms echt helemaal niets van jou. Waarom breng je ons in de problemen door te liegen over die eikel? Ik kan werkelijk geen enkel steekhoudend argument verzinnen.' Fiona verhief haar stem steeds meer.

'Sst, straks horen ze ons.' Marit keek schuw over haar schouder om te zien of de agenten hen niet op afstand volgden.

'Ze kunnen ons toch niet verstaan,' reageerde Fiona geïrriteerd.

'Klopt, maar ze zijn wel experts in het analyseren van non-verbaal gedrag en uit intonatie kun je ook veel informatie halen.'

Fiona zette als reactie haar zonnige gezicht op, maar deed er verder het zwijgen toe. De sfeer was geladen.

'Nou, zullen we dan zo maar verdergaan waar we gebleven waren, met de voorbereidingen voor het eten? Ik heb inmiddels wel trek gekregen,' probeerde Marit de sfeer weer wat luchtiger te maken.

'Ik wil eerst een stevige borrel,' reageerde Fiona nurks.

Ze daalden de trap af richting hun tentplek. Marits mond viel open van verbazing. Ze keek nog eens goed en geloofde haar ogen niet. Fiona vloekte binnensmonds. Brian zat prinsheerlijk op een stoel voor hun tent en deed zich te goed aan het vlees dat ze eerder had gekocht voor het avondeten.

'Dit is toch werkelijk niet te geloven!' Fiona rende het laatste stukje naar de tent.

'Dag dames, ik ben maar vast begonnen,' begroette Brian met volle mond. 'Willen jullie ook een stukkie vlees?' Hij pakte twee brochettes uit de verpakking en gooide ze op de barbecue. Het vlees maakte een sissend geluid toen het het rooster raakte en schroeide meteen dicht.

'Ach, ik neem er zelf ook nog één want het smaakt me prima.' Een derde brochette moest eraan geloven. Op tafel stond een mandje met gesneden stokbrood en in een bak ernaast zat de sla met tonijn en andere ingrediënten die Marit eerder die middag had gekocht.

'Hoe haal je het in je hoofd om met je poten aan onze spullen te zitten!' Fiona liep op Brian af en gaf hem een flinke zet.

Hij viel met stoel en al achterover. Een stuk vlees schoot in zijn keel en hij liep rood aan. Hij zwaaide paniekerig met zijn armen omdat hij geen lucht kreeg. Fiona liet hem liggen en stak geen poot uit om hem te helpen. Brian liep steeds paarser aan.

'Moeten we de Heimlich-greep niet doen?' vroeg Marit nerveus.

'Welnee, als het moet kun je nog door je kont ademen. Laat hem dat eerst maar eens uitproberen.' Fiona bleef onverbiddelijk staan met haar armen over elkaar terwijl Brian pogingen deed om overeind te komen.

Marit kon zijn geworstel niet langer aanzien en hielp hem overeind. Na een enorme hoestbui schoot het stuk vlees los uit Brians keel. Met een hoop kabaal ademde hij de lucht in waar hij even van verstoken was geweest.

'Water,' hijgde hij met hese stem.

Marit pakte de fles water die naast de tafel stond en schonk haar vuile wijnglas van vanmiddag vol. Gretig klokte Brian het water achterover.

'Rustig,' waarschuwde Marit. 'Straks verslik je je weer.'

Bij Fiona leek inmiddels rook uit haar oren te komen. Marit snoof en rook een lichte brandlucht. Verdorie, de brochettes! Snel keerde ze het vlees dat al aardig zwart begon te worden.

Fiona liep dreigend op Brian af.

'Als je nu niet onmiddellijk vertrekt en nooit meer terugkomt, dan geef ik je aan bij de politie. Ze zijn hier nog op het terrein, want we komen er net vandaan.'

'Waarom is hier politie?' Brians stem klonk ineens onzeker.

'Ze doen een onderzoek naar de roofmoord op een Nederlands echtpaar in Mâcon en proberen iedereen die in het bewuste Ibis Hotel heeft geslapen te traceren en te horen. Marits gegevens waren daar bij de receptie bekend omdat zij de overnachting had geboekt en ze hebben haar opgespoord.'

'Hebben jullie het over mij gehad?'

'Ik weet niet. Zou kunnen,' liet Fiona hem in het ongewisse.

Marit observeerde zijn reactie nauwkeurig. Zweette hij nou meer dan net? Er parelden druppels op zijn voorhoofd. Kwam dat door zijn benauwde minuten of had het een andere oorzaak? Zijn lichaamshouding was wat verstijfd en hij opende en sloot zijn handen in een soort pompende beweging.

'Ze zijn dus naar me op zoek?'

'Jij hebt ook in het hotel geslapen toch?'

'Maar zoeken ze ook naar me?' vroeg hij nogmaals.

'Kweet niet. Misschien moet je ze dat zelf gaan vragen. O, wacht even, daar zie ik ze lopen. Ik roep ze wel even.' Voordat Fiona de daad bij het woord kon voegen, zette Brian het ineens op een lopen. Hij verdween in volle sprint richting het meer. Marit keek Fiona verbaasd aan. Wat een vreemde reactie.

'Die jongen heeft echt wat te verbergen, Marit. Hij deugt niet. Let op mijn woorden.'

'Denk je?'

'Ja natuurlijk, waarom rent hij anders als een idioot weg als ik het woord politie in de mond neem?'

Marit haalde haar schouders op. 'Misschien heeft hij iets tegen autoriteiten? Kan ik me iets bij voorstellen met zijn ziekte.'

'Ach, doe toch niet zo naïef met je autoriteitsprobleem en die ziekteonzin. Er is iets heel erg mis met die jongen, ik ben er alleen nog niet achter wat. En eerlijk gezegd hoop ik daar ook nooit achter te komen want dat betekent dat hij vroeg of laat weer opduikt in ons leven en dat is het laatste waar ik behoefte aan heb.' Fiona checkte de brochettes op de barbecue en keerde ze nogmaals om. Vervolgens zette ze de geopende fles wijn aan haar mond en dronk een paar grote slokken uit de fles. 'Zo, daar had ik even zin in.' Ze veegde haar mond af met de rug van haar hand en ging zitten.

Marit liep de tent binnen om twee schone wijnglazen te halen. Het was wederom een rare dag geweest waar maar snel een einde aan moest komen.

48

'De klootzak!' hoorde ze Fiona ineens schreeuwen.

Marit rende verschrikt naar buiten. Twee wijnglazen bungelden ver-vaarlijk tussen haar vingers. Wat was er nou weer aan de hand? Was Brian weer teruggekomen? Ze scande de omgeving, maar zag hem niet. Fiona zat met een geschokt gezicht op het scherm van haar tele-foon te staren.

'Wat is er?'

'Mijn hele sms-box zit vol met berichtjes over pikante foto's die ik op Facebook en Twitter geplaatst zou hebben, maar dat heb ik helemaal niet gedaan. Ik heb net even gecheckt en er staan inderdaad foto's online van mij en een kerel waar ik een keer de bloemetjes mee bui-ten heb gezet. Ik was vergeten die foto's uit mijn telefoon te verwij-deren. O, dit is zo gênant.'

'Maar hoe komen die foto's dan op internet terecht?'

'O Marit, wat denk je zelf? Wie heeft de afgelopen dagen mijn tele-foon gehad en had toegang tot mijn inloggegevens?'

'Heb jij je inloggegevens in je telefoon staan? Dat vind ik dan weer naïef. Als het ding gestolen wordt, kan iedereen bij je accounts. Heb je die foto's verwijderd?'

'Ja, dat heb ik net natuurlijk meteen gedaan, maar ze hebben er een paar dagen open en bloot op gestaan. Mijn hele voicemail staat vol met dreigberichten van de man in kwestie die me niet te pakken kon krijgen. De foto's zijn ook op zijn Facebook-prikbord gedeeld en zijn moeder heeft ze gezien. Hij is echt woest op me. Ik heb hem net een sms gestuurd dat mijn telefoon was gestolen en dat ik er niks mee te maken heb. Dat ik het net zo erg vind als hij. Nu maar hopen dat hij me gelooft en dat hij zijn dreigementen niet uit gaat voeren.'

'Welke dreigementen?' piepte Marit. 'Ik geloof niet dat ik nog meer gedoe aankan.'

'Ik ook niet, dus daarom hebben we het er ook niet meer over. Ctrl Alt Delete met die dreigementen.'

49

Marit werd wakker omdat ze moest plassen. Gatver, ze had totaal geen zin om haar slaapzak uit te kruipen en naar het toiletgebouw te lopen. Wat was een wc toch eigenlijk een luxe. Zou ze gewoon de emmer pakken die in de voortent stond? Het was wel een aanlokkelijke gedachte, maar ook een beetje een smerige. Toch maar niet. Ze draaide zich op haar rug. Kon ze het nog een tijdje ophouden? Het volle gevoel in haar blaas gaf aan van niet. Ze zuchtte eens diep. Ze vouwde haar handen over haar buik en luisterde naar de rustige ontspannen ademhaling van Fiona. Hoe laat zou het zijn? Een uurtje of drie gokte ze. Het was pikkedonker om haar heen en er waren nog geen tekenen van daglicht die de tent binnendrongen. Haar mond was droog en de smaak van rode wijn plakte nog flink aan haar tong. Ze hadden behoorlijk doorgedronken gisteravond.

Ze greep naar het flesje water dat naast haar luchtbed stond. Ondanks haar volle blaas moest ze iets drinken. Een zeurende hoofdpijn drong zich op. Ze kwam wat overeind en klokte in één ademteug een half flesje water achterover. Het water was wat lauw, maar leste wel haar ergste dorst. Ze liet zich weer achterovervallen. Ze was nog niet klaar voor het wc-bezoek. Ergens was ze ook een beetje bang. In haar eentje over die donkere camping lopen zag ze eigenlijk niet zitten. Maar om Fiona wakker te maken en haar te vragen mee te gaan als chaperonne was ook zo kinderachtig. Ze sloot haar ogen en luisterde naar de stilte. Zelfs de krekels roerden zich niet. Uniek moment eigenlijk. Zoveel mensen bij elkaar op een terrein en toch kon je een speld horen vallen. Wat een heerlijke rust.

Plotseling hoorde ze geritsel. Eerst zachtjes, maar vervolgens steeds dichterbij. Ze spitste haar oren. Het geluid leek hun kant op te komen. Ze huiverde en de haartjes op haar armen gingen overeind staan. Haar ademhaling versnelde wat en haar spieren spanden zich als vanzelf. Vast iemand die ook naar de wc moet, sprak ze zichzelf geruststellend toe. Het geritsel werd luider. Ze hield haar adem in om het geluid beter te kunnen duiden. Waren het voetstappen? Was het een beest op nachtelijk avontuur? Het klonk nu wel heel dichtbij. Alsjeblieft, laat het een egel zijn, of een poes, smeekte ze. Iets raakte het tentdoek aan. Ze schoot overeind. Ze gaf Fiona een duw.

'Fi, er is iemand bij de tent.'

Zou het die vent zijn die in innige pose met Fiona op Facebook was gezet? schoot het door haar hoofd. Meteen verwierp ze die gedachte weer. Die man had niets meer laten horen op Fiona's sms'je en daarnaast kon hij onmogelijk weten waar ze waren. Aangezien het compleet stil was gebleven van zijn kant sinds Fiona de compromitterende foto's had verwijderd, konden ze er gevoeglijk van uitgaan dat het akkefietje daarmee voor hem was afgedaan. Maar wie of wat veroorzaakte dan die geluiden? Ze riep Fiona nogmaals. Maar haar vriendin reageerde niet. Ze schudde aan haar schouder. Fiona bewoog geërgerd haar hoofd en wilde zich omdraaien.

'Fi!' fluisterde ze in haar oor. 'Word nou wakker. Ik denk dat er iemand bij de tent is.'

Ze had de woorden amper uitgesproken of er ging weer iets langs het tentdoek. Deze keer geen vluchtige aanraking, maar een aanhoudend geluid, alsof iemand met zijn hand langs het tentdoek streelde. Ze moest zich bedwingen om niet keihard te gaan gillen. Fiona was inmiddels ook wakker.

'Wat is er nou?' mompelde ze slaapdronken.

'Ik denk dat er iemand rond de tent sluipt.'

'Je ziet vast spoken. Weet je zeker dat je niet aan het dromen bent?'

Voordat Marit ontkennend kon antwoorden, hoorden ze een klik en scheen er een bundel licht door het tentdoek heen. In paniek greep ze Fiona's hand vast en kneep hem bijna fijn. Fiona worstelde zich los en pakte de zaklamp die tussen hen in lag. Ze was zo gespannen als een snaar en van haar slaperige toestand was niets meer over. Ze hield de lamp in de aanslag, maar liet hem nog even uit. Marit graaide in blinde paniek om zich heen, naarstig op zoek naar iets wat als 'wapen' kon dienen. Ze kwam niet verder dan het boek met de harde kaft dat ze aan het lezen was. Ze zouden er de oorlog niet mee winnen, maar het was in elk geval beter dan niets. Ze hoorde schuifelende voetstappen in de voortent. Er was onmiskenbaar een indringer en gezien het nachtelijke tijdstip zou hij niet veel goeds in de zin hebben.

De voetstappen stopten voor hun slaapvertrek. De lichtbundel flitste heen en weer en zette de tent in een spookachtige gloed. Marit dacht dat ze erin bleef. Toen klonk het geluid van een rits. Ze kon een gil niet langer onderdrukken en probeerde weg te kruipen. De tentflap die hun slaapvertrek scheidde van de rest van de tent was al voor een kwart geopend. Door de spleet die ontstond was een donkere schoen zichtbaar. Duidelijk geen vrouwenmodel. Ook Fiona was gegrepen door angst. Met twee handen hield ze de zaklamp voor zich uit. Nog steeds had ze hem niet aangedaan. Waar bleef Fiona nou met haar grote mond over zelfverdediging en zo?

De rits werd tergend langzaam verder opengetrokken. Halverwege nu. Driekwart. Nog even en ze zouden hun belager kunnen zien. Marit klemde het boek nog wat steviger in haar handen. In één beweging werd het laatste stukje rits geopend en was het dunne laagje tussen hen en de belager verdwenen. De zaklamp die hij bij zich had verlichtte vanonder zijn kin zijn gezicht, waardoor herkenning onmogelijk was. Het gaf een uiterst lugubere aanblik. Marit was verstijfd van angst.

Ineens schoot Fiona naar voren en stortte zich schreeuwend op de gehurkte man. Door zijn instabiele houding viel hij achterover. Fiona lag over hem heen en ramde er met haar vuisten vol op los. Ze raakte hem waar ze maar kon. De man probeerde haar van zich af te gooien.

'Help me nou, Marit,' brulde ze.

Ook Marit stortte zich op de man en gaf hem een ongelofelijke oplawaai tussen zijn benen. De man schreeuwde het uit van de pijn en kromp in elkaar. Zijn adem verspreidde een enorme alcoholgeur. Zijn gejammer bleef maar aanhouden en hij staakte zijn verzet.

Ergens verderop klonk een geïrriteerd '*Shut up*!', maar tot Marits stomme verbazing nam niemand de moeite om bij hun tent te komen kijken. Sociale controle mijn reet, dacht ze. Blijkbaar werd lawaai en geschreeuw als normaal beschouwd op deze camping. Fiona gaf de insluiper voor de zekerheid nog een tik op zijn hoofd met de zaklamp. Toen richtte ze het licht op hem.

'Brian?' Op haar gezicht lag een uitdrukking van ongeloof die al snel veranderde in een woedende blik. 'Ik zou heel veel tegen je willen zeggen, maar ik denk dat dit meer effect heeft.'

Terwijl ze de woorden uitspuugde, schopte ze hem in navolging van Marit keihard in zijn kruis. Hij kreunde en kermde en lag te kronkelen van de pijn.

'Wat kom je hier in vredesnaam doen, Brian? Ik heb je steeds verdedigd, maar dit gaat echt te ver.'

Hij rolde op zijn rug en keek haar aan terwijl hij met zijn handen angstvallig zijn pijnlijke kruis beschermde. 'Ik had me onze eerste intieme ontmoeting wat minder wreed voorgesteld, Marit. Ik wist niet dat je van sm hield.' Zijn stem klonk onvast. 'Ik kwam gewoon nog even een afzakkertje halen, niets meer en niets minder.'

'En midden in de nacht leek je wel een "gewoon" tijdstip voor deze actie? Je hebt ons werkelijk de stuipen op het lijf gejaagd.' Marits stem trilde van woede.

'Ga toch niet met hem in discussie,' reageerde Fiona. 'Heeft helemaal geen zin. We hebben genoeg gepikt van die gast. Ik weet niet hoe het met jou zit, maar ik ben er echt klaar mee. Ik ga hier melding van maken bij de beheerder van de camping en misschien moeten we Clement ook maar even een belletje geven.'

'Wie is Clement?' piepte Brian.

Fiona negeerde hem en keek Marit aan. Ze knikte instemmend. Ze pakte Brian bij zijn arm en probeerde hem omhoog te trekken, maar hij werkte voor geen meter mee. Fiona pakte zijn andere arm en samen probeerden ze het dode gewicht te verslepen.

'Óf je werkt nu mee, óf ik geef je nog een paar trappen in je noten, aan jou de keuze.' Fiona trok dreigend haar been op.

Het maakte kennelijk voldoende indruk, want Brian deed plotseling zijn uiterste best om overeind te komen. Hij wankelde en viel weer om.

'Gatver, je bent gewoon stomdronken.'

De meiden sleurden hem met moeite door de voortent. Brian mompelde iets onverstaanbaars.

'Wat zeg je?'

Het bleef even stil en toen begon hij te kokhalzen.

'Sleep hem naar buiten, hij moet kotsen!'

Fiona begon aan hem te trekken maar het was al te laat. Met een hoop kabaal deponeerde Brian zijn volledige maaginhoud midden in hun voortent. Een smerige zure lucht vulde het vertrek en Fiona begon ook te kokhalzen. Marit reageerde wat minder fysiek. Met twee kleine kinderen was ze op dit gebied wel wat gewend.

'Gatver, wat smerig.'

Fiona probeerde haar maag weer een beetje onder controle te krijgen en ademde door haar mond om de stank zo veel mogelijk buiten te sluiten. Ze trok Brian aan zijn haren omhoog en wreef zijn gezicht ruw door de smurrie. 'Zo doen ze dat met puppy's die hun nest bevuilen.'

Brian hapte naar adem en probeerde aan haar greep te ontsnappen.

'Misschien is het verstandiger als je de volgende keer met je dronken hoofd je zogenaamde vriendjes lastig gaat vallen. Hoe staat het eigenlijk met je vriendjes? Zijn jullie al herenigd?'

Brian gaf geen antwoord en probeerde zijn gezicht zo goed en zo kwaad als het ging schoon te maken met zijn mouw.

'Kom Marit, we gaan de beheerder inschakelen om dit stuk stront te laten verwijderen.'

Fiona's dreigende woorden hadden effect, want Brian kroop zo snel als hij kon de tent uit.

'Ik ga al,' mompelde hij. 'Saaie wijven zijn jullie zeg. Niet eens zin om een feestje te bouwen.' Hij kwam wankelend overeind en liep zwalkend weg bij hun tent.

Marit wilde zich tot groot ongenoegen van Fiona alweer omdraaien. 'Wat ga je doen? Ik meen het dat ik de beheerder erbij wil halen.'

'Maar hij is nu toch weg? We kunnen beter die ranzigheid opruimen voordat de hele tent stinkt.'

'Ja, hij is weg, maar de vraag bij hem is altijd voor hoe lang. We hebben nu vaak genoeg aangegeven dat we zijn gezelschap niet op prijs stellen maar hij lapt het keer op keer aan zijn laars.'

'Misschien kan hij het niet onthouden door zijn concentratieproblemen?'

'O, Marit, alsjeblieft, nu moet je echt ophouden hoor! Deze keer gaan we het op míjn manier doen.'

'Oké,' reageerde Marit timide.

Het was overduidelijk dat Fiona er nu echt klaar mee was en eerlijk gezegd kon ze haar geen ongelijk geven. Ook zij vond dat Brian nu echt te ver was gegaan. Eigenlijk was hij vanaf het eerste moment dat ze hem ontmoetten al grensoverschrijdend bezig. Hem daar keer op keer op aanspreken had niet tot verbetering geleid, dus misschien was het inderdaad tijd voor andere maatregelen. Het kon natuurlijk zijn dat Brian door zijn ADD een eigen kijk had op sociaal wenselijk gedrag, maar dat was niet hun probleem. Dat begon ze nu eindelijk ook in te zien. Waarom zouden ze moeite blijven doen? Hij was tenslotte een wildvreemde die ze letterlijk van straat hadden geplukt omdat ze hem niet aan zijn lot wilden overlaten. Maar verder waren ze op geen enkele manier met hem verbonden en ze waren hem al helemaal niets verschuldigd. Sterker nog, hij was hún wat verschuldigd. Hij bleef hun vakantie maar verstoren en daar moest inderdaad een einde aan komen. Als ze het zelf niet voor elkaar kregen dan moest er maar een beetje hulp van buitenaf ingeschakeld worden. Vreemde ogen dwongen was het toch? Clement op de hoogte brengen van Brian ging haar te ver, dat was ook te veel eer voor een zielige dronken jongen, maar met wat hulp inroepen van de beheerder kon ze prima leven.

'Kom je of blijf je hier?' vroeg Fiona ongeduldig.

'Ik ga met je mee.'

Ze stapte de tent uit en keek goed uit dat ze niet in Brians 'cadeautje' stapte. Haar ogen speurden de omgeving af en bleven hangen op de plek waar Brian was verdwenen. Er was geen spoor meer van hem te bekennen. Ondanks zijn beschonken toestand was het hem blijkbaar toch gelukt zich snel uit de voeten te maken, maar of hij de camping ook echt had verlaten bleef de vraag. Voor hetzelfde geld hield hij zich schuil tussen de bomen en struiken die een eind verderop stonden om vervolgens op een later moment weer terug te komen en hen lastig te vallen. Het moest nu echt ophouden, dat was ze volledig met Fiona eens.

Ze voelde zich ook wat beschaamd en dom. Hoe had ze die man ooit aantrekkelijk kunnen vinden? Zijn gekots in hun tent had niet alleen voor hem, maar ook voor haar een ontnuchterende werking gehad. De smerige geur die om hem heen hing, zat nog steeds in haar neus. Ze huiverde bij het idee dat die viezigheid nog in hun tent lag. Straks alles even schoonmaken en hopen dat de geur niet te lang bleef hangen.

Ze liepen zwijgend over de schaars verlichte camping naar het chalet van de beheerder. Op sommige plekken stonden wat lantaarnpalen, maar de zaklamp die Fiona bij zich had was onontbeerlijk om niet te struikelen over uitstekende keien en andere onregelmatigheden.

'Verdomme,' vloekte Fiona ineens hartgrondig. Ze bukte en greep naar haar rechtervoet. Haar grote teen bloedde een beetje.

'Heb je je gestoten?' vroeg Marit bezorgd.

'Ja, en niet zo'n klein beetje ook. Verrekte kei.' Ze scheen met haar zaklamp op een uitstekende steen met een gemene scherpe rand.

'Misschien de volgende keer toch maar gympen aantrekken in plaats van teenslippers.' Marit keek angstvallig naar haar eigen geslipperde voeten die tot op heden nog ongeschonden waren.

'Nou, ik mag toch hopen dat er geen volgende keer komt. Ik wilde er geen gewoonte van maken om midden in de nacht over de camping te struinen.'

'Laten we inderdaad hopen dat Brian ons nu met rust laat en dat dit geen terugkerend ritueel wordt,' beaamde Marit.

De rest van hun wandeling verliep zonder problemen en toen ze bij het chalet van de beheerder aankwamen, was Fiona's teen inmiddels gestopt met bloeden.

'Het was het eerste chalet toch?' Fiona zocht bevestiging voor het geval ze de verkeerde mensen uit hun bed trommelden.

'Ja, dat is wat ik ook had begrepen.'

Naast de deur hing een naamplaatje met FRANÇOIS GABALLIER.

'Geen bel zo te zien.' Fiona speurde de deur af en lichtte zichzelf extra bij met haar zaklamp.

'Ik denk dat je gelijk hebt, want ik kan ook niks ontdekken.'

'Dan wordt het ouderwets vuistenwerk,' grinnikte Fiona, die meteen de daad bij het woord voegde en op de deur roffelde. Eerst wat voorzichtig maar al snel wat harder toen een reactie uitbleef.

Marit hupte nerveus op en neer. Was het nou echt nodig om de beheerder uit zijn bed te trommelen? Ze begon ineens te twijfelen en voelde zich enorm bezwaard. Het was bedreigend geweest dat Brian 's nachts hun tent was binnengedrongen en hij had hen de stuipen op het lijf gejaagd, dat viel niet te ontkennen. Maar hij was geen vreemde voor hen en zijn abnormale gedrag was te wijten geweest aan zijn beschonken toestand. Of was ze nu de boel weer aan het bagatelliseren terwijl dat niet terecht was? Voordat ze voor zichzelf een helder antwoord had geformuleerd, vloog de deur van het chalet open.

In de deuropening stond een norsige man die duidelijk niet blij was dat hij in zijn slaap werd gestoord. Hij droeg een ouderwetse blauwe katoenen pyjama en zijn duidelijk door leeftijd uitgedunde haar stond alle kanten op. In zijn linkerwang zat een diepe slaapvouw. In zijn ooghoeken was de slaap nog duidelijk aanwezig in de vorm van witte pupsen. Zijn donkere kraaloogjes stonden verre van vriendelijk.

'*Que devriez-vous?*' bromde hij.

'Weet jij wat dat betekent?' fluisterde Fiona.

Marit schudde haar hoofd. 'Ik heb werkelijk geen flauw idee...'

'*Parlez-vous anglais?*' probeerde Fiona. Tot haar opluchting reageerde de beheerder met een afgemeten '*Yes*'.

'Een dronken gek is zojuist onze tent binnengedrongen. Het is ons gelukt om hem weg te jagen, maar we zijn bang dat hij weer terugkomt. We voelen ons niet meer veilig in onze eigen tent.'

'En wat kan ik daaraan doen?'

Fiona trok haar wenkbrauwen op en keek hem verbaasd aan. 'U bent toch de bewaker? Misschien zou u kunnen controleren of de indringer de camping daadwerkelijk heeft verlaten of dat hij nog ergens op het terrein rondhangt? Het is toch uw taak om de mensen die hier verblijven te beschermen?' Fiona kruiste haar armen voor haar lichaam en keek de man uitdagend aan.

De man mompelde iets onverstaanbaars, maar al te vriendelijk klonk het niet.

'Weten jullie wie de indringer is?'

'Ja, we kennen hem. Zijn naam is Brian. Het is een Nederlandse gast die vanuit Luxemburg is meegelift naar Grenoble.'

'Dus hij is een vriend van u? Wat is het probleem dan?'

'Hij is absoluut geen vriend. Hij was een lifter die we onderweg hebben meegenomen en als dank valt hij ons nu lastig met zijn dronken kop. Voordat hij bij ons in de auto stapte, hadden we hem nog nooit gezien.'

'Ik geloof dat u zelf ook aardig gedronken hebt.' Gaballier snuffelde als een hond en haalde zijn neus op bij de alcoholgeur die uit Fiona's mond kwam.

Fiona hield haar hand bij haar mond en blies erin. Een zweem van alcohol drong haar neus binnen. Ze slikte een paar keer in een poging de lucht te verdrijven.

'Ik zou u willen adviseren om eerst uw roes eens uit te gaan slapen en als u een beetje ontnuchterd bent dan praten we verder. Ik ga in elk geval nu mijn bed weer opzoeken.'

Hij deed een stap naar achteren en wilde de deur sluiten. Fiona zette haar voet ertussen.

'Ik ben niet dronken! Ik voel me niet veilig op uw camping en daar moet u iets aan doen!'

'Stil,' waarschuwde Gaballier. 'Er liggen mensen te slapen.'

Fiona's gezicht werd rood en haar ogen spuwden vuur.

'Ga slapen en laat me met rust. Ik heb meer dan twintig jaar ervaring met dronken mensen en jullie zijn allemaal hetzelfde. Kom terug als u weer nuchter bent en dan zal ik naar u luisteren. Maar ik heb het vermoeden dat ik u niet meer terug zal zien. Als het weer helder is in uw hoofd realiseert u zich waarschijnlijk dat er helemaal geen indringer was, maar dat het een dronken hallucinatie was. Deze camping heeft een goede reputatie en als u daar anders over denkt dan zoekt u maar een andere verblijfplaats. En nu achteruit zodat ik mijn deur kan sluiten.'

Hij duwde de deur tegen Fiona's voet en ze besloot hem terug te trekken, maar niet voordat ze Gaballier nog wat toesnauwde. 'Het komt zeker omdat we Nederlanders zijn, hè?'

Marit had de conversatie vol verbazing aangehoord. Hoe kon die man zo makkelijk over hun melding heen stappen op basis van een vermoeden dat ze uit hun dronken nek kletsten? Ze hadden inderdaad lekker doorgedronken vanavond, maar ze waren absoluut niet teut.

'Wat een eikel,' brieste Fiona tegen de dichte deur. 'En dat noemt zich beveiliger.' Fiona draaide zich om en liep zonder verder nog iets te zeggen weg. Marit volgde haar gehaast.

50

Hij moest op zijn tellen gaan passen. Die meiden hadden het woord politie al een paar keer laten vallen. Zouden ze al op zoek zijn naar hem? Hadden ze hem door? Als hij verstandig was zou hij vertrekken, gewoon voor de zekerheid. Maar daarvoor was het al te laat. Hoe kon hij haar nog uit zijn hoofd zetten en een nieuw territorium bepalen? Dat was onmogelijk. Hij zou eraan kapotgaan. Het gezoem in zijn hoofd zou zo hard aanzwellen dat zijn trommelvliezen knapten en er zou niets zijn wat nog rust kon brengen. Als hij haar moest loslaten dan moest hij het leven loslaten. In een moment van zwakte dacht hij soms weleens dat dat misschien de enige juiste oplossing zou kunnen zijn. De eeuwige rust zou al zijn problemen als sneeuw voor de zon laten verdwijnen. Maar stel dat de hel echt bestond. Dat het vagevuur hem zou opslokken. Wat dan? De hemel zou zijn poorten vast angstvallig voor hem gesloten houden. Of zou er clementie zijn? Zou hij met boetedoening al zijn zonden kunnen wegpoetsen? Was het leven dat hij leidde op aarde al geen boetedoening op zich? Was hij al niet genoeg gestraft?

Soms wenste hij dat een nieuwe zondvloed de aarde zou overspoelen en hem meenam. Hij zou zich niet verzetten. Hoeveel momenten in dit leven was hij echt gelukkig geweest? En wat was geluk eigenlijk? Hij kon het voor zichzelf niet goed in een gevoel vatten. Hij was een man van definities, want die boden houvast waar hij wat mee kon. Geluk: het tevreden zijn met de huidige levensomstandigheden, veroorzaakt door erfelijkheid en omgevingsfactoren.

Hij voelde zich prettig bij een wetenschappelijke benadering, bij beestjes die een naam kregen. Informatie op een heldere manier uitgeplozen. Geluk en genot begonnen met de stofjes endorfine, dopamine en serotonine en eindigden in zijn geval altijd met een stoffelijk overschot. *In het zweet uws aanschijns zult gij brood eten, totdat gij tot de aarde wederkeert, omdat gij daaruit genomen zijt; want stof zijt gij en tot stof zult gij wederkeren.* Genesis 3:19-24, hij kon het wel dromen.

Hij verlangde naar de adrenaline die zorgde voor de ultieme kick. En dan eindelijk die rust. Nee, hij kon haar niet laten gaan. Het was net als al die andere keren. Als hij eenmaal beethad, liet hij nooit meer los.

51

Marit en Fiona liepen met een krat vol vuile vaat richting het sanitairgebouw. Er was zojuist een wasbak vrijgekomen. Ze hadden allebei het laatste stukje van de nacht geen oog meer dichtgedaan. Brian had zich niet meer laten zien, maar bij elk geluidje hadden ze rechtop in hun tent gezeten. Bang dat hij toch weer terug was gekomen om verhaal te halen. Samen hadden ze zijn maaginhoud opgeruimd voordat ze weer terug in hun slaapzak waren gekropen. De smerige lucht hing nog steeds in de tent, ondanks alle emmers schoonmaakmiddel die ze er al tegenaan hadden gegooid. Het ontbijt had daardoor aanzienlijk minder lekker gesmaakt dan de dag ervoor. Geeuwend en met een bleek gezicht van het slaapgebrek maakte Fiona een bak met sop.

Marit had de slapeloze nacht iets beter verteerd omdat Lotte nog weleens spookte 's nachts en ze dus gewend was aan gebroken nachten.

Fiona kieperde het bestek in de afwasbak en begon de ontbijtborden te boenen. Ze deed het vandaag duidelijk met de Franse slag concludeerde Marit toen ze met haar theedoek een klodder aangekoekte jam verwijderde. Ze besloot er niets van te zeggen.

In gestaag tempo werkten ze samen de rest van de vaat weg en laadden het schone spul in het daarvoor bestemde krat.

'Hoe is het met je teen?'

'Die zit er nog aan,' antwoordde Fiona droog.

'Ja, dat zie ik, maar doet het nog pijn?'

'Nee, niet echt meer. Ik denk dat ik en mijn teen vandaag die bergwandeling wel aankunnen.'

De moed zonk Marit in de schoenen. Ze had gehoopt dat Fiona niet

meer terug zou komen op hun deal en dat die helletocht haar bespaard zou blijven. Maar afspraak was afspraak dus ze kon er weinig
van zeggen.

'Oké, dan moet het maar,' verzuchtte ze weinig enthousiast.

'Je zult er geen spijt van krijgen. Ik weet zeker dat je het prachtig
vindt.'

'Ze hebben niet toevallig een kabelbaan naar de top?'

'Nope, je kunt er alleen komen met de benenwagen.'

Fiona tilde het krat met schoon servies op en liep ermee naar de tent.
Marit volgde met afwasbak, Dreft en afwasborstel. Toen ze alle spullen hadden opgeruimd, pakte Fiona haar wandelschoenen uit een
hoek. Marit trok het paar versleten gympen aan dat ze bij zich had.

'Heb je niks stevigers?' Fiona keek afkeurend naar de schoenen van
Marit.

'Nee, dit is het beste wat ik heb.'

'Nou, succes dan.'

'Zullen we eerst nog even een bakkie doen?'

'Prima, maar van uitstel komt geen afstel, Marit.' Fiona wierp haar
een strenge blik toe.

'*I know...*'

Ze dronken hun koffie onder een heerlijk ochtendzonnetje.

'Er zijn verschillende routes naar de Pic de Morgon, maar om jou
een beetje tegemoet te komen wilde ik voorstellen om zo ver mogelijk met de auto omhoog te rijden. Bij het uitkijkpunt Cirque du
Morgon is ook een parkeerplaats. Als we daar de auto neerzetten,
starten we van daaruit de wandeling omhoog.'

Marit trok een moeilijk gezicht.

'Zeg, wees blij dat ik je niet laat lopen vanaf de Abbaye de Boscodon.
Dat is een prachtige abdij die ik je graag zou laten zien, maar omdat
die nog een stuk lager op de berg ligt, zal ik je dat besparen. En mezelf
ook, want ik heb nog steeds spierpijn van de rit op die knol.' Ze trok
een pijnlijk gezicht terwijl ze over de binnenkant van haar dijen wreef.

'Nou, *on y va* dan maar? O, en vergeet niet om een warme trui mee
te nemen. Boven op de top kan het best koud zijn.'

Fiona pakte de lege koffiebekers van tafel en zette ze in de tent.

'Denk je dat we de boel veilig kunnen achterlaten?'

Fiona haalde haar schouders op. 'Geen idee, maar ik was niet van plan om me door angst te laten regeren en de hele dag als een sfinx voor de tent te gaan zitten waken. Ik verwacht niet dat Brian het lef heeft om terug te komen. De paniek was in zijn ogen te lezen toen we dreigden met de politie. Ik neem mijn waardevolle spullen mee in een rugzak en verder geloof ik het wel.'

Ze vulden beiden hun tassen met wat proviand en een fles water. Marit stopte er nog snel een fles zonnebrand bij. Haar vervelde huid was al aardig aan het herstellen, maar nog te kwetsbaar om aan de volle zon te worden blootgesteld. Fiona zette een sportief petje op en gaf er ook een aan haar vriendin. Tot slot graaiden ze de auto- en andere waardevolle papieren, TomTom, een wandelkaart van de omgeving en hun portemonnees bij elkaar.

'Kom,' wenkte Fiona haar vriendin. 'Even op de foto om dit historische moment vast te leggen voor het nageslacht.' Ze hield haar iPhone op goed geluk in de lucht en klikte. Tevreden bekeek ze het resultaat.

Met gezonde tegenzin liep Marit achter een vrolijk fluitende Fiona aan naar de auto. Het was stikheet in de auto dus Marit draaide snel haar raampje volledig omlaag. Fiona volgde haar voorbeeld. Het duurde even voordat het lukte om de slagboom open te krijgen, maar na wat geklungel met de sleutel konden ze toch het campingterrein verlaten.

Marit genoot van de verkoeling die de wind door de open ramen blies. Als ze maar niet verdampte tijdens het beklimmen van die monsterlijke berg. Op Fiona's aandringen had ze een dikke fleecetrui meegenomen, maar ze kon zich bijna niet voorstellen dat ze die straks nodig zou hebben. Misschien moest ze hem toch in de auto laten? Hij was alleen maar extra ballast.

Sneller dan Marit lief was reed Fiona het parkeerterrein bij Cirque du Morgon op. Ondanks haar aversie tegen de bergwandeling kon ze niet ontkennen dat het uitzicht hier geweldig was en dat het verderop waarschijnlijk alleen nog maar mooier zou worden. Misschien raakte ze door een stevige inspanning de stress van de afgelopen nacht wel een beetje kwijt. Een beetje afleiding was misschien nog niet zo'n gek idee.

Fiona sprong energiek uit de auto. Het idee van een activiteit in combinatie met de prachtige omgeving had haar slaapgebrek blijkbaar naar de achtergrond verdreven. Ze knoopte haar trui om en klikte haar rugzak stevig vast. Marit pakte haar fleecetrui aarzelend vast.

'Ik twijfel of ik hem mee zal nemen. Ik heb het nu al bloedheet en dat terwijl ik nog geen stap heb verzet. Ik denk niet dat ik het vandaag koud ga krijgen.'

'Ik zou je toch willen adviseren je trui wel om te knopen. Beter mee verlegen dan om verlegen. En geloof me maar, je gaat het koud krijgen.'

Marit sloeg de trui om haar middel maar voordat ze hem echt had omgeknoopt, gooide ze hem in de auto. 'Ik durf de gok wel te wagen. Ik wil zo min mogelijk meesjouwen.'

'Oké, je moet het zelf weten, maar dan straks ook niet zeuren als blijkt dat ik gelijk heb.'

Marit gooide demonstratief het autoportier dicht en Fiona vergrendelde de deuren. 'Die kant op,' wees ze richting een kronkelig looppad. 'Nou, berg je maar,' mompelde Marit toen ze zag hoe steil het was.

Nog geen halfuur later beet Marit haar tanden bijna stuk. De pijn in haar kuitspieren was niet te harden en haar voeten voelden aan alsof er elk moment blaren konden ontstaan. De dunne zolen en het slechte voetbed droegen niet bij aan het wandelplezier. Ze hijgde als een molenpaard en het zweet liep in straaltjes langs haar lichaam. De wandeling kostte haar zoveel inspanning dat ze het niet kon opbrengen om ook nog eens om zich heen te kijken. Vooruitkijken was geen optie, omdat ze dan ter plekke zou blokkeren bij de aanblik van de steile paden in de verte die nog op haar lagen te wachten. Ze liep met gebogen hoofd en staarde naar haar voeten. De een voor de ander, de ander voor de een.

Bij het vertrek was ze begonnen om de steentjes op het pad globaal te tellen, gewoon om iets te doen te hebben, maar ze was daar een tijdje geleden al mee gestopt. Ze had al haar energie nodig voor de beklimming.

Fiona leek nergens last van te hebben. Ze huppelde nog net niet naar boven en was volledig in haar element. Haar paardenstaart danste vrolijk op en neer bij elke stap.

'Kijk nou, Marit, edelweiss!' Fiona knielde abrupt neer bij een zijdeachtig wit bloemetje in de bergweide waar hun wandelpad dwars doorheen liep.

Marit staakte haar geploeter en ging met haar handen in haar zij rechtop staan. Voor het eerst in het afgelopen uur keek ze om zich heen. Wauw, het uitzicht was overweldigend. Bloemen van allerhande formaat en kleur stonden in groten getale tussen het groene gras. Ze liep naar Fiona toe en knielde naast haar neer. Voorzichtig streelde ze de witte bloemetjes.

'Dit is de eerste keer in mijn leven dat ik edelweiss zie. Tot nu toe was het voor mij niet meer dan een liedje in de *Sound of Music*.'

'Nou, het bestaat dus echt zoals je ziet,' grinnikte Fiona.

Marit pakte haar telefoon uit haar broekzak en maakte een foto. Vervolgens ging ze weer rechtop staan. Haar been- en bilspieren protesteerden hevig. Haar ogen vielen op het bergmeer dat aan hun linkerzijde lag te glinsteren in de zon. Ze moest zich bedwingen om er niet naartoe te lopen en een verfrissende duik te nemen. Haar rugzak plakte vervelend tegen haar rug en de huid in haar hals voelde geïrriteerd aan van het bijtende zoute zweet dat maar bleef stromen. Wederom was ze blij met haar beslissing om haar trui in de auto te laten.

Ze hield haar hand boven haar ogen om beter te kunnen kijken. In de verte stond een kudde bruin-witte koeien vredig te grazen. Hun bellen klingelden bij elke beweging. Zouden die beesten daar niet helemaal gek van worden? Ze moest er zelf niet aan denken dat elke stap die ze zette, zou leiden tot belgeklingel.

Ineens klonk er een gefluit dat ze niet thuis kon brengen. Ze draaide zich om in de richting van het geluid. Haar mond viel open van verbazing. Een stukje verderop stond een bruingrijs beest op zijn achterpoten het fluitende geluid te produceren. Het leek wel een megahamster.

'Fi,' riep ze zo zacht mogelijk om het beest niet weg te jagen. 'Kijk nou joh!'

Fiona kwam naast haar staan. 'Dat is een bergmarmot!' fluisterde ze. 'Ik heb erover gelezen dat je die hier kon vinden. Het is wel heel gaaf dat we zo'n beestje nu in levenden lijve zien!'

'Weet jij waarom hij fluit?'

'Ja, dat is om zijn makkers te waarschuwen voor gevaar. Hij ziet ons waarschijnlijk als een bedreiging.'

'Misschien moeten we dan maar voorzichtig doorlopen om hem niet nog verder de stuipen op het lijf te jagen?'

'Goed plan, maar niet voordat ik een foto heb gemaakt. Zoiets unieks moet ik vastleggen.' Ze maakten snel wat foto's en vervolgden hun weg.

Na een uur begon het landschap wat te veranderen. Het bestond steeds meer uit rotsen en minder uit groen. De sparren die ze vanaf het begin van de wandeling hadden gezien, stonden hier nog steeds. In de verte leek het wat nevelig. Ondanks het feit dat haar spieren harder protesteerden dan ooit, zette Marit dapper door. Het pad maakte een bocht en ineens waren ze omringd door witte mist.

'We bevinden ons in de wolken,' riep Fiona uit. Ze draaide enthousiast een rondje met uitgespreide armen. Een flinke hoeveelheid keitjes rolde naar beneden.

'Voorzichtig!' riep Marit verschrikt uit terwijl ze opzij sprong.

'Maak je geen zorgen, druktemaker, ik weet wat ik doe.' Fiona deed haar trui af en trok hem aan.

Marit bekeek het met argusogen. Ze moest schoorvoetend toegeven dat het hier in de mist ineens een stuk frisser was. Ze huiverde en er vormde zich kippenvel op haar huid. Ze moesten maar snel verder lopen om warm te blijven. Ze pakte het flesje water dat aan haar rugzak hing en nam een paar grote slokken. Van al dat gehijg kreeg je een droge mond.

Fiona was alweer verder gelopen en ze volgde snel. Ook toen ze de mist achter zich hadden gelaten, bleef de temperatuur een stuk lager dan aan het begin. Het kon niet anders dan dat ze op grote hoogte zaten.

'Ik denk dat het niet lang meer duurt voor we de top bereiken,' hijgde Fiona.

Marit was blij te merken dat het bij haar vriendin ook niet helemaal vanzelf ging. Ondanks het feit dat de zwaarte van de tocht haar nog meer was tegengevallen dan ze gedacht had, was Marit trots dat ze al zo ver gekomen was. Ze moest toegeven dat ze het uiteindelijk niet had willen missen. Maar of ze dat ook met Fiona wilde delen, daar was ze nog niet uit. Ze had tenslotte ook haar trots. Fiona had niet onder stoelen of banken gestoken hoe vreselijk ze het paardrijden had gevonden en misschien moest zij dezelfde strategie maar hanteren.

Ze liepen nog een kwartier verder over paden die steeds smaller en onregelmatiger werden. Na een laatste bocht stokte Marits adem in haar keel. De top, ze hadden het gehaald! Bijna huilend stond ze gebukt met haar handen op haar knieën uit te hijgen. Toen ze overeind kwam was ze sprakeloos. Het uitzicht vanaf hier over het Lac de Serre-Ponçon was het mooiste dat ze ooit gezien had. Het landschap onder haar leek zo ver weg, zo klein. Een gevoel van nietigheid overviel haar. Je stelde als mens toch ook helemaal niks voor.

Ook Fiona zweeg en genoot van het schitterende uitzicht. De camera in de telefoon van haar vriendin maakte overuren, maar deze keer om ander natuurschoon vast te leggen.

52

Fiona wreef met een smakkend geluid haar rood gestifte lippen over elkaar. Hoewel de opvallende kleur haar vriendin goed stond, vond Marit het toch een tikje ordinair. Zelf had ze gekozen voor een subtiele rozige gloss. Van haar hoefde het er niet te dik bovenop te liggen. Ze stonden op het punt om te vertrekken naar de discotheek waar Fiona vroeger weleens was geweest en waar ze haar vakantievriendje Antoine destijds had ontmoet. Toen ze bij een snackbar in de buurt vanmiddag een frietje hadden gehaald, viel hun oog op een grote poster van de discotheek. Hoewel de naam inmiddels was veranderd van Le Kallistos in Le Klub Nytro, herkende Fiona het gebouw meteen.

'O wat leuk, hij bestaat nog steeds,' had ze uitgeroepen. 'We gaan dansen vanavond, Marit!'

Marit had haar ogen over de poster laten gaan en begrepen dat er die avond een jarennegentigparty was. Ook zij werd enthousiast bij de gedachte aan een ouderwets avondje dansen en misschien een beetje flirten. Brian had zich gelukkig niet meer laten zien na de nachtelijke inval en ze begonnen eindelijk een beetje te ontspannen.

'En, zie ik er goed uit zo?' Fiona draaide sexy met haar heupen waardoor het strakke jurkje dat ze droeg zich om haar lichaam spande. De contouren van haar mooie figuur lieten weinig aan de verbeelding over.

Marit keek met een pijnlijk gezicht naar de puntige hoge naaldhakken van haar vriendin. Zelf had ze een bescheidener hak moeten kiezen omdat haar kuiten continu in de kramp schoten van de naweeën van de bergwandeling.

'Nou, je kijkt wel heel bedenkelijk. Moet ik daar mijn conclusies uit trekken?' Fiona trok een gemaakte pruillip.

'Nee, sorry, je ziet er prachtig uit. Niks meer aan doen.'

'Pfieuw, gelukkig. Jij ook trouwens.'

Als dank imiteerde Marit de plié die Lotte onlangs had geleerd op balletles.

Fiona streek langs Marits weelderig loshangende haar. 'Meid, wat heb je toch een prachtige bos met krullen. Ik zou ze zo van je over willen nemen.' Mismoedig streek ze een pluk van haar eigen kapsel uit haar gezicht. 'Slappe hap,' liet ze erop volgen.

'Krullen is ook niet alles hoor,' probeerde Marit het haarleed van haar vriendin te verzachten.

Fiona grijnsde. 'Zullen we gaan? Het loopt al tegen elven.'

Marit pakte haar handtas. 'Ik ben er klaar voor.'

Via de N94 reden ze naar het plaatsje Baratier waar de disco gelegen was. De laserlampen op het dak van het gebouw verspreidden een blauwige gloed in de lucht.

'Ik voel me weer helemaal achttien,' jubelde Fiona.

Ze nam de buitenbocht naar links en volgde de weg naar het aardig volle parkeerterrein bij de discotheek. Voor de deur stond een groepje jongens te roken. Marit moest lachen om hun mislukte pogingen om stoer over te komen. Ze sloofden zich ontzettend uit voor een meisje dat bij hen stond. Ze was amper achttien jaar schatte Marit, en het kind liet het zich met een gelukzalig gezicht welgevallen. In haar hand hield ze een vol glas bier dat ze waarschijnlijk niet zelf had hoeven te betalen.

Met weemoed dacht ze terug aan haar eigen discoavondjes waarbij ze de hele avond gratis op drank en aandacht werd getrakteerd door geïnteresseerde jongens. Ze was er zelden op ingegaan en slechts een paar keer zoenend buiten beland.

Ze stapten de auto uit en het gedreun van de bas kwam hen al tegemoet. Ze luisterde aandachtig, maar kon niet horen welk nummer er binnen werd gedraaid. Ze kochten een entreekaartje bij de kassa en gingen naar binnen. Fiona liep meteen door naar de bar en bestelde twee cocktails.

'Geen idee wat erin zit, maar ze zagen er lekker uit,' zei ze terwijl ze Marit een glas in haar hand duwde.

Marit haalde het parasolletje uit haar glas en stopte het in haar haar. Ze omsloot het rietje met haar lippen en nam een slok. Aardbeien, limoen en rum waren de hoofdbestanddelen gokte ze. Het drankje zag er niet alleen lekker uit, maar zo smaakte het ook. Het was lang geleden dat ze een cocktail had gedronken en ze genoot er dubbel en dwars van.

Fiona had haar glas al halfleeg en Marit keek zorgelijk haar kant op. 'Ik neem er maar eentje hoor, ik weet dat ik nog moet rijden. Maar deze is om een beetje in de stemming te komen.'

Marit tikte haar glas goedkeurend tegen dat van haar vriendin. '*Santé bébé*!'

De laatste klanken van Dr. Albans *It's My Life* klonken door de zaal en de dj liet de tonen vakkundig overvloeien naar Snaps *Rhythm Is a Dancer*.

'O, dat vind ik zo'n heerlijk nummer, daar moet ik gewoon op dansen!'

Fiona slurpte het laatste beetje cocktail op en zette haar lege glas op de bar. Ook Marit dronk snel haar glas leeg en liep heupwiegend achter Fiona aan de volle dansvloer op. Ze gooide haar armen in de lucht en bewoog ritmisch mee met de andere feestgangers. O, wat was dit heerlijk! Ze liet zich steeds verder opzwepen door de klanken van de muziek en een golf van energie stroomde door haar lichaam. Alle spanning van de afgelopen dagen viel in een keer van haar af. Ze keek met een schuin oog naar Fiona. Die genoot zo te zien ook met volle teugen. Ze danste met gesloten ogen en de knipperende discolampen verlichtten haar verheerlijkte gezicht. Ze zag er prachtig uit. Het was duidelijk dat er meer mensen waren die dat vonden. Een paar vrouwen wierpen jaloerse blikken en het gros van de mannen bewonderende.

Ze concentreerde zich weer volledig op de muziek. '*Oh, me so horny,*' zong ze luidkeels mee met de 2 Live Crew. Sem en Lotte zouden haar eens moeten horen... Toen de laatste klanken van het nummer klonken en het volgende alweer begon, pakte Fiona haar hand. Ze blies een sliert haar uit haar gezicht.

'Ik moet even wat drinken, ik ben uitgedroogd.'

Marit knikte dat ze ook wel toe was aan een drankje en liep met haar mee naar de bar.

'Jij nog zo'n cocktail?' brulde Fiona boven de muziek uit.

'Ja, lekker.'

Fiona bestelde voor zichzelf een cola light en overhandigde Marit een nieuwe alcoholische versnapering. Marit dronk haar glas net zo snel leeg als Fiona haar cola achterover tikte. Er was geen tijd te verliezen, er moest weer gedanst worden!

Fiona liet haar ogen over de mensenmassa gaan. Ze kneep haar ogen tot spleetjes en begon enthousiast te lachen. Ze porde Marit in haar zij.

'Ik heb je toch verteld over Antoine?'

Marit fronste haar wenkbrauwen. Er kwamen bij Fiona zo vaak mannennamen voorbij in haar verhalen dat Marit niet altijd scherp had wie nou ook alweer wie was. Daarbij was de cocktail nogal binnengekomen door het tempo waarmee ze hem genuttigd had. Het zweverige gevoel in haar hoofd maakte dat ze niet volledig helder na kon denken.

'Antoine, Antoine,' mompelde ze om tijd te rekken.

'Mijn vakantievriendje van hier toen ik nog jong en onbedorven was,' hielp Fiona haar ongeduldig herinneren.

'O ja, Antoine.' Er ging een klein lampje branden.

'Daar staat ie, ik weet het zeker.'

Marit volgde Fiona's wijzende vinger en kwam uit bij een aantrekkelijke man met donker haar en bruine ogen.

'Hoe kun je nou zo zeker weten dat hij het is. Jullie waren elf!'

'Die lach... Die herken ik uit duizenden. Hoeveel mannen hebben er kuiltjes in hun wangen als ze lachen?'

'Ik ken er geen,' moest Marit toegeven. Lachen vriend, dacht ze erachteraan, dan kan ik die kuilen van je checken.

'O, ik krijg weer helemaal vlinders in mijn buik. Ik zei toch dat ik nog weleens met hem zou willen zoenen, gewoon voor *old times' sake*?'
'Nou, wat let je,' grinnikte Marit.
'Zie je een vrouw bij hem?'
'Niet één maar vier.'
'O.'
'Maar dat wil natuurlijk niet zeggen dat ze ook echt bij hem horen. Het kunnen ook gewoon vriendinnen zijn.'
'Hij lacht naar die griet met dat blonde haar en die enorme tieten. Daar kan ik natuurlijk nooit tegenop met mijn erwtjes.' Teleurgesteld bekeek ze haar borsten.
'Hij heeft inderdaad kuiltjes in zijn wangen,' concludeerde Marit droog, Fiona's gejammer negerend.
'Hij zit bijna met zijn neus in haar *cleavage*!'
'Fi, stel je niet aan en ga gewoon naar hem toe en zeg wie je bent. Ik zal je als een ware Cupido zijn kant op begeleiden.'
'Doe niet zo flauw, Marit, dit is een serieuze zaak.'
'Sorry, maar vind je het heel erg als ik mannen en serieus niet aan jou koppel? Ga nou maar naar hem toe, zet je bek erop en kom dan weer dansen, daarvoor zijn we tenslotte hier.'
'Oké, wat kan mij het ook schelen. *Wish me luck...*'
Marit gaf haar vriendin een stimulerend duwtje in de goede richting. Haar eerste stappen waren aarzelend, maar al snel had ze haar zelf-verzekerde loopje weer te pakken. Niks voor Fiona om nerveus te doen over een man. Marit vond het wel aandoenlijk. Ze bestelde nog een cocktail en volgde Fiona's verrichtingen terwijl ze genietend aan haar rietje zoog.
De alcoholroes nam steeds meer bezit van haar en het zweverige gevoel nam toe. Fiona stond inmiddels geanimeerd met haar Antoine te praten en liet geen moment onbenut om hem even aan te raken. Antoine leek er nogal van gecharmeerd en had alleen nog maar oog voor Fiona. De vrouwen om hem heen stonden er wat nors bij.
Ze liet haar ogen over de dansvloer glijden. Wat was dat nou? Het flikkerende blacklight bleef even hangen op een gezicht dat haar

maar al te bekend voorkwam. Dat was toch niet Brian? Ze keek nog eens goed, maar de plek die zojuist nog uitgelicht was door de felle lampen was nu weer in schemerdonker gehuld en op de plaats waar ze Brian gezien dacht te hebben stonden een man en een vrouw volledig in elkaar op te gaan. Geen spoor van mannen die ook maar enigszins op Brian leken, concludeerde ze toen ze haar ogen flink de kost had gegeven. Ze zag vast spoken door de alcohol.

Ze slurpte het laatste restje cocktail uit haar glas, zette het op de bar en liep de dansvloer weer op. Vanuit haar ooghoeken zag ze nog net dat Fiona's missie geslaagd was. De tong van haar vriendin had duidelijk die van Antoine gevonden. Glimlachend mengde ze zich in de menigte op de dansvloer. Die griet kreeg het ook altijd voor elkaar.

'*Mamama ma Baker...*' Marit begon inmiddels schor te worden van het meezingen en haar voeten schreeuwden om verlost te worden uit haar strakke schoenen. Ze negeerde alle signalen van haar lichaam. Ze had zich in jaren niet meer zo happy en vrij gevoeld. Ze ging helemaal los op de klanken van *U Can't Touch This* van MC Hammer en bewoog wild met haar heupen toen ze plotseling een hand op haar kont voelde. Abrupt staakte ze haar bewegingen en draaide zich om. Ze keek in het ondeugende gezicht van een donkerblonde man met lachrimpeltjes rond zijn ogen.

'*I can't touch this?*' vroeg hij onschuldig terwijl hij zijn hand zachtjes langs haar billen liet gaan. Marit was compleet overdonderd en wist even niet hoe te reageren. Moest ze hem een klap verkopen voor zijn vrijpostigheid of het laten gaan? Ze moest stiekem toegeven dat het haar ego wel streelde en dat de olijke blik van de man maakte dat ze zich niet bedreigd voelde. Sinéad O'Connor had het inmiddels overgenomen van MC Hammer. Zonder haar reactie af te wachten sloeg de man zijn armen om haar middel en begon zachtjes in haar oor te zingen met een Frans accent.

'*Nothingk comparez, nothingk comparez toe joe.*'

Onderwijl wiegde hij langzaam met zijn heupen op de maat van de muziek. Vol overtuiging zong hij door. Zijn adem kriebelde in haar nek en een lichte bierlucht drong haar neus binnen. Aarzelend sloeg ze haar armen om zijn nek en begon mee te bewegen. Wat was er mis met een beetje ouderwets flirten? Ze vond de man aantrekkelijk en zijn lach stond haar aan. Verheugd pakte de man haar steviger vast en drukte haar tegen zich aan. Ze liet het zich welgevallen. Wat Fiona kon, kon zij ook. Voorzichtig liet ze haar vingers door zijn haar gaan. Het was zacht en rook naar shampoo. Er zat geen vettige gel of andere troep in om het op zijn plek te houden. Puur natuur, daar hield ze van. Ze snoof de geur van aftershave op die rond zijn nek hing. Het merk kon ze niet thuisbrengen. Er tintelde iets in haar onderbuik. Ze begon gewoon ordinair opgewonden te raken. De man leek het door te hebben en begon sneller te ademen terwijl hij zijn handen nog verder liet afzakken. Ze sloot haar ogen en huiverde onder zijn voorzichtige aanraking.

Ineens liet hij haar los en verbaasd deed ze haar ogen weer open. Wat was dat nou? Zijn handen omsloten haar gezicht en zijn duimen streelden haar wangen terwijl hij haar diep in de ogen keek. De verlegenheid waar ze normaliter last van had werd onderdrukt door de alcohol. Zelfverzekerd keek ze terug zonder haar ogen neer te slaan of te blozen. Ze duwde haar lippen naar voren en kuste hem. Ze had geen zin meer om het onvermijdelijke nog langer uit te stellen. Zachtjes kreunend liet hij haar tong de zijne vinden. Hij zoende lekker. Ondeugend knabbelde ze aan zijn lip. Het maakte hem alleen nog maar gretiger. Ze legde haar handen op zijn kont en voelde hoe hij zijn spieren spande. Iemand stootte tegen haar aan en bracht haar weer een beetje terug in de werkelijkheid.

Ze knipperde met haar ogen toen de discolampen haar schampten en keek ietwat gegeneerd om zich heen. Had iemand haar vulgaire gedrag opgemerkt? Haar danspartner likte vol overgave aan haar oorlel en woelde door haar haren. Ze gooide haar hoofd achterover om wat afstand te nemen, maar hij vatte het op als een sensueel gebaar en een aanmoediging bleek uit zijn enthousiaste gezoen in haar nek. Wat net nog opwindend had geleken, gaf haar nu ineens een beklemmend gevoel.

Ze probeerde zich voorzichtig los te maken uit zijn greep, maar hij liet haar niet gaan. Shit, ze had natuurlijk in eerste instantie ook verkeerde signalen afgegeven door de man te zoenen. Ze kon zichzelf wel voor haar kop slaan dat ze zich zo had laten meeslepen. Nu zat ze met de gebakken peren. Ze probeerde de man wat steviger van zich af te duwen. Boos keek hij haar aan en ze ving een ingehouden '*merde*' op.

'*Sorry, I don't feel very well,*' excuseerde ze zich.

Iemand vloog haar van achteren om haar nek. Ze draaide zich om, klaar om een potje te schelden maar hield zich in toen ze zag wie het was.

'Hulp nodig?' vroeg Fiona.

'Ik geloof het wel.'

'*Sorry, she's already taken.*'

Voordat Marit doorhad wat haar overkwam, zoende Fiona haar vol op haar mond. Verschrikt sprong ze achteruit. De man voor hen kreeg een wellustige blik in zijn ogen.

'*I can handle two,*' zei hij enthousiast.

'*No, thanks, we prefer a private party.*'

'*I can show you my privates,*' antwoordde hij op een verleidelijke toon.

Fiona deed net alsof ze serieus over zijn voorstel nadacht en schudde toen haar hoofd. '*No, thanks.*'

'*Bitches,*' reageerde de man verongelijkt en hij keerde zich resoluut van hen af.

'Ik ben je eeuwig dankbaar. Ik denk dat het me in mijn eentje niet was gelukt om van hem af te komen.'

'*That's what friends are for.*' Fiona trok haar mee. 'Ik ben er wel klaar voor om mijn mandje in te gaan, wat jij?'

'Ik geloof dat ik daar ook wel aan toe ben inmiddels. En aan een douche want die vent heeft mijn hele nek onder gezeverd. Hoe was je hereniging met Antoine? Een beetje naar verwachting?'

'Zeker, zeker. Antoine was heerlijk en de achterbank van zijn auto ook.' Fiona trok veelzeggend haar wenkbrauwen op.

'O, gatver. Fi, je hebt toch niet...' Marit trok een vies gezicht.

'Jazeker wel, die kans kon ik toch niet voorbij laten gaan? Ik ben me altijd blijven afvragen of hij goed was in bed.'

'Jij bent echt erg.'

'Wat jij te weinig hebt, heb ik te veel. Zullen we het daar maar op houden? En in het midden laten wat goed of slecht is,' voegde ze er snel aan toe toen ze Marits verongelijkte gezicht zag. 'Niks mis met een beetje frigiditeit, hoor Marit. Ieder zijn meug.'

'Ik ben niet frigide! Alleen kieskeurig. Zou jou ook geen kwaad doen overigens. Je loopt nog eens wat op als je zo doorgaat.'

'Ik gebruik altijd condooms en laat elk jaar een aids- en soa-test doen. Tot nu toe nog nooit wat aan het handje. Kom, laten we deze onzinnige discussie staken. *On y va*!'

53

De woede kolkte en bruiste in hem. Wat deed ze nu? Hij was een vulkaan die elk moment kon uitbarsten. Buiten zinnen drukte hij zijn nagels in zijn handpalmen. Hij voelde de scherpe randen steeds verder doordringen in zijn huid. Zijn knokkels waren wit. Het bloed dat eruit verdwenen was, zat nu waarschijnlijk in zijn hoofd. Hij had geen spiegel nodig om bevestigd te krijgen dat zijn wangen verhit waren en zijn ogen vuur spuwden, dat voelde hij zo ook wel. Het slettengedrag dat ze tentoonspreidde gaf geen pas. Het hoorde niet bij haar. Ze moest zijn zoals hij wilde. De engel die hem verlossing moest gaan brengen, was bezoedeld. Al voordat hij zijn spel officieel had kunnen beginnen. Nu was het alleen nog maar kat en muis, zonder dat de muis wist dat ze in de gaten werd gehouden. Toen ze toestond dat die vent aan haar zat en zij hem zoende was hij meteen vertrokken. Dat moest, anders zouden er ongelukken gebeuren. Hij kon niet werkeloos toekijken. Soms was het beter je ogen te sluiten voor de gruwelijke waarheid.

Deed hij dat niet al zijn hele leven? Maar kon hij zijn ogen volledig sluiten voor iets wat tegen wil en dank toch in zijn blikveld was gekomen? Hij durfde er geen garantie voor af te geven. Het beeld van haar dansend en lebberend met die ander teisterde zijn netvlies en bracht keer op keer een schok teweeg in zijn lijf. Hij moest zijn woede koelen en dat kon maar op één manier...

En dan was er ook nog dat andere slordigheidje dat zo snel mogelijk verholpen moest worden. Hij ramde zijn knokkels tot bloedens toe tegen een muur om een beetje af te koelen en zichzelf weer voldoende onder controle te krijgen. Langzaam, heel langzaam nam de zelfbeheersing weer bezit van hem. Zijn kaken ontspanden licht en zijn ademhaling werd weer regelmatiger. Hij keek naar zijn gewonde hand die bloedde en al begon te zwellen. Als iemand de stenen muur voor hem minutieus zou afzoeken, dan zouden kleine lapjes van zijn rauwe huid gevonden worden. Lapjes die zichtbaar niet meer op zijn hand zaten. Sporen nalaten was niet zijn ding, maar hij was ook niet perfect. Dat bleek wel weer door zijn onbezonnen gedrag van zojuist. Maar ach, tot op heden voelde hij zich nog veilig genoeg om af en toe een klein menselijk foutje te maken. Want ondanks zijn soms wat ongecontroleerde gevoelens en gedrag, schaarde hij zich nog steeds onder de homo sapiens.

Hij slenterde naar zijn auto en stapte in. Hij bleef even stil zitten voordat hij de auto startte. De motor brulde vervaarlijk toen hij het gas een paar keer pompend indrukte. Daarna liet hij de motor stationair draaien. Dit rustige, brommende geluid kon hem ook bekoren. Hij was een man van uitersten.

54

Marit keek nog eens schichtig achterom voordat ze de discotheek verlieten. Gelukkig, de donkerblonde man kwam niet achter hen aan. Ze was nog steeds aan het bijkomen van het feit dat ze had staan zoenen met een wildvreemde waar ze de naam niet eens van wist. Ze moest deze vakantie maar niet meer zoveel drinken. Drank gooide blijkbaar alle remmen bij haar los en dat vond ze geen prettig idee. Gecontroleerde situaties, daar hield ze van. Weloverwogen handelen en je niet laten leiden door impulsen zoals ze vanavond had gedaan. Gelukkig was de man voor rede vatbaar geweest, maar het had ook anders af kunnen lopen, dat realiseerde ze zich maar al te goed. Als een man eenmaal op kruistocht was dan werkten zijn hersenen en zelfbeheersing vaak niet zo goed meer.

Soms zou ze willen dat ze wat meer op Fiona leek en de dingen net zo ongecompliceerd kon beleven als zij. Of het goed was, was een tweede, maar het was in elk geval een stuk relaxter. Fiona zou waarschijnlijk met die kerel de bosjes in gedoken zijn om hem af te koelen en dan was ze haar eigen weg weer gegaan. Maar zij kon zichzelf niet zo te grabbel gooien. Het voelde niet goed. Ze zou moeten accepteren dat ze een burgertrutje was.

'Wat loop je nou te treuzelen?' Fiona pakte haar hand en trok haar mee naar de auto.

Marit wist zich vanwege haar benevelde toestand met moeite overeind te houden.

'Of wil je toch nog even op die vent duiken?' Haar vriendin knipoogde ondeugend.

'Nee, bedankt. Ik duik liever mijn bedje in.' Marit gaapte demonstratief.

Fiona hield galant het autoportier voor haar open en reikte haar de veiligheidsgordel aan. Marit maakte dankbaar gebruik van de hulp. Te veel draaien en bewegen werd niet gewaardeerd door haar maag merkte ze toen een golfje van de zoetige cocktail weer omhoog kwam. Paniekerig slikte ze het weg. Ze haatte overgeven en had wederom spijt dat ze het niet wat rustiger aan had gedaan met de drank. Maar wat had ze dan verwacht? Ze hadden vannacht amper geslapen en ze dronk thuis nauwelijks alcohol. Het moest wel heel raar lopen wilde ze meer dan één wijntje drinken op een doordeweekse avond. Fiona was inmiddels naast haar gekropen en startte de auto.

Ze verlieten het parkeerterrein en reden Baratier uit. Al snel naderden ze een rotonde. In de berm stonden twee motoragenten.

'Niet te hard rijden,' waarschuwde Marit.

Alleen van de aanblik van de twee agenten werd ze al bloednerveus. Ze was tot op de draad gespannen toen Fiona in rustig tempo langs de dienders reed en de rotonde in een vloeiende lijn nam. O, als ze nou maar niet werden aangehouden. Fiona had maar één cocktail gedronken, maar wie weet was dat al genoeg om de toegestane limiet te overschrijden. Franse agenten waren heel streng tegen buitenlanders. Angstvallig keek ze over haar schouder naar de agenten die hen amper leken op te merken. Ze maakten in elk geval geen enkele aanstalten om achter hen aan te gaan. Door het draaien van haar hoofd trok er weer een duizeling doorheen en een nieuwe golf van misselijkheid vlamde op. Ze slikte het overtollige speeksel in haar mond zo goed en zo kwaad als het ging weg en wist wederom haar maag tot rust te brengen.

Inmiddels waren ze weer op de Route Nationale beland. Een zwakke maan gaf de omgeving een surrealistische aanblik. De weg was slecht verlicht en de witte strepen op de weg waren nauwelijks zichtbaar door slijtage. Desondanks trapte Fiona het gas flink in. De weg achter hen was helemaal leeg.

'Ik zou het iets rustiger aan doen, straks komen die agenten ons alsnog achterna.'

'Wat ben je toch een angsthaas. Er is geen kip op de weg en ik ben moe. Ik beloof je dat ik je veilig naar de camping breng, maar wel op mijn eigen manier.'

Marit controleerde zuchtend haar gordel. Ja, ze was stevig inge-snoerd. Op hoop van zegen dan maar weer. Ze keek per toeval in de buitenspiegel. En keek nog eens. Zag ze daar in de verte achter hen nou iets bewegen? Een zwarte vlek die langzaam dichterbij kwam? Het kon geen auto zijn toch, want er waren geen koplampen te zien. De vlek kwam steeds dichterbij en de contouren werden helderder. Verrek, het was toch een auto. Waarom reed hij zonder verlichting? Dat was toch levensgevaarlijk op zo'n donkere weg?

Ineens leek de bestuurder achter hen haast te krijgen en de auto na-derde met grote snelheid. Het groot licht dat hij op zo'n tweehonderd meter afstand ineens aanzette, verblindde hen volledig.

'Eikel!' brulde Fiona. Ze trok haastig aan de binnenspiegel om hem op nachtstand te zetten. De auto bleef in onverminderd hoog tempo op hen afkomen en Fiona omklemde het stuur krampachtig met twee handen.

'Wat is dat voor een idioot?' Marit zat verstijfd naast haar en kon geen woord uitbrengen.

Op het moment dat de auto hun bumper bijna raakte, zwenkte hij ineens naar links en scheurde hen voorbij. Gekraak en geknak toen de auto hun buitenspiegel schampte die vervolgens slap en onbruik-baar bleef hangen.

'Klootzak!' schreeuwde Fiona terwijl ze haar groot licht aandeed en aanhoudend toeterde. 'Wat jij kunt, kan ik ook!'

De bestuurder trapte als reactie vol op de rem en Fiona kon hem nog maar net ontwijken. De geur van verbrand rubber drong hun auto bin-nen, evenals het geluid van piepende banden. Het was lastig te bepalen of het van hun eigen auto af kwam of van hun voorganger.

Marit was naar voren gevlogen tijdens Fiona's uitwijkactie en wreef nu over haar protesterende nekspieren die een oplawaai hadden gekregen. 'Waar is de politie als je ze nodig hebt,' jammerde ze paniekerig.

'Hou je kop, Marit, met gezeur komen we niet verder. We moeten hier weg.'

Ze drukte het gaspedaal nog verder in. De weg achter hen was leeg. Fiona liet haar gespannen houding wat varen, maar bleef onverminderd hard rijden en haar ogen bleven alert op de weg gericht.

'Fuck,' brulde ze nog geen minuut later. 'Daar heb je hem weer.' Fiona gaf plankgas en de auto slingerde even vervaarlijk heen en weer.

'Kijk nou uit! Ik wil niet dood!'

'Dood? Ik probeer ons leven te redden.' Fiona's gekrijs kwam amper boven de brullende motor uit. 'Waarom moest je die kerel ook zo nodig het hoofd op hol brengen om hem vervolgens in de kou te laten staan?'

'Wat heeft dat er nou weer mee te maken?'

'Wie denk je anders dat die idioot achter ons is!'

'Nee. Dat kan niet.'

'Waarom zou dat niet kunnen? Leer mij kerels kennen die hun zin niet krijgen. Soms levert het een stuk minder gezeik op om je principes eens opzij te zetten. Misschien moet je daar eens over nadenken als we hier ongeschonden uitkomen.' Fiona keek haar met vlammende ogen van woede aan.

'Let op de weg! Tegenligger!' krijste Marit.

Fiona gaf een slinger aan het stuur en scheurde rakelings langs de tegemoetkomende auto. De bestuurder knipperde verontwaardigd met zijn lichten. Hun achtervolger die hen heel even op gepaste afstand had gevolgd, kreeg het weer op zijn heupen en naderde ineens weer in volle vaart. Borden van het plaatsje Crots flitsten voorbij.

'Bel 112!' commandeerde Fiona.

Marit greep naar haar tas en pakte haar telefoon. Met trillende vingers toetste ze het nummer in, maar stopte bij het laatste getal. 'Wat moet ik zeggen?'

'*Au secours N94* of zo.'

'Ik weet niet hoe je vierennegentig in het Frans zegt. Ik kan niet meer nadenken.'

'Jezus, dan doe je het in het Engels! Bellen nú!'

Marit deed onmiddellijk wat haar gevraagd werd. Het noodnummer werd meteen beantwoord en Marit brulde: '*Au secour! Nous sommes a Crots avec un idiot avec une voiture! Nous sommes driving a Camping Municipal a Savines-le-Lac. Ninety-four! From le direction Baratier. Klub Nytro.*'

Hun achtervolger liep steeds verder in en reed gecontroleerd tegen hun bumper aan.

'*Au secours!*' gilde Marit weer.

Door de schok vloog de telefoon uit haar hand en belandde onder haar autostoel. Fiona gaf nog wat gas bij en slingerde de auto in onverantwoord hoog tempo over de weg om te voorkomen dat hun achtervolger naast hen kon komen rijden. Als dat zou gebeuren en hij ramde hen van opzij dan was het leed niet te overzien.

Ze flitsten door het dorpje Les Moulins en naderden een vluchtheuvel. Weer botste de auto tegen hun bumper, harder deze keer. Ineens wist hij op de een of andere manier toch langs hen te komen. In één beweging slingerde de auto met piepende banden naar links en kwam op de verkeerde rijbaan terecht. Ze reden nu gelijk op. Fiona probeerde uit alle macht om de auto recht op de weg te houden. Hun belager was aan de verkeerde kant van de vluchtheuvel beland. De enige barrière tussen beide auto's die op dit moment kon voorkomen dat ze van de zijkant werden geramd. Helaas was de bescherming maar van korte duur. Zodra ze de vluchtheuvel passeerden, gebeurde waar Fiona al bang voor was geweest. De achtervolger gooide zijn stuur om naar rechts en ramde hun auto. De klap en schrik waren groter dan de uiteindelijke schade.

Fiona trapte vol op de rem toen ze de zwenkende wagen weer onder controle had. Met piepende banden schoten ze door en belandden uiteindelijk schuin op de weg. Tijd om bij te komen was er niet, want hun belager was alweer hersteld van de klap en reed vol op hen in. Hun auto was gelukkig niet afgeslagen en Fiona ondernam meteen actie. Door hun schuine positie op de weg leek het handiger om terug te rijden richting Les Moulins tot aan de rotonde verderop en daar weer te keren.

Marit kon haar maag niet langer in bedwang houden door al het getol en gedraai. Met een hoop kabaal gaf ze over. Fiona reageerde er niet op, hoewel ze ongetwijfeld last moest hebben van de zurige lucht die zich in de kleine ruimte verspreidde.

Fiona wist met uiterste inspanning en stuurmanskunst hun voorsprong te behouden en ze naderden de rotonde. Ze reden zo hard dat de auto overhelde in de bocht. Marit haalde opgelucht adem toen ze weer recht op de weg belandden. Met hun achtervolger in hun kielzog reden ze in volle vaart naar Savines-le-Lac.

Marit keek angstvallig in haar buitenspiegel en een blauwe gloed verspreidde zich achter hen. De politie? Zouden ze haar oproep toch hebben kunnen ontcijferen? Het waren inderdaad blauwe zwaailichten concludeerde ze toen ze nog eens beter keek. Misschien waren het de twee motoragenten wel die verderop bij de rotonde hadden gestaan.

Toen ze de steile, bochtige weg naar de camping opdraaiden kreeg Marit pas echt de kriebels. Aan hun linkerkant bevond zich een rotswand met scherpe uitsteeksels en aan hun rechterkant de diepe afgrond naar het stuwmeer. Levensgevaarlijk was het enige stempel dat je eraan kon geven. Al in de eerste scherpe bocht verloor Fiona hun voorsprong alweer. De aanvaller reed weer strak naast hen. Nu pas viel het Marit op dat de ramen van de wagen geblindeerd waren. Met de beste wil van de wereld konden ze niet zien wie hen op de hielen zat en daardoor bleef het waarom ook een groot raadsel. Het was extra beklemmend dat ze hun aanvaller niet in de ogen konden kijken. De auto reed weer op hen in en probeerde hen van de weg te duwen. Het angstzweet brak Marit uit. Fiona wist hen ook deze keer weer op de weg te houden, maar hoe vaak zou het haar nog lukken? De camping kwam in zicht en de blauwe zwaailichten kwamen rap dichterbij. Marit hoopte dat het hun aanvaller zou afschrikken, maar niets was minder waar. Wederom gooide hij zijn stuur om en probeerde hij hen te rammen. Metaal tegen metaal, krassende en schurende geluiden. Hun auto schoot door en belandde in een geul langs de weg bij de ingang van de camping. Marit schoot naar voren en stootte haar hoofd keihard tegen het dashboardkastje. Ze hing versuft in haar stoel.

'Marit, je bloedt!' hoorde ze Fiona naast zich schreeuwen.

Blijkbaar had zij minder schade opgelopen. Ze hoorde een klik en voelde dat haar gordel werd losgemaakt. Een pijnscheut trok door haar hoofd en ze zag sterretjes. Even gaf ze toe aan de duisternis die haar wereld probeerde over te nemen, maar voordat ze helemaal wegzakte in haar verdoofde toestand, bracht een stoot adrenaline haar weer terug naar de werkelijkheid. Ze waren nog steeds niet veilig! Waar was hun achtervolger gebleven? Was hij gewapend en kon hij elk moment hun auto binnenvallen?

Marit sperde haar ogen open van schrik en schoot overeind, paniekerig om zich heen kijkend. Links flitste iets blauws voorbij en er werd op haar raampje gebonsd. Ze gilde het uit. Nu waren ze er geweest! Twee donkere ogen onder een blauwe pet keken haar onderzoekend aan. Politie! Gelukkig.

Fiona was al uitgestapt en liep naar de motoragent toe die zijn focus verlegde van Marit naar haar. Blijkbaar zag ze er niet ernstig gewond genoeg uit voor een portie eerste hulp. Ze hoorde haar vriendin in een verwarde mix van Frans en Engels vertellen wat er was gebeurd. Een groepje jongeren dat zojuist aan was komen lopen en vanuit het dorp had gezien dat ze van de weg waren gereden, bevestigden haar verhaal. De politieagent briefde zijn collega die de achtervolging had ingezet de informatie door via het communicatiesysteem in zijn helm. Marit had inmiddels haar autoportier open weten te krijgen en probeerde uit de auto te komen. Ze stond te tollen op haar benen en de motoragent kon haar nog net opvangen voordat ze omviel. Hij legde haar op de grond en haalde een EHBO-kit uit de koffer op zijn motor. De deken die erin zat, legde hij voorzichtig onder haar hoofd. Marit liet het zich allemaal welgevallen. Ze voelde zich raar en sloot haar ogen in de hoop dat het gedraai zou afnemen. Ze ving iets op over een ambulance. Ze vond het allemaal prima. Ze wilde alleen maar slapen.

Al snel drong het geluid van sirenes tot haar door. Die lieten er ook geen gras over groeien. Door het wolkige gevoel in haar hoofd was de reden waarom ze daar lag lichtelijk naar de achtergrond verdwenen, maar het besef dat het ook anders had kunnen aflopen en dat ze misschien nog steeds wel gevaar liepen zolang hun belager zonder gezicht niet gepakt was, kwam in alle hevigheid terug. Ze begon onrustig met haar hoofd te draaien en om zich heen te kijken. Fiona stond een stukje verderop druk te bellen en maakte niet de indruk zich onveilig te voelen. Ze was benieuwd wie ze aan de lijn had en waar het gesprek over ging. Verstaan kon ze het in elk geval niet. Er trok weer een steek door haar hoofd en ze kreunde.

De ambulance was inmiddels gearriveerd en twee broeders bogen zich over haar heen. Ze tilden haar op een brancard en legden haar veilig in de ambulance voordat ze haar begonnen te onderzoeken. Er werd met een lampje in haar ogen geschenen, haar hoofdwond werd verzorgd en haar bloeddruk werd opgemeten. Zo goed en zo kwaad als het ging beantwoordde ze in het Engels de vragen die het ambulancepersoneel aan haar stelde. Fiona was klaar met bellen en stak haar hoofd naar binnen.

'*Is she allright?*' vroeg ze aan een van de broeders.

Hij knikte. '*I don't think she has a...*' Er viel een stilte en de man keek alsof hij nadacht. '*Commotion cérébrale.*'

'Dat klinkt als een soort meergranenbrood, maar dat zal hij wel niet bedoelen,' mompelde Fiona.

'*I don't know the English word,*' verontschuldigde hij zich. '*You have to wake her every hour for twenty-four hours to check if there is no brain damage or internal bleeding.*'

'Ah, ik snap het al, Marit, je hebt waarschijnlijk geen hersenschudding, maar ik moet je de komende vierentwintig uur wel elk uur wakker maken om te controleren of je geen hersenbloeding hebt of zo.'

Marit sperde haar ogen angstig open. 'Hersenbloeding? Ik geloof dat ik me ineens niet zo lekker voel.'

'Dat zit allemaal tussen je oren, Marit, ga nou niet de dramaqueen uithangen.' Fiona sprak haar streng toe met de bedoeling haar te kalmeren.

Marit wilde protesteren, maar de broeder legde geruststellend een hand op haar schouder. Hij kon niet verstaan wat Fiona tegen haar zei, maar was blijkbaar wel goed in lichaamstaal. Dat had een rustgevender effect en Marit ontspande weer een beetje.

'*Come here, lady, you are bleeding.*' De andere broeder wenkte Fiona dat ze naar binnen moest komen.

'*Oh, it's nothing,*' wuifde Fiona zijn woorden weg.

De broeder liep naar haar toe en hielp haar met zachte dwang de ambulance in. Hij zette haar op een uitklapbare stoel die naast de brancard stond waar Marit op lag. Hij pakte een flesje met vloeistof en wat gaasjes en begon de wond bij haar knie te behandelen.

'Au,' riep Fiona verontwaardigd uit toen het ontsmettingsmiddel op haar beschadigde huid terechtkwam.

De broeder ging onverstoorbaar verder met zijn werk.

'Dat spul bijt als de ziekte,' klaagde Fiona. Ineens was ze heel wat minder stoer dan ze zich al die tijd had voorgedaan.

'Aanstelster. Sem piept zelfs minder dan jij bij dit soort dingen.' Nu was het Marits beurt om de dingen te bagatelliseren.

Fiona begon te huilen.

'Fi, wat is er?' Marit wilde van de brancard afklimmen om haar vriendin te troosten, maar ze werd tegengehouden.

'*Careful, lady.*'

De duizeling in haar hoofd deed haar beseffen dat de broeder gelijk had. Hij hielp haar rustig overeind en hield haar stevig vast.

'Ik ben zo geschrokken,' snikte Fiona. 'We hadden wel dood kunnen zijn.'

Marit zag haar vriendin voor haar ogen breken. Ondersteund door de broeder liep ze naar haar toe en ging op de stoel naast haar zitten. Voorzichtig pakte ze Fiona's hand. 'Hier, knijp er maar in als het pijn doet.' Bij Sem en Lotte werkte dat altijd goed en misschien werkte het bij Fiona ook wel nu ze zo kwetsbaar was en erbij zat als een klein meisje.

De broeder plakte de wond op Fiona's been zorgvuldig af. '*You can go both now. Don't forget to wake her up every hour,*' drukte hij Fiona nogmaals op het hart.

De andere broeder hielp hen de ambulance uit. In de tussentijd was er een sleepwagen gearriveerd om hun auto uit de greppel te takelen. 'Ik heb het ANWB-steunpunt in Lyon gebeld toen jij in de ambulance werd behandeld. Echt aardige lui,' zei Fiona. 'Toch wel handig die Wegenwacht Europa Service.'

'Heb je ook om vervangend vervoer gevraagd?'

'Ja, als het goed is wordt er morgenochtend een auto afgeleverd op de camping en dan kunnen we zelf naar de garage rijden om jouw auto weer op te halen zodra hij gemaakt is. De leenauto kunnen we dan bij de garage achterlaten.'

'Ik hoop niet dat mijn auto total loss is, want ik heb geen geld voor een nieuwe en ik kan eigenlijk niet zonder auto.'

'Volgens mij valt het wel mee. Een paar deukjes, een lekke band en een kapotte spiegel als ik het zo bekijk,' probeerde Fiona Marits zorgen weg te nemen.

Haar vriendin bleef echter bedenkelijk kijken. De politieagent stond een stukje verderop met campingbeheerder François Gaballier te praten. Blijkbaar was hij wakker geworden van alle commotie en kwam hij poolshoogte nemen. Hij knikte hen van een afstandje vriendelijk toe.

'Nou, hij is vannacht duidelijk met een beter been uit bed gestapt dan gisteren,' concludeerde Fiona.

De politieagent kwam op hen af lopen. Zijn collega was nog steeds niet terug. Zou hij hun belager al te pakken hebben? De agent wenkte hen mee naar zijn motor en ze volgden hem schaapachtig. Hij rommelde wat in de koffer die eraan hing en haalde er een blaasapparaat uit.

'*You were driving the car right?*' vroeg hij aan Fiona.

Ze knikte.

'*Could you please blow my apparatus?*' Hij hield haar het blaasapparaat voor en Fiona probeerde haar lachen in te houden.

'Haha, hij praat toch minder goed Engels dan we dachten,' giechelde Marit terwijl ze naar haar hoofd greep. 'Blaas jij maar even lekker op zijn "apparaat". Zou hij beseffen wat hij net heeft gezegd?'

'Laten we het er maar op houden van niet.' Fiona stak het blaaspijpje in haar mond, blies tot het apparaat piepte en gaf het terug aan de agent zodat hij de uitslag kon aflezen.

'*Bon*,' concludeerde hij tot hun beider opluchting.

Fiona had maar één cocktail gedronken, maar stel dat de barman een beetje was uitgeschoten, dan had ze nu flink in de problemen gezeten. Marit hoefde niet te blazen omdat ze bijrijder was. Dat haar waardes de toegestane limiet zouden overschrijden was zo klaar als een klontje, hoewel de schrik van de achtervolging behoorlijk ontnuchterend had gewerkt.

De agent richtte zich tot Marit. 'Zijn er mensen die u iets aan zouden willen doen?'

Marit schrok van die directe vraag. Met het schaamrood op haar kaken deed ze verslag van haar afgebroken amoureuze poging in Le Kallistos met het Franse heerschap. Maar ze voegde er meteen aan toe dat ze zich eigenlijk niet voor kon stellen dat dat de aanleiding was geweest voor wat er vanavond was gebeurd.

Toen de agent haar vroeg hoe de man heette en of ze verder iets van hem wist, moest ze hem het antwoord schuldig blijven.

'Er is nog iets anders wat u moet weten,' onderbrak Fiona.

Marit keek haar vragend aan. De agent draaide zich om naar Fiona. 'Vertelt u maar.'

Voordat Marit in kon grijpen gooide Fiona in een lange monoloog het hele verhaal van Brian eruit. Van het moment dat ze hem ontmoet hadden, tot de laatste keer dat hij dronken hun tent was binnengedrongen, waarbij ze geen enkel detail oversloeg. Ook vertelde ze dat ze waren verhoord over de moord op hun landgenoten in Mâcon en dat ze hadden nagelaten om de politie in te lichten over Brian die daar ook aanwezig was geweest die nacht.

De agent onderbrak haar slechts een paar keer. Marit zat er ietwat verslagen bij. Toen Fiona uit was gepraat, keek hij haar strak aan.

'Kunt u me het nummer geven van de heer Clement die u eerder deze week gehoord heeft?'

'Marit, weet jij nog waar we dat kaartje met zijn gegevens hebben gelaten?'

Marit greep werktuigelijk naar haar tas en ritste een van de vele vakjes open. Na enig gerommel viste ze er een verkreukeld visitekaartje uit en gaf het aan de agent. Hij nam het aan en belde hem meteen op. 'Hij wil jullie zelf spreken.'

Zowel Marit als Fiona werden telefonisch stevig aan de tand gevoeld. Clement kon het niet bepaald waarderen dat ze de informatie over Brian bij het vorige verhoor volledig hadden weggelaten. Nadat ze hem eindelijk hadden weten te overtuigen dat ze nu echt eerlijk waren geweest en elk detail, hoe onbelangrijk ook, met hem hadden gedeeld, beëindigde hij het gesprek. Ze hadden toestemming om de camping te verlaten en verder te trekken naar het zuiden, maar moesten wel telefonisch bereikbaar blijven en als hun ook maar iets te binnen schoot aan extra informatie of als Brian weer opdook, moesten ze onmiddellijk contact met Clement opnemen. Dat hadden ze plechtig beloofd en vervolgens hadden ze het toestel teruggegeven aan de agent.

'Geeft u me allebei uw telefoonnummers nog even.'

Ze wisselden telefoonnummers uit met de agent zodat ze te bereiken waren voor eventuele aanvullende vragen of nieuwe informatie over het onderzoek. Hij drukte hun op het hart te bellen als ze zich nieuwe dingen herinnerden, hoe onbenullig die informatie misschien ook leek. Alles kon van belang zijn om de wegpiraat te achterhalen.

'Waarschijnlijk is het niks hoor,' sprak Fiona aarzelend, 'maar ik heb onlangs een akkefietje met een ex-minnaar gehad en hij heeft wat dreigende taal uitgeslagen. Misschien is het verstandig om hem voor de zekerheid even na te trekken?'

De agent vroeg haar om wat specifieker te zijn en ze vertelde hem over de intieme foto's die buiten haar medeweten om op Facebook en Twitter waren geplaatst. Fiona gaf hem het telefoonnummer van de man.

'Ik kan het me niet voorstellen hoor, dat hij er iets mee te maken heeft,' zei ze nogmaals tegen de agent.

'Laat u dat nou maar aan ons over om te bepalen. Goed dat u dit gemeld hebt. We nemen dit heel serieus en willen elke aanwijzing die licht op de zaak kan werpen tot op de bodem uitzoeken. Als we nog vragen hebben, zullen we contact met u opnemen.'

Gaballier voegde zich bij hen en bood hun aan om de rest van de nacht door te brengen in een leegstaand chalet op het terrein. Hij kon zich levendig voorstellen dat ze zich in hun tent waarschijnlijk een stuk minder veilig voelden na alles wat er gebeurd was. Mocht hun belager nog terugkomen dan zou het een stuk lastiger zijn om hen te vinden.

Marit kon nog steeds niet geloven dat de aanval tegen hen persoonlijk gericht was. De bestuurder van de geblindeerde wagen was waarschijnlijk een dronken rijkeluiszoontje dat zich verveelde en als een idioot over de weg scheurde op zoek naar kicks die hij in het dagelijks leven niet kon vinden.

Toch maakten ze dankbaar gebruik van het aanbod van Gaballier en Fiona sjouwde samen met hem de belangrijkste spullen van de tent naar het houten vakantieverblijf. Marit was vast op het onopgemaakte bed gaan liggen, haar kop knalde bijna uit elkaar. Een echt bed lag toch duizend keer lekkerder dan het luchtbedje waar ze de afgelopen nachten op had doorgebracht.

Ze was al in een diepe slaap verzonken toen Fiona klaar was met het overhevelen van de spullen. Ze merkte niet meer dat haar vriendin haar toedekte met een slaapzak en in haar telefoon het alarm op elk uur zette.

Het geluid van Marits diepe ademhaling klonk door de kamer terwijl Fiona op haar rug naar het plafond lag te staren. Over een uur zou de wekker voor het eerst gaan en moest Marit worden gewekt. Ondanks het feit dat de deur van het chalet zorgvuldig op slot zat, klonk elk geluid verdacht. Ze konden zich hier niet meer veilig voelen, er was al te veel gebeurd. Het beste was om zo snel mogelijk te verkassen naar een andere plek. Verder rijden richting Middellandse Zee leek een goede optie. Bijkomend voordeel was dat ze dan ook meteen verlost zouden zijn van de verrassingsbezoekjes van Brian. Een zeer aanlokkelijk idee.

55

Die trutten moesten van de weg af. Hij kon zijn woede niet langer bedwingen. Hij genoot van de schok die door de auto ging toen hij hun
bumper raakte. En nog eens. Hij voelde de deuken in het metaal komen. Het voelde of hij zelf geslagen werd. Een stevige aanraking kon
hij wel waarderen. Hij deelde zelf ook graag klappen uit. Het werkte
bevrijdend, was een ontlading. Hij gaf gas bij, passeerde hen en bleef
naast hen rijden. Hij genoot van de van angst vertrokken bleke gezichten. Hij verkneukelde zich erover dat ze hem niet konden zien. Dat
maakte het extra spannend. Het viel hem een beetje tegen dat dat wijf
beter kon sturen dan hij had gedacht. Maar aan de andere kant maakte
dat het spel nog leuker. Hij liet de auto opzij zwenken, schurkte tegen
hen aan als een spinnende poes die kopjes gaf. Hij bepaalde het moment wanneer hij zijn nagels uit zou zetten. Nog even wachten, nog
heel even, NU!
Hij stuurde zijn auto resoluut hun kant op, gooide het stuur naar
rechts en trok hem deze keer niet recht. Zijn auto was zwaarder dan
die van hen, hij zou dit gaan winnen. Piepende banden, metaal op
metaal en hop daar gingen ze. De weerstand die hij voelde nam af en
de auto naast hem belandde in een geul langs de weg.
Hij gaf gas bij, want hoe graag hij het ook zou willen, hij kon en
mocht niet stoppen. Hij moest maken dat hij wegkwam. Fuck, het
blauwe zwaailicht dat hem al eerder was opgevallen, kwam steeds
dichterbij en naderde sneller dan hem lief was. Hij gaf nog een flinke
dot gas bij. Met piepende banden vloog hij richting een haarspeldbocht. Deze rit vergde al zijn concentratie. Hij zette zijn groot licht
weer aan. De slingerende weg was overdag al een uitdaging als je je
niet goed aan de snelheid hield, laat staan midden in de nacht. Was

het nou zo moeilijk om hier wat verlichting te plaatsen? Blijkbaar wel, bevestigde de gitzwarte weg.

Met al zijn stuurmanskunst nam hij op hoge snelheid de haarspeldbocht. Angstvallig keek hij naar de afgrond langs de weg, gelukkig stond er een houten afzetting voor. Hij vroeg zich af of die sterk genoeg zou zijn om te voorkomen dat je de afgrond in vloog als je er met volle vaart tegenaan klapte. Hij was niet van plan het uit te testen. Ondanks zijn onverantwoord hoge snelheid leek de motoragent terrein te winnen. Het geluid van zijn gillende sirene was steeds beter hoorbaar en zijn blauwe zwaailichten gaven de weg achter hem een spookachtige aanblik. Nog meer gas dan maar, hij had geen keuze. Zijn zweterige handen gleden bijna van het stuur in de haarspeldbocht die volgde. De auto zwenkte ongecontroleerd heen en weer, maar hij wist hem weer onder controle te krijgen. Ook deze bocht kwam hij goed door. Op een recht stuk wreef hij een voor een zijn handen af aan zijn stugge spijkerbroek zodat hij zijn greep om het stuur weer kon verstevigen. Weer een haarspeldbocht. Het kostte hem bij elke bocht meer moeite om de auto op de weg te houden. Gas terugnemen zat er niet in, hij moest de agent voorblijven. Als hij nu gepakt werd, hield alles op en dat mocht niet gebeuren. Er rustte een grote verantwoordelijkheid op zijn schouders. Hij moest de gemaakte fouten herstellen.

De volgende bocht was iets minder scherp en bood meer uitwijkmogelijkheden omdat er parkeerplekken waren gecreëerd. Hij ging er voor het gemak maar even van uit dat er geen tegenliggers waren op dit nachtelijke tijdstip. Terwijl hij de bocht ruim instuurde en de afstand tussen hem en de agent nogmaals checkte, zag hij aan zijn linkerhand de Demoiselles Coiffées de Pontis opdoemen. Een bekende rotsformatie in deze streek waar toeristen graag foto's van maakten, vandaar ook de parkeerplekken in de bocht. Karakteristiek was de vorm van de rechtopstaande rotsen met hun overhangende toppen. Ze deden denken aan statige dames met zorgvuldig gestylede kapsels.

Hij richtte zijn aandacht weer op de weg. Concentratie was vereist, want de agent bleef maar dichterbij komen. Angstvallig keek hij naar de afgrond aan de rechterkant. Op hele stukken langs de weg ontbrak de vangrail. Tot nu toe was er in alle bochten nog een afscheiding geweest, maar hij kon er niet van uitgaan dat dat ook zo zou blijven. Na een scherpe bocht naar links, volgde er meteen een naar rechts. Hij schampte de vangrail en een stoot adrenaline schoot door zijn lijf toen hij de auto weer onder controle probeerde te krijgen. Het gaf de motoragent een uitgelezen kans om nog verder op hem in te lopen. Hij was nog maar een paar honderd meter van hem verwijderd toen zijn auto weer recht op de weg lag.

Ondanks het feit dat het onverantwoord was, gaf hij gas bij. Hij voelde de banden spinnen. Hij naderde de volgende bocht en weer stuurde hij strak in. Te strak deze keer. Wat hij al die tijd had gevreesd, werd bewaarheid. Deze bocht had geen vangrail en met volle snelheid vloog hij eruit. Hij zweefde en sloot zijn ogen, klaar voor de klap.

56

Er werd stevig op de deur van het chalet geklopt. Fiona schoot overeind en liep naar de deur. Marit hield haar ogen demonstratief gesloten. O, wat voelde ze zich brak. Fiona had haar keurig elk uur wakker gemaakt. Ze kon zich niet voorstellen dat deze gebroken nacht haar herstel ten goede kwam. Haar hoofd bonkte nog steeds als een idioot. Ze kon niet helemaal duiden of het van de klap was of dat er ook nog een katertje meespeelde op de achtergrond. Ze rommelde in de tas die naast haar bed op de grond stond en viste er een paracetamol uit. Ze nam hem in met het water naast haar bed. Wederom een verdienste waar ze Fiona in stilte voor bedankte. Ze liet zich terugvallen in het kussen. Fiona kwam de kamer weer binnen.

'Ik heb een handtekening van je nodig, want de vervangende auto is er.'

'Kun jij niet even een krabbel zetten?'

'Nee, het wegenwachtabonnement staat op jouw naam dus ze nemen alleen genoegen met jouw handtekening en ze hebben je creditcardgegevens nodig voor de huurauto.'

'Oké, dan kom ik eraan.' Ze ging rechtop zitten en greep naar haar hoofd.

'Gaat het?' vroeg Fiona bezorgd.

'Hmm, ik heb me weleens beter gevoeld. Man, wat ben ik moe. Ik dacht dat een vakantie was om uit te rusten.'

'Dat zou ook zo moeten zijn ja,' verzuchtte Fiona. 'En dat gun ik je ook zo. Mezelf ook wel een beetje trouwens...'

Er werd weer ongeduldig op de voordeur geklopt. 'Madame Van Doorn?' baste een zware mannenstem.

'*Ah, oui, je suis... coming. Patience.*'

Ze liep op haar blote voeten naar de deur, griste haar creditcard uit haar tas en knipperde met haar ogen om het felle zonlicht gedoseerd binnen te laten komen. De man stak haar een pen toe, reikte haar een formulier aan en wees op een vakje. Met samengeknepen ogen voorzag ze het lege vakje op het formulier van haar handtekening en zette er een ferme punt achter.

'*Numéro de la carte de crédit?*' wees hij op een ander oningevuld gedeelte op het formulier.

Ze vulde de gegevens in en liet hem ter controle haar creditcard zien. '*D'accord*,' was zijn reactie.

Ze gaf de spullen terug aan de man en hij duwde haar een autosleutel in haar handen. Het viel haar op dat zijn handen er voor een automan netjes uitzagen. Geen sporen van olie, vet en eelt die je bij dat soort mannen altijd zag.

Fiona was ondertussen langs hen heen geglipt. Marit gokte dat ze ontbijt ging halen. Bij het idee aan eten werd ze spontaan misselijk. De paracetamol leek te werken, want de pijn in haar hoofd was wat beter te verdragen dan toen ze wakker werd. Ook het zweverige gevoel was minder dan gisteren vlak na de crash. Ze kon er dus van uitgaan dat ze geen hersenschudding had.

Ze was benieuwd of de politie hun belager nog te pakken had gekregen. Tot op heden hadden ze nog niets gehoord en was er geen enkele poging tot contact meer geweest. De man die de leenauto had gebracht, stak zijn hand naar haar op en mompelde iets in het Frans. Hij vertrok zonder verder nog om te kijken. Hij had haar nog helemaal niet verteld welk type auto hij voor haar had achtergelaten en waar hij het ding precies had neergezet.

'*Monsieur!*' riep ze hem na, maar hij vertoonde geen enkele reactie en vertraagde zijn pas geen moment.

'Zoek-het-zelf-maar-uit-producties zeker? *Quelle service!*'

Ze had niet de puf om in volle sprint achter de man aan te gaan en hem staande te houden. Met een verongelijkt gezicht liet ze haar ogen over het formulier gaan dat ze zojuist had ondertekend. Het kenteken van de leenauto stond erop. Dat was in elk geval een aanwijzing.

Ze liep naar binnen en pakte haar zonnebril van de tafel. Met het formulier in haar handen liep ze naar de parkeerplaats van de camping om te zien of de auto daartussen stond. Dat was niet het geval. Misschien dat het ding dan op een van de plekken buiten de slagboom stond? Ze zou daar nog een poging wagen en anders schakelde ze de receptie wel in.

Bij nader inzien had ze dat beter eerst kunnen doen. Had een hoop tijd en ergernis bespaard. Buiten het campingterrein stonden drie auto's en bingo, een ervan droeg het Franse kenteken dat ook op haar formulier stond. Ze liep ernaartoe en drukte op het knopje voor de centrale deurvergrendeling. Wat een luxe! Ze ging achter het stuur zitten en bekeek het dashboard. Voor zover ze kon zien, had deze auto ook airco.

Ze startte de motor en concludeerde dat ze zelf toch echt in een oud beestje reed. Haar eigen auto ronkte en rammelde veel meer dan dit leenexemplaar. Toch hoopte ze vurig dat haar oude bakkie nog een paar jaar mee kon. Ze had geen geld voor een nieuwe en ondanks het feit dat hij er al heel wat jaartjes en kilometers op had zitten, bracht hij haar tot nu toe altijd overal waar ze zijn moest en dat was toch waar het in de basis om ging. Ze haalde de sleutel weer uit het contact, sloot de auto af en liep richting het chalet. Fiona zou inmiddels wel terug zijn en zich afvragen waar ze gebleven was.

57

Nadat ze een dag lang beduusd rond hun tent hadden gehangen om de aanslag op hun leven te verwerken, zaten Fiona en Marit vandaag wat bleekjes en brak van het slaapgebrek aan het ontbijt. Om en om hadden ze elkaar gisteren afgewisseld als bewaker van de tent zodat de ander met een semigerust hart een poging kon doen wat uurtjes slaap in te halen. Het had niet veel opgeleverd. Allebei zaten ze nog veel te vol met adrenaline om de echte diepe slaap te kunnen vatten. Ook liet de gedachte wie het op hen gemunt had hen nog steeds niet los. Was het de man die Marit had afgewezen in de discotheek, had Brian er iets mee te maken of was het in het meest onwaarschijnlijke geval toch de boze Facebook-man?

Tot meer dan vluchtige dutjes en een hoop gepieker waren ze niet gekomen. Het verlangen om verder te reizen zweefde onuitgesproken tussen hen in. Fiona doorbrak als eerste de stilte en vatte de koe bij de hoorns.

'Ik heb het eigenlijk wel gezien hier.' Ze kauwde verwoed op een stokbroodkorst die ze zojuist zeer ruim met aardbeienjam had besmeerd. Van het restant dat ze nog in haar hand hield droop een grote klodder af zonder dat ze het in de gaten had.

'Je knoeit,' attendeerde Marit haar op de plakkerige kliederboel die op de tafel terechtkwam.

Achteloos veegde Fiona de klodder met haar wijsvinger op en stopte hem in haar mond.

'Zullen we nog wat verder naar het zuiden doorrijden?' hervatte ze het gesprek.

Marit nam even de tijd en liet het voorstel op zich inwerken. 'Misschien moesten we dat maar doen ja. Ik voel me hier niet echt veilig

meer na wat er eergisteren is gebeurd. Ik word er een beetje parano-
ide van en heb het gevoel dat ik steeds over mijn schouder moet kijken.'

'Niet echt wat we in gedachten hadden voor deze vakantie hè?' Fiona's gezicht betrok.

'Echt niet, nee. Voel jij je ook zo opgejaagd?'

'Ja,' beaamde Fiona. 'Vooral ook omdat die Brian voor mijn gevoel
elk moment weer voor onze neus kan staan.'

'Gut ja, die hebben we ook nog. Ik had hem even naar de achtergrond verdrongen in mijn hoofd. Ik dacht even dat ik hem laatst in
die discotheek bij de dansvloer zag staan, maar ik denk dat ik me
vergist heb.'

'Ik heb niks gezien.'

'Nee, maar jij was ook nogal druk met andere dingen.'

'Moet jij nodig zeggen,' schamperde Fiona.

'Fi, jij bent echt verschrikkelijk!'

Voordat Fiona de kans kreeg om te reageren attendeerde Marit haar
op de motoragent die hen gisteren had geholpen. De man kwam met
ferme pas op hen af gelopen. Zijn gezicht stond ernstig.

Marit stond zo gehaast op dat haar stoeltje omviel. Ze bukte zich in
allerijl om het ding op te rapen en schreeuwde een verschrikt 'au'
toen haar hoofd protesteerde.

'Rustig nou,' reageerde Fiona bezorgd.

De agent stond inmiddels voor hun neus. '*Bonjour mesdames. Ça va?*'

'*Ça va bien, merci*,' haalde Marit weer een stukje Franse les naar boven.

'Weet u het zeker? U ziet wat bleekjes.'

Fiona knikte. 'Ik voel me prima.'

De agent onderbrak haar. 'Kunnen we even een kopje koffie drinken
bij uw tent? Ik wil graag iets met u bespreken.'

'Maar natuurlijk.'

Marit gebaarde uitnodigend naar haar eigen stoel en de agent nam
plaats. Fiona pakte een extra beker en klapstoeltje en voegde zich
weer bij hen. Marit ging dankbaar zitten. Te lang staan was nog geen
aanrader merkte ze. De agent nam tot grote ergernis van Fiona rustig

de tijd om suiker en melk in zijn koffie te doen.

'Brand maar los,' spoorde ze hem aan.

Hij nam eerst nog een slok voordat hij gehoor gaf aan haar verzoek.

'We hebben de auto die u beiden onlangs achtervolgde en van de weg heeft gereden gevonden.'

Marit haalde opgelucht adem, maar Fiona leek weinig rust uit het nieuws te halen.

'Weet u ook wie er achter het stuur zat?'

'Nee, helaas.'

'Hoe kan het nou dat u dat niet weet?'

'Omdat de auto uit de bocht is gevlogen. We hebben hem beschadigd en gedeeltelijk uitgebrand gevonden op een stuk grasland van een boer die beneden in de vallei leeft.'

'Is de bestuurder verbrand of omgekomen?' vroeg Fiona.

'Mijn collega heeft geen bestuurder aangetroffen in de auto toen hij op de plek van het ongeluk arriveerde...'

'U bedoelt dat hij ontsnapt is?'

'We vermoeden van wel. We hebben wel bloed in de auto aangetroffen dus het kan niet anders dan dat hij gewond is, maar we hebben hem nog niet kunnen traceren.'

'Hebben jullie wel goed gekeken?'

De agent wierp Fiona een vernietigende blik toe. 'Twijfelt u aan de kwaliteit van ons recherchewerk, mevrouw?'

Marit gaf Fiona een trap onder tafel.

'Natuurlijk niet, ze bedoelt het niet zo.'

Marit nam het gesprek over en Fiona hield wijselijk haar mond. Het laatste wat ze nu konden gebruiken was dat de politie zich tegen hen keerde. Haar vriendin leek zich daar ook bewust van te zijn.

'Gaat u verder,' spoorde Marit de agent aan.

'Waar we inmiddels wel zekerheid over hebben is dat het een gestolen auto betreft. De wagen was eerder op de dag ontvreemd van de rechtmatige eigenaar. Daarom is het ook niet zo eenvoudig om de bestuurder die u belaagde te achterhalen.'

'Dus u hebt geen flauw idee wie ons iets probeerde aan te doen en in welke hoek we het moeten zoeken,' concludeerde Marit.

De agent knikte bevestigend. 'Eén ding hebben we wel kunnen uitsluiten: de man die dreigementen naar uw vriendin heeft geuit wegens het online zetten van wat indiscrete foto's heeft er in elk geval niets mee te maken. Onze Nederlandse collega's hebben hem uitgebreid gehoord en hij was ten tijde van de achtervolging thuis en hij had een, uhm, getuige.' De aarzeling in zijn stem en het tijdstip waarop de getuige bij de man was, impliceerden dat het om iemand van het vrouwelijke geslacht ging.

'Nou, dan is hij me ook snel vergeten,' concludeerde Fiona. 'En hoe zit het met de man uit de discotheek of de lifter waar we u over vertelden?'

'Het is ons tot nu toe helaas nog niet gelukt om een van hen te traceren.'

Bij Marit sloeg de paniek nu pas echt toe. Nu de Facebook-man was afgevallen als mogelijke dader en de andere twee verdachten nog niet gehoord waren, betekende dit dat ze nog steeds niet wisten of de aanval specifiek op hen was gericht of dat het een willekeurige actie was geweest van een agressieveling. Ze liepen mogelijk dus nog steeds gevaar.

'Hebben jullie de ziekenhuizen in de buurt gecontroleerd op gewonde mensen?' Ook Fiona besefte dat het gevaar mogelijk nog niet geweken was.

'Natuurlijk hebben we alle ziekenhuizen gecheckt.' De agent bleef beleefd, maar het was duidelijk dat hij zich aan Fiona ergerde. Met een iets te harde klap zette hij zijn koffiemok op tafel en morste op het tafelkleed.

'Maar zonder resultaat dus?' vroeg Fiona naar de bekende weg.

De agent nam niet eens de moeite haar te antwoorden en richtte zich tot Marit. 'Het onderzoek loopt en we doen ons uiterste best om de zaak op te lossen, daar kunt u op vertrouwen. Zodra er nieuwe feiten bekend zijn, hoort u dat uiteraard van ons, ik kan alleen niet inschatten wanneer dat zal zijn. Ik hoop dat het u lukt om alle stress een beetje van u af te schudden en dat u nog een beetje van uw vakantie kunt genieten. Zorg wel dat u telefonisch bereikbaar blijft, zodat we snel kunnen schakelen als er nieuws is.' Hij stond op en gaf zowel Marit als Fiona een stevige hand. 'Een fijne dag nog.'

58

'Kom, dan gooien we alles in de auto. Ik wil hier eigenlijk geen seconde langer blijven dan noodzakelijk is. Wat jij?'

'Ik ook niet,' antwoordde Marit. 'Eerlijk gezegd weet ik niet of ik het sowieso wel zie zitten om verder te rijden. Moeten we niet gewoon naar huis rijden?'

'Ben jij belazerd? We gaan het er nog een weekje heerlijk van nemen. We zoeken ergens een hotelletje aan de kust en daar gaan we eindelijk genieten van zon, zee en strand. En kom niet aan met het verhaal dat je dat niet kunt betalen, want ik trakteer.' Fiona maakte meteen korte metten met Marits mogelijke tegenargumenten.

'Oké, onder die voorwaarden ben ik wel bereid het nog een kans te geven. Spullen verzamelen en wegwezen!'

Toen ze opstond begon Marits telefoon te rinkelen en ze nam op. Er volgde een stroom aan Frans geratel waar ze geen touw aan vast kon knopen.

'*Monsieur, parlez-vous anglais?*' probeerde ze, maar het geratel ging onverminderd door.

'*Moment monsieur.*' Ze gaf het toestel aan Fiona. 'Ik weet niet of jij er iets van kunt bakken, maar ik begrijp er niets van.'

Fiona nam het gesprek over en legde even later neer.

'Ik heb niet alles verstaan, maar volgens mij was het de garage dat je auto klaar is. Rijklaar in elk geval. De deuken hebben ze gelaten voor wat ze zijn, want dat zou te lang gaan duren en te veel geld kosten. Daar moet je in Nederland dan maar naar laten kijken. Het belangrijkste is dat we weer verder kunnen.'

'Goh, da's sneller dan ik had verwacht. Als ze die auto in twee dagen weer aan de praat hebben gekregen dan zal er weinig schokkends aan de hand zijn geweest. We leveren de leenauto zo meteen in en dan kunnen we met ons eigen bakkie verder rijden. Dat is fijn!'

Met hernieuwde energie verzamelden ze alle rondslingerende spullen in tassen.

'Zal ik Gaballier vast laten weten dat we vertrekken?' Fiona stond al met één voet buiten de tent.

'Prima, ik red me hier wel. Ik gooi jouw spullen ook in tassen en we zoeken alles later wel weer uit als we in ons goddelijke hotel met uitzicht op zee zijn gearriveerd.' Marit zuchtte verlekkerd. Uiteindelijk zou het allemaal toch nog goed komen. Ze hoefden niet meer spartaans te kamperen, ze zouden Brian voorgoed afschudden en als toetje had ze straks haar auto weer terug. 'Elk nadeel heb zijn voordeel' zei Johan Cruijff toch altijd? Die man had het helemaal nog niet zo slecht bekeken.

Ondanks haar nog steeds aanwezige koppijn ging ze fluitend verder met inpakken. Ze zag het weer helemaal zitten.

'Ik heb ook meteen uitgecheckt bij de receptie dus we kunnen er meteen vandoor nu,' kwam Fiona even later weer binnenvallen.

Marit had hun tassen al keurig opgestapeld staan. 'Oké, dan ga ik nog even plassen en dan kunnen we op pad.'

'Ik begin vast met sjouwen, heb je de autosleutel voor me?'

'Hij ligt op tafel. Het is die zwarte Renault buiten de slagboom.'

'Zie je zo!'

Nadat ze haar blaas had geleegd nam Marit nog een extra paracetamol en liep met de laatste tassen achter Fiona aan. De leenauto had ongeveer hetzelfde formaat als Marits auto dus hun spullen pasten er prima in. Fiona kroop automatisch achter het stuur. Marit keek nog een keer om voor ze instapte. Nee, ze zou het hier niet missen. Een hotel was toch echt meer haar ding. Tegelijkertijd realiseerde ze zich ook dat ze zich die luxe eigenlijk niet kon veroorloven. Het was dat Fiona de kosten voor haar rekening nam, maar anders was ze gewoon weer veroordeeld geweest tot een tentje. Ze had soms nog steeds moeite met de omschakeling van het grote huis met alles erop en eraan en het luxeleventje dat ze met Hans had geleid naar het simpele rijtjeshuis met dito levensstijl dat haar ten deel was gevallen. Eigenlijk vond ze het vreselijk om afhankelijk te zijn van Fiona, maar het woog niet op tegen het aanlokkelijke vooruitzicht van een hotelletje aan zee met een douche die er niet om de haverklap mee ophield. En een privétoilet, hoe lekker was dat. Het enige wat ze wel zou missen was het prachtige uitzicht op het meer, want dat was werkelijk een plaatje. Daar had ze nog wel wat meer van willen genieten.

'Heb jij de TomTom voor me?' Fiona haalde haar uit haar gedachten.

'Ja, ik zal hem even pakken.'

Marit stelde het adres van Garage des Alpes in Embrun in waar ze haar auto konden ophalen. Ze kon het niet laten om de hele rit naar de garage achterom te kijken om uit te sluiten dat ze gevolgd werden. Toen ze tot aan de garage niets verdachts had opgemerkt, begon ze eindelijk een beetje te ontspannen.

59

Marit nam met een blij gezicht plaats in haar vertrouwde wagen. Fiona had alles afgehandeld met de garagehouder. Goedkeurend klopte ze tegen de binnenkant van de deur. 'Je hebt je kranig geweerd, makker.'
'Zit je nou tegen je auto te praten?' Fiona stapte lachend in terwijl Marit een rode kop kreeg.
'Ze hebben de buitenspiegel gemaakt, banden vervangen en wat ander simpel reparatiewerk verricht. Verder leek alles wonder boven wonder in orde,' vatte Fiona samen wat ze van de monteur had begrepen. 'En nu snel wegwezen hier!'
'Helemaal mee eens. We vergeten die hele eerste week en beginnen gewoon opnieuw!'
Marit hing haar iPod aan de radio en zocht het album van Bruno Mars op. Al snel vulden de vrolijke klanken de auto. Uitgelaten zongen ze allebei mee. Al snel reden ze richting Gap.
'O, wat ben ik toch dol op bergen!' riep Marit enthousiast uit.
'Je auto is er wat minder gek op volgens mij,' reageerde Fiona droog. Ze drukte het gas stevig in, maar de auto bleef duidelijk moeite houden met de steile wegen. De motor maakte een zwaar brommend geluid.
'Ach, hij laat ons heus niet in de steek. We hebben weleens voor hetere vuren gestaan,' suste Marit. Op het moment dat ze de woorden uitsprak, kwam er rook onder de motorkap vandaan en sloeg de warmtemeter van de motor op alarm.
'We hebben zeker voor hetere vuren gestaan, maar nog niet voor een kokende motor...'
'Kijk, verderop is zo'n *aire*, misschien moeten we hem daar even laten afkoelen?'

Fiona zette koers naar de plek die Marit aanwees. Met de luid sputterende motor haalden ze precies het begin van de parkeerplaats. Na wat gepruttel en nog meer rook hield de auto er helemaal mee op.

'Verdomme!' vloekte Fiona terwijl ze een klap op het stuur gaf. 'Kutding!'

'Hé, rustig joh, die auto kan er ook niets aan doen.'

Marit stapte uit en duwde de auto richting de eerste de beste vrije parkeerhaven. Fiona trok de handrem overdreven hard aan en stapte met een hoofd dat net zo verhit was als de motor uit. Ze smeet het portier met een harde klap dicht.

'Die garage had alles toch nagekeken? Hoe kan het dan dat we nu weer langs de weg staan?'

Ze schopte uit frustratie tegen de voorband. Marit liet haar begaan en ging op de lege bank bij een picknicktafel zitten. Ze viste haar ANWB-papieren uit haar tas en draaide het nummer van het steunpunt in Lyon. Ze gaf aan de kordate vrouw aan de andere kant van de lijn de locatie door waar ze deze keer gestrand waren en dreunde haar lidmaatschapsnummer op. Wederom was ze blij dat ze ondanks haar krappe beurs toch haar abonnement weer had verlengd. Ze had zich zonder geen raad geweten.

'De hulptroepen zijn onderweg,' liet ze Fiona weten nadat ze had opgehangen.

'We kunnen wel een hotline beginnen met die club,' mompelde haar vriendin mokkend.

'Ach joh, wees blij dat we op ze terug kunnen vallen en dat we zo goed geholpen worden.'

Marit stond op en ging languit op de grasstrook rond de picknicktafel liggen. Te laat bedacht ze dat ze het gebied niet had gecheckt op hondenstront of andere viezigheid. Nou ja, mocht er iets liggen dan was het nu toch al te laat en veel erger dan dit kon het eigenlijk niet worden. Fiona kwam naast haar liggen.

'Je hebt gelijk ook. We moeten maar zo veel mogelijk zon meepakken, anders worden we nooit bruin.'

Verongelijkt keek ze naar haar licht gebronsde armen die normaliter veel bruiner hadden moeten zijn na een weekje Franse zon. Al snel doezelden ze allebei weg in de aangename warmte.

'*Madame, vous-êtes madame Van Doorn?*' Iemand schudde aan Fiona's schouder.

Ze opende één oog en keek in het gezicht van een ongeschoren man. Ze vloog overeind en gaf Marit een por.

'De pechdienst is er. We zijn in slaap gevallen!'

Ze wreef door haar ogen en zette haar zonnebril op die half in haar haar hing. Ook Marit was nu wakker en schudde de man van de pechdienst de hand. Ze wees hem waar de auto stond en gaf hem de autosleutel. De man verdween onder de motorkap en Marit volgde gespannen zijn verrichtingen. Hoofdschuddend kwam hij even later onder de motorkap vandaan.

'*Il est cassé.*' Ter verduidelijking deed hij net of hij iets in tweeën brak. '*Radiateur,*' liet hij er op volgen. '*Blub blub, perte totale.*'

Fiona kon haar lachen ondanks de vervelende mededeling nauwelijks inhouden. 'Ik denk dat hij het geluid van druppels nadoet en anders imiteert hij een goudvis.' Ze sloeg haar hand voor haar mond om haar lach te verbergen.

Marit vond het duidelijk wat minder grappig allemaal. '*Ma voiture est mort?*'

'*Ah, oui, radiateur blub, blub. Engine, est mort.*'

'Ik denk dat hij bedoelt dat je een lekkende radiateur hebt,' proestte ze het nu volop uit.

'Ik begrijp niet wat er zo grappig is aan deze situatie. Heb je enig idee wat dit voor gevolgen heeft?'

'Ik weet dat het helemaal niet grappig is, maar dit is toch *Murphy's law beyond*!' Ze draaide zich om en probeerde te stoppen met lachen.

De pechhulp keek haar bevreemd aan. Hij had het vast nog nooit meegemaakt dat iemand de slappe lach kreeg als hij een auto total loss verklaarde. Hij haalde zijn schouders op en belde met de sleepdienst.

Toen hij was vertrokken, plofte Marit weer neer in het gras en begon te huilen. Fiona had niet langer de slappe lach en sloeg een arm om haar heen.

'Hoe moet dat nou zonder auto? Ik heb geen geld voor een nieuwe. Hoe moet ik Lotte nu naar school brengen, boodschappen doen en...'

'Wat dacht je van op de fiets? Er zijn wel meer moeders die alleen maar een fiets tot hun beschikking hebben, hoor en die overleven het ook.'

'En als Sem en Lotte bij Hans gaan logeren dan? Ik kan ze toch niet allebei op mijn fiets zetten inclusief de bagage?'

'Dan komt die lul ze zelf maar ophalen, doet hij ook nog eens wat. En mocht hij dat weigeren, wat zeker niet ondenkbaar is, dan breng ik jullie weg, oké?'

Marit haalde luidruchtig haar neus op en pakte dankbaar het papieren zakdoekje aan dat Fiona haar voorhield.

60

De sleepwagen had hen naar een garage in Gap gebracht. De auto zou daar uiteindelijk de schroothoop op gaan. De leenauto die ze nu kregen, mochten ze houden tot ze na hun vakantie weer in Nederland waren. Marit regelde het invullen van de benodigde papieren en Fiona was vast begonnen om de spullen over te laden naar de andere auto. Na alle administratieve handelingen liep Marit naar Fiona. Met pijn in haar hart keek ze naar haar auto. Als ze dit allemaal van tevoren geweten had...

'Wat is dit nou?' Fiona was bezig de achterbank leeg te halen. 'Kijk, dit zat tussen de bekleding weggestopt. Is dat van Sem of Lotte?' Ze hield Marit het buideltje voor dat ze in haar hand hield. Het zag er een beetje goor uit.

'Geen idee wat dat is, het is in elk geval niet van mij of de kinderen.'

'Maak eens open, ik word nu toch wel erg nieuwsgierig,' spoorde Marit haar aan.

Fiona ontvouwde het buideltje en er kwamen twee paspoorten tevoorschijn. Ze sloeg het eerste paspoort open. Een man van middelbare leeftijd staarde haar aan vanaf de foto. Henricus Johannes de Wit stond erbij, geboren 15 mei 1960. Fiona opende het tweede document en liet het bijna uit haar handen vallen van schrik. Over de foto van de vrouw liepen donkerbruine vegen die verdacht veel op bloed leken.

'Dit is niet goed hoor, Marit.' Haar handen trilden en ze keek nerveus om zich heen.

'Laat mij eens kijken.' Marit pakte het paspoort voorzichtig van haar aan. Ze liet haar ogen over de besmeurde foto van Maria Petronella de Wit-Zeegers gaan. De vrouw was tien jaar jonger dan haar man.

Marit bracht het paspoort dichter naar haar gezicht en bestudeerde het zorgvuldig. 'Ik denk dat het bloed is,' fluisterde ze ontzet. 'Jij ook?'

'Ja,' reageerde Fiona met een klein stemmetje. 'Het kan niet anders dan dat Brian dit in onze auto heeft verstopt. Hij is de enige die op de achterbank heeft gezeten of überhaupt in de auto heeft gezeten buiten ons.'

'Zou hij toch iets te maken hebben met de moord bij dat hotel? Het ging om een Nederlands echtpaar.'

'We moeten Clement hierover bellen en hem de paspoorten geven.'

'Houdt het dan nooit op?' Fiona gooide wanhopig haar armen in de lucht.

'Ik vrees van niet.' Marit pakte haar telefoon en belde Clement om hem op de hoogte te brengen van hun vondst.

Fiona parkeerde de leenauto voor de slagbomen van de camping. Clement had hun verzocht naar de camping te komen om hem het buideltje te overhandigen. Hij had hun op het hart gedrukt overal met hun vingers af te blijven, om het bewijsmateriaal niet verder te vervuilen. Marit had het buideltje zorgvuldig weggeborgen in haar tas en was er niet rouwig om dat ze er niet meer aan mochten komen. Met enige haast liepen ze naar de receptie om zich daar te melden. De vrouw achter de balie herkende hen meteen en vertelde dat Clement er nog niet was.

'*We will wait for him at the lake,*' zei Fiona.

'Kunnen we niet beter hier wachten?'

'Ben je mal, het is prachtig weer dus laten we daar een beetje van genieten in plaats van hier in dat muffe hol te zitten.'

Zonder verder op Marits reactie te wachten liep ze naar buiten richting het meer. Marit besloot haar toch maar te volgen. Ze hield haar tas met de kostbare inhoud angstvallig bij zich, bang dat ze hem kwijt zou raken of het bewijsmateriaal schade zou toebrengen.

Fiona had er flink de pas in en Marit lag al zeker vijftig meter op haar achter. Ineens werd er een hand op haar schouder gelegd en werd ze ruw naar achteren getrokken. Haar hart leek even stil te staan van schrik. Ze was totaal overrompeld door deze aanval en had niet gemerkt dat iemand haar volgde. Ze verstijfde volledig en was niet in staat om te handelen. Wat je vaak las in interviews met slachtoffers van verkrachting of beroving klopte. Je kon van tevoren nog zo'n grote mond hebben dat het jou niet zou overkomen en dat je ze wel mores zou leren, maar als het erop aankwam dan deed je helemaal niets en onderging je het gewoon. Ze keek in de ogen van haar belager. Ogen die ze inmiddels heel goed kende en liever nooit meer had gezien.

'Brian, ik schrik me kapot, idioot.' Marit probeerde haar angst voor hem zo veel mogelijk te verbergen maar kon niet voorkomen dat haar stem hoog en schril klonk. Ze hoopte maar dat Fiona om zou kijken en haar te hulp zou snellen. Vooralsnog liep haar vriendin stug door richting meer.

'Nou, dat is niet de hartelijke begroeting die ik van je gewend ben, Marit. Slecht geweten?'

'Hoe zou jij reageren als iemand je ineens uit het niets in je nek grijpt?' probeerde Marit haar schrikkerige reactie te verklaren.

Brian ging dicht tegen haar aan staan en legde zijn grote hand in haar nek. Marit voelde zich uiterst kwetsbaar en probeerde voorzichtig uit zijn greep te ontsnappen. In plaats van haar te laten gaan, verstevigde Brian zijn greep nog wat meer.

'Laat me los Brian, je doet me pijn.' Ze spande haar spieren en pezen in haar nek aan om tegendruk te geven. Het had een averechts effect.

'Zeg, Marit,' fluisterde hij in haar oor. 'Ik ben iets kwijt en ik denk dat jij weet waar ik het kan vinden.' Zijn warme adem streek langs haar oor en ondanks de warmte kreeg ze kippenvel.

'Wat bedoel je?'

'Ik ben erachter gekomen dat ik iets in je auto heb laten liggen en dat wil ik terug.'

Marit hervond haar strijdlust weer een beetje en reageerde deze keer met vaste stem. 'Ik heb werkelijk geen idee waar je het over hebt en trouwens, mijn auto staat total loss bij een garage in Gap dus als je er nog iets mee wilt zul je snel moeten zijn. En zou je me nu dan los willen laten?'

'Ik geloof je niet, laat me in je tas kijken.' Hij begon aan het hengsel om haar schouder te trekken.

Marit verzette zich hevig. Ze trapte op zijn tenen, schopte en mepte waar ze maar kon. Desondanks wist Brian haar tas toch te bemachtigen en open te maken. Vrijwel meteen viel zijn oog op het buideltje met de paspoorten. Hij griste het eruit, gooide haar open tas met een wijde boog van zich af en begon te rennen.

'Houd de dief!' schreeuwde Marit terwijl ze achter hem aan ging.

Fiona had inmiddels ook door wat er aan de hand was en zette de achtervolging in. Een campinggast verderop versperde Brian de weg en stak een voet uit toen hij langs kwam sprinten. Hij wist zich niet staande te houden en viel plat op zijn gezicht. Het buideltje vloog uit zijn hand. Vloekend probeerde hij het te pakken, maar Marit was sneller.

'Wegwezen,' brulde Fiona tegen haar terwijl ze zichzelf op Brian stortte en hem op zijn kop begon te timmeren.

Woedend wierp hij haar van zich af en gaf haar een enorme kaakslag. Fiona verslapte onmiddellijk. De campinggast die Brian pootje had gehaakt, was op een afstandje gaan staan toen Fiona op hem dook, maar snelde nu naar haar toe. Dat gaf Brian de gelegenheid om te ontsnappen en achter Marit aan te gaan die richting het meer rende.

Paniekerig keek ze steeds achterom hoe het met haar voorsprong stond. Tot haar grote schrik zag ze dat Brian snel dichterbij kwam. Ze zette nog eens flink aan om nog meer tempo te maken. Haar slippers had ze onderweg al uitgeschopt. Scherpe steentjes boorden zich in haar voeten, maar ze negeerde de pijn. Ze bedacht dat ze beter richting receptie had kunnen rennen dan naar het meer, maar het was nu te laat om nog van koers te veranderen. Haar oog viel op een man in een speedboot bij de steiger. Ze zwaaide om zijn aandacht te trekken terwijl ze bleef rennen. Hij zag haar niet. Haar voeten stampten in hoog tempo over de houten steigerplanken. Vlak achter zich hoorde ze Brian aankomen. Er zat weinig anders op, ze moest springen en proberen in de boot terecht te komen. Dat was de enige manier om aan Brian te ontsnappen en het bewijsmateriaal droog te houden. Ze schreeuwde haar longen uit haar lijf en sprong. Met een grote klap viel ze in de boot en verstuikte haar enkel bij het neerkomen.

'Hé, wat moet dat!' reageerde de man in de speedboot geschrokken. 'Varen, *go, allez*!' gilde ze tegen hem. 'Ik leg het zo allemaal wel uit. Zorg dat die gek me niet te pakken krijgt.' Ze wees naar de snel naderende Brian om haar woorden kracht bij te zetten. 'Hij wil me vermoorden,' gooide ze er nog een schepje bovenop.

Dat was kennelijk het toverwoord om de man achter het roer in actie te laten komen. Hij reageerde onmiddellijk en gaf gas.

'Hou je vast.'

Op het moment dat de boot begon weg te varen van de steiger had Brian het einde bereikt. Hij rende door zonder te stoppen en sprong op goed geluk. Op het nippertje kwam hij in de wegvarende boot terecht.

Marit kroop met grote ogen van angst zo ver mogelijk bij hem vandaan. Het buideltje had ze in haar onderbroek gepropt. Fiona lachte haar altijd uit om haar grote witte onderbroeken, maar op dit moment kwamen ze verdomd goed van pas. Met die touwtjesdingen die Fiona droeg had ze niks gekund, daar viel niets in te verstoppen. Brian keek haar verwilderd aan en kroop in haar richting. Het was duidelijk dat hij zich pijn had gedaan bij de landing. Zijn bewegingen waren trager en stijver dan normaal.

'Laat haar met rust,' brulde de booteigenaar terwijl hij krampachtig het stuur vasthield. Hij twijfelde duidelijk wat hij moest doen. Het stuur loslaten en Marit te hulp schieten met het risico dat hij de controle over de boot verloor of doorvaren en hopen dat Brian niet al te gewelddadig werd.

'Geef op trut,' schreeuwde Brian.

Marit schrok van zijn bloeddoorlopen ogen. Het gaf hem een lugubere uitstraling en hij leek in niets meer op de aantrekkelijke man die ze een week geleden voor het eerst had gezien in het wegrestaurant. 'Ik ben het onderweg kwijtgeraakt.'

'Lieg niet tegen me.' Brians vuist kwam op haar af en raakte haar vol op haar neus.

Er krakte iets en een scherpe pijnscheut trok door haar hoofd. Een warme vloeistof stroomde uit haar neus en bemoeilijkte haar ademhaling. Grote rode druppels kwamen op haar jurk terecht en lieten een abstract patroon achter. De eigenaar van de boot keek hulpeloos haar kant op, maar koos er nog steeds voor om de voortsnellende boot in bedwang te houden.

'Waar is het?' Brian dook boven op haar en zijn hand omsloot haar keel.

Paniekerig zwaaide ze met haar armen. Haar adem werd nu door haar bloedneus en zijn hand afgeknepen. Veel meer dan zacht gekreun kon ze niet uitbrengen. De eigenaar van de boot kon haar worsteling niet meer aanzien en schoot te hulp. Zodra hij het stuur losliet begon de boot ongecontroleerde bewegingen te maken. De man verloor er zijn evenwicht door. Brian liet Marit los, dook op de schipper en verkocht hem een oplawaai die hem meteen uitschakelde. Met een snelle judoworp gooide hij de man over zijn schouder en smeet hem in het water. Vervolgens greep hij het stuur en gaf vol gas. Marit werd wat helderder in haar hoofd en realiseerde zich dat Brian de boot had gekaapt met haar als gijzelaar. Het lichaam van de man die Brian zojuist van de boot had geslagen, lag slap in het water. Door de klap had hij blijkbaar het bewustzijn verloren. Marit krabbelde overeind en wankelde naar de rand van de boot. Ze moest hier weg. Het bewijsmateriaal was van ondergeschikt belang. Haar leven en dat van de arme man in het water waren veel belangrijker. Ze maakte zich klaar voor de sprong, maar voordat ze kon aanzetten schreeuwde Brian haar waarschuwend toe.

'Ik zou het maar uit mijn hoofd laten, Marit, want ik schiet je helemaal aan gort.'

Ze verstijfde en keek angstig achterom. Brian hield met één hand het stuur vast en in zijn andere hand had hij een pistool. De loop glinsterde vervaarlijk in de zon. Ze twijfelde. Springen of niet? Was het pistool echt? Ze moest maar aannemen van wel. Zou Brian een goede schutter zijn? Ze had weinig zin om dat proefondervindelijk vast te stellen. Maar als ze op de boot bleef, was ze haar leven ook niet zeker. De gekte in Brians ogen bevestigde dat vermoeden. Met een klikkend geluid spande hij de haan. Ze kromp ineen. Ze kroop verslagen weg bij de rand en ging zitten.

Tot haar opluchting zag ze dat een paar zwemmers zich ontfermden over de gewonde schipper en bezig waren hem naar de kant te krijgen. Zijn leven was in elk geval gered, nu het hare nog.

Brian zette koers naar het midden van het meer zonder gas terug te nemen. Op de pier kwamen twee mensen aanrennen. Een van hen was Fiona. Marit kneep haar ogen tot spleetjes om beter te kunnen zien. De persoon naast Fiona was Clement. Hij stond druk te gebaren en hij had een telefoon aan zijn oor. Ze hoopte maar dat hij belde voor hulp en dat ze snel uit deze benarde situatie bevrijd zou worden. Dat er een kans zou zijn dat ze het helemaal niet zou kunnen navertellen, bande ze maar even uit haar gedachten. Ze moest alert blijven en proberen in een onbewaakt ogenblik te ontsnappen. Dat kon alleen maar als ze alle doemdenkerij buitensloot en het verdriet dat ze Sem en Lotte misschien nooit meer zou zien negeerde.

61

'*You have to help her!*' Fiona hing aan Clements arm en schudde hem hysterisch heen en weer. De rechterkant van haar gezicht was al behoorlijk gezwollen van de kaakslag die Brian haar had gegeven. Haar oog zat zo goed als dicht en praten deed pijn. Alles voelde stijf en beurs. Eigenlijk zou ze met een grote zak ijs tegen haar wang bij de receptie moeten zitten om verdere zwelling te voorkomen, maar daar was geen tijd voor. Die gek had Marit en moest gestopt worden voordat hij haar iets aan zou doen.

Toen Clement het campingterrein op was gekomen, had ze hem zowat besprongen. De adrenaline had haar versuftheid zo goed als verdreven. Naar adem snakkend had ze hem in grote lijnen uitgelegd wat er gebeurd was. Voor details was geen tijd. Gelukkig had Clement dat ook gevonden. Ze waren samen richting de steiger gerend en onderweg was Clement al aan het bellen geslagen om hulptroepen in te schakelen. '*The waterpolice of Embrun is already on the lake. They're coming, they're coming our way.*'

'*They'd better hurry.*'

De boot met Marit erop werd alsmaar kleiner. Ze wilde iets doen, maar kon niets doen. Wat was dit frustrerend! Als die eikel haar vriendin ook maar een haar zou krenken, dan zou ze hem vermoorden. Ze spuugde tussen haar wijs- en middelvinger door om die belofte kracht bij te zetten.

Ook Clement voelde zich duidelijk ongemakkelijk bij zijn passieve rol. Hij was opgeleid om boeven te vangen en nu ging de boef ervandoor en hij kon er niets aan doen om dat te voorkomen. Hij moest het uit handen geven aan zijn collega's op het water. Het enige wat hij op dit moment kon doen was hopen dat ze snel ter plaatse zouden zijn zodat de voorsprong van de speedboot niet al te groot werd. De politieboot had veel meer pk's en dus voldoende capaciteit om op de kleinere boot in te lopen, maar dan moest de afstand niet onoverbrugbaar worden.

Fiona hield haar hand boven haar ogen en tuurde over het meer in de richting van Embrun. In de verte verscheen een stip die steeds dichterbij kwam. Gelukkig, Clements collega's hadden de waarheid gesproken toen ze meldden dat ze in de buurt waren.

Zou het hen lukken de vermoedelijke dader van de roofmoord in de kraag te vatten en Marit te redden?

Clement pakte een sigaret en bood Fiona er ook een aan. Ze weigerde resoluut en trok een vies gezicht. Clement haalde zijn schouders op, stak de sigaret aan en inhaleerde de rook diep.

62

Marits neus deed onverminderd pijn, ze vermoedde dat hij gebroken was. Het bloeden was nog steeds niet helemaal gestopt en maakte ademhalen lastig. Ze zette haar mond zo wijd mogelijk open om voldoende lucht naar binnen te krijgen.

De boot doorkliefde de golven met gemak. Door de hoge snelheid wipte de voorsteven steeds op uit het water om vervolgens weer met een klap op het meer terecht te komen. Marit zette zich schrap en werd bij elke deining misselijker. Waar voer Brian helemaal heen? Ze waren nu toch wel ver genoeg van de vaste wal? Ze hadden geen woord meer met elkaar gewisseld, maar de sfeer aan boord was grimmig en dreigend. De paspoorten zaten nog steeds veilig verstopt in haar ondergoed. Erg gemakkelijk zat het niet, maar alles was beter dan haar buit prijsgeven aan iemand anders dan de politie. Er was een misdaad gepleegd en die moest bestraft worden. Er kwamen tegenwoordig te vaak mensen weg met de meest vreselijke dingen en als ze er iets aan kon doen om dat te voorkomen dan deed ze dat.

Zou het vermoorde echtpaar kinderen hebben gehad? Bij de gedachte aan kinderen ging er een steek door haar hart. Die kinderen zouden nu wees zijn. Meteen schoten haar gedachten door naar Sem en Lotte. Als haar iets zou overkomen dan zouden ze formeel geen wees zijn, hun vader was immers nog in leven. Maar wat had je aan een vader die zich niet of nauwelijks iets van zijn kinderen aantrok en bezig was met heel andere dingen?

Ze keek mismoedig over het water. Ze moest hier zonder kleerscheuren uit zien te komen. Sem en Lotte hadden haar nodig.

Achter hen verscheen in de verte een vrij grote boot. Hij was in elk geval omvangrijker dan de exemplaren die ze tot nu toe op het meer had zien dobberen. Geen van allen hadden ze tot nu toe doorgehad dat ze in een noodsituatie verkeerde en dat ze gegijzeld werd door een gek. De enige respons van andere opvarenden waren tot nu toe geïrriteerde blikken geweest naar aanleiding van hun snelheidsduivelgedrag. Die grotere boot zou echt iets kunnen betekenen, maar ze ging er inmiddels van uit dat die hoop tevergeefs was. Toch kon ze niet anders dan er verwachtingsvol naar staren terwijl ze het ene na het andere schietgebedje de kosmos instuurde.

De boot liep steeds verder in en leek hen gericht te volgen. Nu pas zag Marit dat het een politieboot was. Haar hart maakte een sprongetje. Fiona had vast actie ondernomen toen Brian met haar wegvluchtte over het water. Je kon van haar zeggen wat je wilde, maar als je haar nodig had dan was ze er. Ze prees zich gelukkig met zo'n vriendin en hoopte dat ze de kans kreeg om haar dat persoonlijk te vertellen.

Brian jakkerde onverminderd door. De boot klapte weer op het water en er sloeg een flinke golf over de rand. Marit huiverde toen de koude spetters met haar huid in aanraking kwamen.

De politieboot bleef inlopen en Brian vloekte hartgrondig. De motor van hun boot draaide op volle toeren. Ze konden simpelweg niet sneller.

Het pistool had hij in zijn broeksband gestopt om met beide handen de voortrazende boot te kunnen besturen. Als hij nu de controle zou verliezen, dan was het afgelopen.

Marit zwaaide wanhopig naar de politieboot. Het liefst zou ze nog een poging wagen om van de boot te springen nu Brian zich volledig op het varen leek te concentreren, maar ze durfde niet goed door de hoge snelheid waarmee ze over het water raasden. Ze was absoluut geen zwemkampioen met haar A-diploma en ze was bang dat ze het er niet levend van af zou brengen. Stel nou dat ze in de schroef terecht zou komen en zou verdrinken. Dat was nog vele malen erger dan op de boot blijven zitten. Ze moest er maar op vertrouwen dat de politieboot op tijd zou zijn en haar zou redden uit de handen van die gek. Schichtig keek ze naar Brian. Zijn gezicht stond verbeten en was rood van woede. Het gaf hem een gevaarlijke aanblik. Dat ze toch zo lang nodig had gehad om zijn ware gezicht te zien. Hoe naïef en dom was ze? Fiona had het allang doorgehad dat Brian niet deugde, maar ze had niet willen luisteren. Altijd maar geloven in het goede van de mens als het erom spande. Keer op keer trapte ze er weer in. Als ze het er levend van af zou brengen dan zou ze meer in de realiteit gaan leven. De wereld was geen roze wolk en er bestonden echt slechte mensen. Dat zou ze Sem en Lotte ook goed duidelijk maken.

Weer ging er een steek door haar hart. Ze probeerde het te negeren en vermande zich. Ze mocht niet in haar emoties verzuipen. Logica en verstand waren de enige elementen die haar konden redden. Hoe groot was dit meer eigenlijk? Ze konden niet eeuwig doorvaren op deze manier. Eens hield het op. En wat dan?

Het antwoord op haar vraag kwam sneller dan ze dacht. In de verte doemde iets op. Het leek wel een soort stuwdam. Brian leek het ook te zien want ze zag een lichte frons op zijn gezicht verschijnen. Desondanks hield hij de boot op volle snelheid en stevende recht op het obstakel in de verte af. Hij was toch niet van plan zich te pletter te varen en haar daarin mee te slepen? Blinde paniek nam bezit van haar. Ze wilde niet dood.

'Help, help me nou!' schreeuwde ze naar de politieboot.

Ze kroop door de boot en zwaaide woest met haar armen. Ze begon hysterisch te huilen, maar stopte daar weer snel mee toen het haar letterlijk de adem benam. Haar niet-doorgankelijke neus kon haar gesnotter niet aan.

Brian negeerde haar gekrijs en bleef gefocust op het besturen van de boot.

'Geef je nou over, Brian, dit heeft toch helemaal geen zin.'

Ze kroop naar hem toe en ging aan zijn benen hangen. Agressief schopte hij haar van zich af. Zijn greep op het stuur verslapte even en de achtersteven van de boot schoot met een schok opzij. Marit werd hard tegen de rand van de boot aan geslingerd en Brian wist zich amper staande te houden en greep zich vast aan het stuur. Luid vloekend probeerde hij uit alle macht de boot weer onder controle te krijgen, maar het ding ging ervandoor als een op hol geslagen paard. De snelheid was te hoog voor dergelijke stunts.

Marit klampte zich vast aan de reling om te voorkomen dat ze overboord sloeg. Golven water sloegen over haar heen en deden haar naar adem happen. De stuwdam kwam snel dichterbij en uitwijken was niet mogelijk. De politieboot was nog zo'n tweehonderd meter van hen verwijderd en Marit kon het gezicht van de man aan het stuur zien. Ze focuste op zijn ogen en probeerde contact te krijgen. Ze zocht naar hoop, naar houvast. De man knikte haar kort toe, ten teken dat hij haar gezien had en liet haar blik weer los. Hij concentreerde zich weer volledig op het stuur. Ze wist dat dat het enige was wat hij kon doen, maar toch voelde ze zich, hoe onterecht ook, in de steek gelaten.

Ze draaide zich verslagen om en zag tot haar grote schrik dat de stuwdam nu wel heel erg dichtbij kwam. Brian zou hen te pletter varen. Als ze dit wilde overleven, moest ze de boot voortijdig zien te verlaten. Aarzelend probeerde ze zichzelf overeind te hijsen. Ze durfde niet te springen. De kans was groot dat de politieboot haar zou overvaren. Maar crashen op een stuwdam... Beide opties waren geen aanlokkelijke keuze, maar ze moest snel een beslissing nemen. De politieboot lag nog vijftig meter achter en ze waren de stuwdam al zo dicht genaderd dat ze de rotsblokken waarmee het betonnen obstakel was afgewerkt feilloos kon onderscheiden. Even nog koesterde ze de hoop dat Brian de boot met een miraculeuze wending van de ondergang zou redden, maar door de inmiddels angstige blik in zijn ogen liet ze die illusie snel varen. Het was duidelijk van zijn gezicht af te lezen dat ook hij de hoop op een goede afloop zo goed als verloren had.

Zenuwachtig liet ze haar hoofd van links naar rechts gaan. Springen of blijven? De politieboot was nog maar een paar meter van hun achtersteven verwijderd, maar remde duidelijk af met het oog op de stuwdam. Een tweede agent met zwemvest aan gebaarde naar haar dat ze moest springen. Hij hield een tweede zwemvest in de lucht.

'Ik durf niet!' schreeuwde ze wanhopig in het luchtledige. *Je moet!*

schreeuwde een innerlijke stem. *Voor Sem en Lotte!*

Ze keek nogmaals om. Het was een kwestie van seconden voordat de boot zich in de stuwdam zou boren. Ze aarzelde niet langer en wierp zichzelf met een oerkreet overboord. Ze hield haar ogen stijf dicht en voelde hoe het water en de sterke stroming die werd veroorzaakt door de golfslag van de boten haar onmiddellijk opslokten. Al snel begonnen haar longen te branden van het zuurstofgebrek. Het water maakte een kolkend geluid in haar oren. Haar lichaam schreeuwde steeds harder om zuurstof. Spartelend zwom ze naar boven, hopend dat de politieboot niet over haar heen zou varen. Zodra ze het water-oppervlak bereikte, zoog ze gierend haar longen vol met lucht. Naast haar dook de politieman met reddingsvest op. Dankbaar klampte ze zich aan hem vast. In haar ooghoek zag ze nog net dat de boot met Brian erop zich op volle snelheid in de strekdam boorde. Hij werd uit de boot geslingerd en er volgde een explosie. Brokstukken vlogen in het rond. Brian smakte op zijn buik op de strekdam tussen de grijze rotsblokken en bleef even roerloos liggen.

Een tweede politieboot was inmiddels gearriveerd. De agenten baanden zich een weg over de stuwdam heen naar Brian toe. Ze droegen kogelvrije vesten. Ondanks de enorme smak die Brian gemaakt had, begon zijn lichaam te bewegen. Hij probeerde overeind te komen en dat lukte. Hij had een verwilderde blik in zijn ogen en zijn gezicht zat onder het bloed. Zijn voortanden waren afgebroken. Hij zag dat de agenten dichterbij kwamen en probeerde weg te vluchten. Ook vanaf de andere zijde klommen agenten op de stuwdam en Brian werd steeds verder ingesloten. Als aangeschoten wild slingerde hij over de dam, grote rotsblokken ontwijkend. Hij wist het pistool uit zijn broekband te pakken en begon lukraak om zich heen te schieten. De agenten hielden wat in om niet geraakt te worden, maar vervolgden hun jacht weer op volle snelheid toen Brians pistool leeg was en hij het naar beneden gooide. Hij werd steeds verder in het nauw gedreven en de kans dat hij kon ontsnappen werd steeds kleiner. Zijn ogen schoten alle kanten op in een poging een ontsnappingsroute te vinden die hij over het hoofd had gezien. Hij slaakte een gefrustreerde schreeuw toen hij zich realiseerde dat er geen ontsnappen aan was, schoot als een gekooid dier zenuwachtig van links naar rechts en weer terug. Greep in zijn broeksband naar zijn wapen, maar realiseerde zich dat hij dat niet meer had.

De politiefuik sloot zich steeds verder om hem heen en zijn paniek werd zichtbaar groter. Toen een paar agenten hem met getrokken pistool op een haar na genaderd waren, aarzelde hij niet langer. Hij ontweek de agenten met een slinkse beweging en verloor zijn evenwicht. Hij rolde in hoog tempo van de ruim honderdtwintig meter hoge stuwdam af en kwam pas beneden tot stilstand tegen een rotsblok. Zijn nek lag in een rare knik en onder zijn hoofd vormde zich een plas bloed die snel groter werd.

63

Marit klappertandde aan een stuk door en de tranen drupten onophoudelijk uit haar ogen. Haar hele lijf deed zeer en haar neus klopte alsof er iemand met een hamer op sloeg. Nadat ze op de politieboot was gehesen, had een van de agenten eerste hulp aan haar verleend en haar bebloede gezicht schoongeveegd. Jammerend van de pijn had ze het ondergaan. Haar ribben deden ongelofelijk veel pijn. Gekneusd of gebroken was de snelle conclusie van haar hulpverlener geweest. Het buideltje met de identiteitspapieren van het vermoorde echtpaar had ze aan de politie overhandigd. Door haar duik in het water was het zeiknat geworden en ze hoopte maar dat het op de een of andere manier nog als bewijsmateriaal kon dienen.

Het geluid van een helikopter overstemde het geronk van de boot. Er was een traumahelikopter opgeroepen om het zwaargewonde lichaam van Brian naar een ziekenhuis te vervoeren. Brian verkeerde in kritieke toestand maar leefde wonderbaarlijk genoeg nog wel.

Ze was blij dat zij met een gewone ambulance naar het ziekenhuis in Gap zou worden gebracht. Het idee om samen met Brian in één kleine ruimte te moeten zitten, beangstigde haar. Ook al was hij niet bij bewustzijn, ze wist waartoe hij in staat was en wat hij haar had proberen aan te doen. Dat was genoeg om haar de kriebels te bezorgen en een paniekaanval loerde om de hoek.

Fiona was door de politie gebeld dat het naar omstandigheden goed ging met Marit en ze zou samen met Clement naar het ziekenhuis gaan om haar op te wachten. Ze kon niet wachten om haar vriendin weer in de armen te sluiten.

Ze gilde het uit toen ze op de brancard werd getild en een broeder haar stevig vastsnoerde. Die ribben moesten wel gebroken zijn, dat kon niet anders. Toen ze tegen de rand van de boot werd geslingerd, had ze niet goed doorgehad hoe hard de klap eigenlijk was. De adrenaline die volop door haar lijf gierde, had verdovend gewerkt. Een verdedigingsmechanisme van het lichaam dat haar nu duidelijk in de steek begon te laten.

Het duurde voor haar gevoel een eeuwigheid en was een ware marteling voordat ze in de ambulance was geïnstalleerd. Voordat de deuren werden gesloten, zag ze nog net dat het levenloze lichaam van Brian omhoog werd getakeld. Ze had nog nooit iemand gezien die zo bleek zag. Het zou haar verbazen als ze hem weer tot leven konden wekken.

Een broeder kwam naast haar zitten en de ambulance begon te rijden. Ze sloot haar ogen, nog nauwelijks beseffend wat er allemaal gebeurd was en hoeveel mazzel ze had dat ze het had overleefd. Ze hoopte dat de chaos in haar hoofd snel weer beheersbaar werd.

64

Ze lag stil in het grote ziekenhuisbed. Om haar wat tot rust te laten komen had ze een eenpersoonskamer gekregen. Clement en Fiona waren net vertrokken. Clement had een eerste verklaring van haar opgenomen en Fiona had haar bijna een nieuwe ribfractuur geknuffeld, zo blij was ze geweest om haar weer te zien. Ook Clement leek duidelijk opgelucht dat het uiteindelijk met een sisser was afgelopen. Voor haar dan.

Brian was op weg naar het ziekenhuis aan zijn verwondingen overleden. Hij was niet meer bij bewustzijn gekomen en had dus geen schuldbekentenis of ontkenning kunnen doen. Op basis van zijn gedrag en alles wat er gebeurd was, was het echter zeer aannemelijk dat hij achter de moord op het echtpaar zat. De paspoorten waren voor onderzoek naar het laboratorium gestuurd, in de hoop dat er nog sporen op te vinden waren. Marits duik in het meer had de boel in elk geval geen goed gedaan.

Ze keek de steriele ziekenhuiskamer eens rond. De vrolijke bos bloemen die Fiona op de tafel tegenover haar bed had neergezet, gaf de ruimte nog een beetje kleur. Het infuus met pijnstilling naast haar bed druppelde in rustig tempo. Op het nachtkastje naast haar bed stond een glas water met een rietje. Ze had een droge mond en keek verlangend naar het water. Toch liet ze het staan. Het pakken van het glas veroorzaakte zo'n pijn in haar ribben dat ze drinken zo lang mogelijk uitstelde. Een verpleegkundige bellen voor elk slokje vond ze ook niet kunnen. Haar gebroken neus was stevig ingetapet, evenals haar gekneusde ribben. Ze voelde zich alsof er een vrachtwagen over haar heen was gereden en vroeg zich af of ze ooit nog zelfstandig dit bed uit kon komen. In principe mocht ze morgen na een nachtje observatie het ziekenhuis weer verlaten, maar ze kon zich er nu nog even niets bij voorstellen. Ze kon zich amper bewegen. Ze was compleet overgeleverd aan de handen die haar verzorgden. Een vreemde gewaarwording. Normaal was zij degene die aan het zorgen was voor Jan en alleman, maar nu werd ze gedwongen om het zelf te ondergaan. Hoewel ze in tijden dat ze nauwelijks aan zichzelf toe-kwam omdat de kinderen al haar aandacht opslokten, weleens de stille wens had gedaan dat er iemand voor haar zou zorgen, had ze daar nu een beetje spijt van. Die afhankelijkheid beviel haar eigenlijk helemaal niet. Ze voelde zich het beste bij zelfredzaamheid, ook al kostte dat soms weleens te veel energie.

Ze dacht terug aan het korte gesprek dat ze een paar uur geleden even met haar ouders had gevoerd. Die arme mensen waren zich kapot geschrokken. Ook Sem en Lotte had ze heel kort gesproken. Toen ze hun lieve stemmetjes hoorde, brak ze. Het besef dat ze maar een haartje verwijderd was geweest van de dood had een mokerslag uitgedeeld die nog stevig nadreunde.

Eén ding wist ze zeker: de volgende vakantie zou met de kinderen zijn in een veilig vakantiepark met animatie. Ze ging voorlopig even niet meer zelf op pad.

Ze geeuwde en sloot haar ogen. Ze was zo moe. Daarnaast maakte de pijnstilling haar nog wat suf. Ze hoopte dat ze kon slapen zonder al te veel nare dromen over de afgelopen dag. Ze likte langs haar droge lippen en dommelde langzaam weg.

65

In de verte hoorde ze een deur opengaan. Ze wilde haar ogen openen, maar het lukte niet goed. Het voelde of haar hoofd vol watjes zat. Het geluid van een sluitende deur nu. Het klonk een stuk dichterbij. De mist in haar hoofd trok wat op en haar oogleden wilden nu wel wijken. Waar was ze? Ze lag in haar eentje in een kamer waarin ze niets bekends kon ontdekken. Ze verschoof onrustig in haar bed. Een vlammende pijn trok door haar lijf. Langzaam begon ze te beseffen waar ze was en waarom. Ze kreunde zachtjes. Ze keek nog eens goed rond en haar adem stokte in haar keel. Er stond een gestalte bij de deur. Er waren ogen op haar gericht. Ze kon ze voelen branden, maar niet goed zien in de schemerige kamer. De gedaante liep langzaam naar haar bed, zonder iets te zeggen. Bij haar voeteneinde bleef hij staan. Het was een man zag ze nu, in een witte jas. Opgelucht liet ze een zucht ontsnappen.

'*Hello doctor.*'

De man knikte, maar zweeg nog steeds. Ze liet haar ogen over zijn gezicht gaan. Het had iets bekends, maar ze kon het niet direct plaatsen. Hij bleef haar maar aankijken. Ze werd er nerveus van. Hij knakte zijn vingers en pakte met beide handen de bedrand vast. Zijn gezicht kreeg een grimmige uitdrukking. Het had iets dreigends, zonder dat ze er goed de vinger op kon leggen. Ze voelde zich steeds ongemakkelijker worden. Het bevreemdde haar dat de arts daar alleen maar stond en geen enkele medische controle uitvoerde of aangaf wat hij nu eigenlijk kwam doen.

'*Is there something wrong?*' probeerde ze hem uit zijn tent te lokken.

Er flakkerde een vreemde gloed op in zijn ogen. Ze kreeg er de kriebels van. Ineens begon hij te praten.

'Er is zeker *something wrong*, Marit.' Zijn stem klonk angstaanjagend.
Ze schrok zo van zijn woorden dat het haar niet eens opviel dat de man haar in het Nederlands toesprak. 'Wat is er dan?' stotterde ze terug in haar moedertaal.

Ze probeerde wat rechterop in bed te gaan liggen, maar kreeg het niet voor elkaar door haar pijnlijke ribben. De arts was inmiddels om het bed heen gelopen, knipte een lampje aan en stond dreigend naast haar. Hij boog zich wat voorover. Ze kon zijn adem ruiken. Met zijn wijsvinger streelde hij zachtjes over haar arm. Ze rilde van angst en probeerde haar arm weg te trekken. De arts liet zich niet van de wijs brengen en zijn vinger zocht onverminderd zijn weg over haar huid. Hij vond haar hand en streek traag over het infuus dat erin zat.

'Het had zo mooi kunnen zijn, maar jij moest alles zo nodig verpesten.'

'Waar hebt u het over?'

'Door jou is mijn broertje dood. Hij was wat onbesuisd maar het was een goed jong. Hij was het enige waar ik echt van hield.'

'Broertje dood?' Marit keek de man in eerste instantie niet-begrijpend aan, maar ineens zag ze het. '*Oh my god*,' mompelde ze. De man tegenover haar was een blonde en oudere uitvoering van Brian, maar de gelijkenis was onmiskenbaar. 'Was Brian jouw broer?'

'Heel opmerkzaam, Marit.'

Ze zag dat hij om en om zijn kaakspieren aanspande van ingehouden woede. Ze kroop wat verder weg in de kussens om zo veel mogelijk afstand te bewaren. Haar ogen schoten schichtig door de kamer en haar hersenen draaiden voor zover dat ging door de verdovende middelen op volle toeren. Ze moest hier weg, maar hoe? Eén ding was duidelijk: de bravoureachtige uitstraling die Brian nog iets aandoenlijks had gegeven, ontbrak bij deze man volledig. Deze man was de verpersoonlijking van pure haat.

'Ik had grootse plannen met je, maar het heeft niet zo mogen zijn.'

Met ijzeren hand greep hij plotseling haar pols vast.

Ze probeerde zich los te rukken maar hij was veel te sterk.

'Ik dacht echt dat jij anders was dan de rest. Dat alles eindelijk goed zou komen. Dat er een toekomst was.'

'Waar heb je het over?'

Ondanks haar angst raakte Marit geïrriteerd. Wat wilde die vent nou? Ze kon geen touw vastknopen aan zijn warrige, cryptische gelul.

'Luister, ik vind het heel rot van je broer, maar het is zijn eigen schuld. Zo'n lieverdje was het niet. Je weet dat hij de hoofdverdachte is van de moord op een Nederlands echtpaar in Mâcon?'

'Brian had een grote bek, maar hij kon nog geen vlieg doodslaan. Brian was mijn bliksemafleider en voerde klusjes uit in mijn opdracht. Hij was mijn ogen en oren, maar het echte werk gebeurde met mijn handen. Ik heb dat echtpaar vermoord.'

Marits ogen werden groot van schrik. 'Jij hebt dat echtpaar vermoord? Waarom?'

'Gewoon omdat ik daar zin in had. De een is gek op voetbal en de ander haalt zijn genot ergens anders uit...'

'Wat ben jij voor psychopaat?'

'Niet iedereen heeft de mazzel als stereotype geboren te worden. Soms plant de duivel een zaadje dat tot wasdom komt, niet meer en niet minder. Verklaren en theoretiseren heeft geen zin. Soms zijn dingen zoals ze zijn, ook al kunnen wij dat als mens heel moeilijk accepteren. Ik moet af en toe anderen horen schreeuwen om het gezoem in mijn eigen hoofd te laten verstommen. Weet je wel hoe vermoeiend dat is, altijd maar dat lawaai? Als kind werd ik er al gek van.' Hij pauzeerde even om adem te halen. 'Al vanaf het eerste moment dat ik je zag bij dat tankstation wist ik dat je bijzonder was. Dat jij me de rust zou gaan brengen die ik nodig had en waar ik mijn hele leven al naar verlang.'

'Eerste moment bij dat tankstation?'

'Ja, Marit, we kennen elkaar al langer dan je denkt. Brian was mijn chaperon, maar ik heb jullie geen moment uit het oog verloren. Ik was overal. In het hotel, op de camping, in de discotheek...'

Marit keek hem verbijsterd aan en liet de gruwelijke woorden nog eens rondgaan in haar hoofd. Ze verstijfde. 'Af en toe mensen laten schreeuwen impliceert dat het echtpaar in Mâcon niet je eerste slachtoffers waren...'

'Heel opmerkzaam. Mijn eigen ouders waren de eerste in een, al zeg ik het zelf, indrukwekkende reeks. Samen met Brian trek ik al jaren rond door Europa. Als het geld opraakte, zorgde ik dat het weer werd aangevuld en laat ik het zo zeggen, ik schuwde daarbij geen geweld. Brian legde de contacten en ik maakte het af. Getuigen waren er nooit, daar zorgde ik wel voor. Ik moest mijn broertje beschermen. Toch wist ik dat het niet altijd zo door kon blijven gaan. Dat er een dag zou komen dat ik of Brian een fout zou maken. Ik wilde die dag voor zijn. Er moest een vrouw in ons leven komen. Velen heb ik er gehad en ongeschikt bevonden, maar toen ik jou zag begon ik te geloven dat het misschien toch nog goed zou komen. Dat wij tweeën, jij en ik samen, Brian een stabiel leven konden gaan geven. Maar in plaats daarvan heb je het verpest. Brian was het enige goede in mijn leven, en dat heb jij van me afgenomen. Daar zul je voor boeten. Voor een groot deel van de onopgeloste roofmoorden langs snelwegen in Europa van de afgelopen jaren ben ik verantwoordelijk. Ik werk al mijn hele leven aan mijn dodenserie en hoewel ik andere plannen met je had, word jij het sluitstuk.'

Marits ogen vulden zich met een panische angst en ze werd lijkbleek. Haar ogen schoten omhoog naar de alarmbel die zo hoog hing dat ze er niet bij kon. Waarschijnlijk had een schoonmaker hem aan de kant geslingerd en vergeten hem binnen het bereik van het bed terug te hangen. De verpleging had er blijkbaar ook niet op gelet.

'Je had toch niet de illusie dat ik hier een bekentenis kwam doen en je dan levend achter zou laten, hè? Dat is wel heel naïef, ik had je hoger ingeschat. Er is maar één manier om zeker te weten dat mijn geheim veilig bij je is en dat is door ervoor te zorgen dat je voor altijd zwijgt. Daarbij kan ik niet anders dan Brians dood wreken op jou.'

De haat vlamde weer op in zijn ogen. Hij stak zijn hand in de zak van de doktersjas en haalde er een gevulde injectiespuit uit. 'Het gaat niet fijn worden zeg ik je alvast. Ik ga dit heerlijke goedje zo in je infuus spuiten. Mocht het je interesseren, het heet succinylcholine, afgekort SUX. En neem maar van mij aan dat het *sucks*.' Hij lachte hysterisch om zijn eigen grap. 'Dit wondergoedje gaat in razend tempo al je spieren verlammen. Je weet dat je om adem te halen ook spieren gebruikt, toch?' Hij glimlachte haar fijntjes toe. 'Het interessante is dat dit middel alleen verlamt, maar je verder wel helemaal bij je positieven laat. Je gaat dus heel intens beleven hoe het is om te stikken. Het middel wordt gebruikt bij operaties en ook bij executies, en voordeeltje voor mij: de sporen die het nalaat in je bloed zijn in een mum van tijd niet meer waarneembaar. Tegen de tijd dat ze je vinden, is elk bewijs van een onnatuurlijke dood verdwenen. Om jouw dood zal altijd een mysterieus randje blijven hangen, terwijl ik zo vrolijk naar buiten loop en verderga met mijn leven.'

'Nee, alsjeblieft, ik wil niet dood,' smeekte Marit. 'Ik heb kinderen!' Angstig keek ze naar de deur. Deden die nachtdiensten niet af en toe een rondje langs de patiënten? Het was haar enige kans.

'Brian wilde ook niet dood. Hij heeft niet eens de mogelijkheid gekregen om vader te worden. Ik vrees dat je kansen verkeken zijn.'

Hij greep haar hand met infuus voor ze hem terug kon trekken. Ze probeerde zich los te worstelen, maar had geen schijn van kans. In paniek trapte ze met haar benen, maar de deken die strak om haar heen was ingestopt, fungeerde als een dwangbuis waar niet aan te ontsnappen viel. Met zijn tanden trok hij de dop van de injectiespuit terwijl hij haar met zijn handen in bedwang hield. Ze probeerde te gillen maar hij was haar voor. Hij legde bruut zijn hand op haar mond en sloot daarmee ook haar enige ademhalingskanaal af. Door haar ingetapete neus viel geen milliliter zuurstof naar binnen te krijgen.

'Bek houden,' siste hij dreigend. 'Ik zou nog maar even genieten van het feit dat je nog kunt ademen.'

Langzaam trok hij zijn hand van haar mond en ze hapte ongecontroleerd naar adem. Vliegensvlug stak hij de injectienaald in het infuusslangetje dat verbonden was met het bloedvat in haar hand.

Marit jammerde en kronkelde terwijl de tranen over haar wangen stroomden. 'Alsjeblieft.'

'Je bent mooi als je bang kijkt, weet je dat? Je ogen worden er groot van. Ik zou graag nog wat langer van je genieten, maar ik begin een beetje haast te krijgen. Ik zou nog even een flinke ademteug nemen als ik jou was...'

Door zijn gebogen houding zag ze in zijn dikke, blonde haar een aantal pleisters zitten waar wat bloed doorheen kwam en het viel haar ook op dat een grote blauwe plek op zijn slaap was weggewerkt met camouflerende foundation. Op zijn rechterhand zat een rauwe schaafwond met opgedroogde korstjes. Zou hij ook degene zijn geweest die hen van de weg had gereden? Tijd om er langer over na te denken of om het hem te vragen kreeg ze niet. De man lachte vervaarlijk terwijl hij in één beweging de injectiespuit leegspoot in haar infuus. Binnen een seconde voelde ze al iets branden op de plek waar de infuusnaald in haar hand verdween. Ze probeerde het ding uit haar hand te trekken, maar de verstijving in haar ledematen sloeg in alle hevigheid toe en maakte bewegen ineens onmogelijk. Haar ogen rolden bijna uit haar hoofd van paniek.

'Slaap zacht, Marit.'

Hij tikte zachtjes tegen haar wang, veegde een haarlok uit haar gezicht en verliet geruisloos de kamer.

Ze was alleen. Ineens was het of iemand een zak over haar hoofd deed en hem flink aantrok. Ze probeerde in te ademen, maar het ging niet. Ze voelde haar lichaam en was zich van elke vezel bewust, maar kon er niets mee. Het was alsof ze al dood was en haar geest machteloos boven haar lichaam zweefde.

Haar longen stonden in brand en er verschenen vlekken voor haar ogen. Ze moest zuurstof hebben en wel nú! Binnen in haar werd de paniek steeds groter, maar ze kon er geen uiting aan geven. Ze kon niets doen. De vlekken voor haar ogen werden alsmaar groter en begonnen steeds harder te dansen op het steeds onregelmatigere ritme van haar hart. De kolkende massa werd steeds ondoordringbaarder en toen stopte het draaien. Haar laatste gedachten gingen naar Sem en Lotte.

66

Hij sloop de kamer uit en liet zijn blik door de gang gaan. De kust was veilig. Met gebogen hoofd liep hij weg in een tempo dat geen vragen op zou roepen, mocht iemand hem zien. Hij besloot de lift te vermijden en de trap te nemen. Mocht iemand argwaan krijgen dan kon hij tenminste wegvluchten. De lege injectiespuit had hij nog in zijn jas. Hij moest het ding buiten het ziekenhuis snel zien te lozen. Het ding hier weggooien was te riskant. Het was jammer dat hij haar doodsstrijd niet volledig had kunnen aanschouwen. Dat zou een stuk bevredigender geweest zijn. De rust die hij had gehoopt te vinden door haar dood was achterwege gebleven. Dat was hem nog nooit gebeurd. Haar dood wakkerde het verlangen om te doden alleen nog maar meer aan. Hij was nog niet klaar voor vandaag. Maar misschien bleek vandaag wel de dag te zijn waarop de toekomst stopte en er alleen nog ruimte was voor het verleden. Misschien hield hier en nu wel alles op.

Ergens wilde hij dat het stopte. Leven zonder Brian, hij wist niet of hij het kon. Zijn hele leven had hij al emotionele pijn, maar het verdriet om zijn broertje was van een buitencategorie en sneed zo hard door zijn ziel dat hij het uit wilde schreeuwen. Hij versnelde zijn pas toen hij het belletje hoorde van de lift waar hij zojuist langs was gelopen. Hij hoorde de deuren opengaan maar keek niet om. Hij moest elk oogcontact met anderen vermijden om als een schim in de nacht te kunnen verdwijnen. Hij hoorde voetstappen, maar het geluid kwam niet dichterbij. Wie er ook uit die lift was gestapt, hij of zij was de andere kant uit gegaan.

Hij nam de trap naar beneden met twee treden tegelijk. Pas op de begane grond deed hij zijn doktersjas uit toen hij zeker wist dat niemand hem zag. Hij verfrommelde de jas nadat hij de lege injectie-spuit in zijn broekzak had gedaan en dumpte het ding in een prullenbak. Als gewone bezoeker liep hij zonder de bewaking te groeten richting de uitgang. Zijn ogen strak op de grond gericht en zijn schouders wat gebogen, alsof hij het grootste leed van de wereld met zich meedroeg. Iemand die in hoog tempo het ziekenhuis in wilde, liep tegen hem aan. Automatisch keek hij op. Hoewel hij die persoon het liefst een mep had verkocht, deed hij het niet. De in haast gemompelde verontschuldiging nam hij voor lief zonder erop te reageren. Snel richtte hij zijn blik weer op de grond en liep naar buiten waar de zwoele lucht hem opslokte.

67

'Marit, word nou wakker!' Fiona kneep onophoudelijk in de hand van haar vriendin. Wat zag ze bleek en wat leek ze kwetsbaar. Al die knipperende en piepende apparatuur om haar heen die haar in leven hield. Een verpleegkundige kwam binnen en voerde allerlei controles uit.

'Ik denk dat het wel goed komt met haar,' probeerde ze Fiona in gebroken Engels gerust te stellen. 'Als ze dit overleeft dan heeft ze dat aan jou te danken. Heldin.'

Fiona was zich kapot geschrokken toen ze midden in de nacht Marits kamer op was gelopen en haar vriendin op het eerste gezicht dood had aangetroffen. Hysterisch had ze op elke alarmbel gedrukt die ze maar kon vinden. Onmiddellijk was een crisisteam de kamer binnengerend en ze was ruw aan de kant geduwd.

Als eerste had een arts een buis in Marits luchtpijp gestopt en haar aangesloten op een beademingsapparaat. Een ander apparaat hield haar hartslag in de gaten die uiterst zwak en onregelmatig was. De crash-kar stond klaar, maar bleek uiteindelijk niet nodig. Langzaam was Marits grauwe kleur bijgetrokken en werd ook haar hartslag weer wat krachtiger. Toen ze stabiel genoeg was, werd ze naar de IC gebracht. Dat was nu een uur geleden.

Dom toeval zou weleens de grote redder van haar vriendin kunnen worden. Fiona had de slaap maar niet kunnen vatten. Ze voelde zich schuldig dat ze haar vriendin alleen had gelaten in dat grote ziekenhuis waar ze niemand kende en het gros van de mensen een andere taal sprak. Uiteindelijk had ze haar kleren aangetrokken en was ze teruggegaan naar het ziekenhuis. Ze moest weten of alles goed was met Marit. Ze zag het als haar plicht om naast haar te gaan zitten waken. Ze wilde haar water geven als ze dorst had, haar hand vasthouden als ze pijn had en desnoods veegde ze haar kont nog af als ze naar de wc moest. Marit zorgde altijd voor anderen en nu ze zelf verzorging nodig had, mocht ze haar niet aan haar lot overlaten.

Toen ze uit de lift was gestapt en naar Marits kamer liep had ze in haar ooghoek een dokter langs zien lopen. Ze had er verder geen aandacht aan geschonken. Wellicht had hij een ronde over de afdeling gelopen en ook nog even bij Marit gekeken. Ze was dan ook totaal onvoorbereid op het horrortafereel dat ze aantrof toen ze de kamer van haar vriendin op liep. Doordat ze onmiddellijk had gereageerd en hulptroepen had ingeroepen, was Marit nu nog in leven. Nu moest ze alleen nog wakker worden zodat ze kon vertellen wat er was gebeurd.

Het zou erom spannen of ze door het zuurstofgebrek ook hersenbeschadiging had opgelopen. Omdat het onduidelijk was hoe lang haar zuurstoftekort had geduurd, viel daar nog weinig over te zeggen. Uiteraard stonden er ook allerlei onderzoeken uit waar nog geen uitslagen van binnen waren. Zo was er vrijwel onmiddellijk bloed afgenomen uit Marits infuus.

De verpleegkundige was klaar met haar handelingen en klopte Fiona bemoedigend op haar schouder. Ze knikte de vrouw vriendelijk toe. De verpleegkundige had de kamer nauwelijks verlaten of er kwam een arts binnen. Ze had de man al eerder kort gesproken toen Marit een uur geleden op de IC was geïnstalleerd. Zijn gezicht stond ernstig. Een schok van angst trok door Fiona's buik.

'Ze wordt toch wel weer de oude?'

Ze stelde de vraag, maar was doodsbenauwd voor het antwoord. De arts ging niet op haar specifieke vraag in, maar begon wel te praten. 'We hebben iets verdachts aangetroffen in haar bloed.'

Voordat hij verder kon gaan, ging de deur open en stapte Clement binnen. Ook zijn gezicht had weleens vrolijker gestaan. Hij knikte de arts toe dat hij door kon gaan en stelde zich bescheiden op in de hoek van de kamer. Het was duidelijk dat hij al wist wat de arts ging vertellen.

'Wat bedoelt u? Gaat ze dood?'

'Zonder uw tussenkomst was ze absoluut doodgegaan. We hebben een middel in haar bloed gevonden dat verlammend werkt op je spieren.'

'We hebben het vermoeden dat iemand heeft geprobeerd haar te vermoorden door het in haar infuus te spuiten,' vulde Clement recht voor zijn raap aan.

'Wát zegt u nou?'

Voor Fiona van de eerste schok was bekomen, nam de arts het woord alweer over.

'Het gaat om een verdovend middel dat nauwelijks traceerbaar is omdat enzymen in het menselijk lichaam het vrijwel meteen afbreken. De moordenaar zal daarom voor dit middel gekozen hebben, ervan uitgaand dat hij ermee weg zou komen bij gebrek aan bewijs. Maar doordat u zo snel alarm heeft geslagen, hebben we het bloed van uw vriendin kunnen afnemen voordat het middel volledig door haar lichaam was afgebroken. Daardoor waren we in staat om nog kleine restanten op te sporen.'

'Maar wie zou Marit in hemelsnaam willen vermoorden? Brian is de enige die daarvoor in aanmerking zou komen, maar die is dood.'

'Hebt u iets verdachts gezien toen u een paar uur geleden richting Marits kamer liep?' Clement keek haar doordringend aan. 'Denk goed na alstublieft.'

'Nee, ik... wacht eens even, ik heb wel iets gezien! Er liep een dokter langs de lift toen ik eruit kwam. Het leek alsof hij haast had.'

'Hebt u zijn gezicht gezien?'

'Nee, hij staarde naar de grond toen hij langs me liep.'

'Kleur van zijn haar? Lengte? Kleren?'

'Hij had blond steil haar waar wat gel in zat. Ik denk dat hij één meter negentig lang was en hij droeg een witte jas zoals alle dokters. Aan zijn voeten had hij rode Nike-gympen.'

Clement pakte meteen zijn telefoon en wilde gaan bellen, maar de arts stuurde hem naar de gang omdat zijn telefoon een storing kon veroorzaken op de medische apparatuur. Al snel was hij weer terug in de kamer.

'Denkt u dat die dokter die ik heb gezien iets te maken heeft met wat er met Marit is gebeurd?'

'Zou kunnen, zou kunnen,' antwoordde Clement. 'Mijn collega's bekijken op dit moment de bewakingsbeelden van de afgelopen uren om te zien of iemand die aan uw omschrijving voldoet het gebouw heeft verlaten. Ik heb voor de zekerheid een agent voor deze kamerdeur gezet. Als iemand echt heeft geprobeerd om uw vriendin te vermoorden dan is het niet ondenkbaar dat deze persoon terugkomt als hij verneemt dat zijn poging is mislukt.'

Fiona keek hem verschrikt aan en sprong overeind. Schichtig keek ze naar de deur. Hield het dan nooit op?

Clement richtte zijn blik op Marit en zuchtte. 'Het zou mooi zijn als ze wakker werd zodat ze ons kon vertellen wat er precies is gebeurd.'

'Dat is iets waar we allemaal op hopen. We blijven duimen,' mompelde de arts instemmend.

68

Voordat Fiona fatsoenlijk de kans had gekregen Marit uit de auto te helpen, stormden Sem en Lotte al naar buiten. Fiona probeerde haar vriendin nog wat te beschermen voor het kindergeweld, maar zonder resultaat. Sem hing al om zijn moeders middel en Lotte klampte zich vast aan een been. Ze trokken zich niets aan van haar bont en blauwe gezicht en andere kwetsuren. Marit probeerde de pijn te verbijten en begroette haar kinderen met tranen in haar ogen.
'Dag lieve schatjes van me, mama heeft jullie heel erg gemist.'
Haar moeder kwam aanlopen en verontschuldigde zich met een lach.
'Ik kon ze niet langer binnenhouden, sorry.'
'Gaan jullie maar vast met tante Fiona naar binnen, dan helpt oma mama even.'
Fiona strekte in een gul gebaar haar armen uit en ving de enthousiaste kinderen op.
'Dag mam,' begroette Marit haar moeder geëmotioneerd.
'Goed je te zien lieverd. In levenden lijve.'
Marit knikte terwijl ze een paar strompelige passen zette.
'Ik zou je zo graag even vasthouden, lieverd, maar ik weet niet zo goed waar ik je aan kan raken zonder dat ik je pijn doe.'
Marit stak haar hand uit en omsloot die van haar moeder. 'Dit kan ik wel aan,' grinnikte ze. 'Die stevige knuffel laat nog even op zich wachten vrees ik.'
Na een paar dagen IC en een week op de gewone ziekenhuisafdeling was ze sterk genoeg bevonden om de reis naar Nederland aan te kunnen. Ze had de politie een goede beschrijving kunnen geven van het gezicht van Brians broer en de zoektocht op basis van de vervaardigde compositietekening en de bewakingsbeelden was in volle gang.

Bijna was de man die haar had proberen te vermoorden ongezien weggekomen, maar doordat iemand bij de uitgang tegen hem op was gebotst, hadden ze een korte maar duidelijke glimp van zijn gezicht opgevangen. Het was zeer waarschijnlijk dat Fiona hem had zien weglopen toen ze de lift verliet om naar Marits kamer te lopen. Hoewel ze zijn gezicht niet had gezien, klopten de haarkleur en lengte met Marits omschrijving evenals de rode sneakers. Het zat Marit behoorlijk dwars dat ze de man nog steeds niet hadden opgepakt. Wat als hij erachter kwam dat ze de moordpoging had overleefd? Zou hij dan weer achter haar aan gaan? Moest ze de rest van haar leven over haar schouder blijven kijken om zeker te weten dat ze veilig was? Ze moest er maar niet te veel bij nadenken.

Voorlopig zou ze met de kinderen nog bij haar ouders blijven totdat haar pijnlijke lijf voldoende was hersteld om het huishouden en de zorg voor Sem en Lotte weer alleen aan te kunnen. Hoewel ze natuurlijk liever in haar eigen huis was, vond ze het een prettig idee dat ze voorlopig niet alleen zou zijn. Als ze omringd was door mensen was de kans een stuk kleiner dat haar of de kinderen iets zou overkomen.

Stijfjes liep ze verder richting de voordeur waar haar vader haar met een zowel blije als zorgelijke blik stond op te wachten.

'Dag pap, fijn je weer te zien.'

69

Ze had het overleefd die bitch. Hoe was dat in vredesnaam mogelijk? Woedend sloeg hij de krant dicht. Hij was er zo van overtuigd dat hij haar succesvol om zeep had geholpen zonder sporen achter te laten dat hij nog een paar dagen had bijgeboekt in zijn hotel. Nu ze op onverklaarbare wijze toch was bijgekomen, moest hij als de sodemieter maken dat hij wegkwam. Ze had zijn gezicht gezien en zijn bekentenis aangehoord. Als de politie hem op het spoor kwam, zou hij er gloeiend bij zijn. Abrupt stond hij op, legde tien euro onder het schoteltje en verliet het terras waar hij koffie zat te drinken. Hij hield een taxi aan en gaf het adres van zijn hotel. Het nomadenbestaan begon weer. Hij moest Frankrijk ongezien uit zien te komen. Liften leek vooralsnog de beste optie en ook de meest aanlokkelijke. Wie weet wat voor interessante mensen hij nu weer tegen het lijf zou lopen...

De taxi stopte voor het hotel en hij gaf de chauffeur een fooi. Hij trok zijn petje wat verder over zijn hoofd en liep zo nonchalant mogelijk de lobby in. Hij groette de man achter de receptie in vloeiend Frans en vroeg om zijn kamersleutel. Met de sleutel stevig in zijn hand geklemd nam hij de lift naar de derde verdieping waar zijn kamer zich bevond. Voordat hij de deur opende, keek hij om zich heen. Niemand te zien. Ook deze keer zou hij ongezien wegkomen. Hij was ze altijd te slim af.

Hij stapte zijn kamer binnen en zijn zelfgenoegzame grijns bevroor ter plekke op zijn gezicht. In de leunstoel in de hoek van de kamer zat een man in politie-uniform en naast hem stonden er nog twee met getrokken pistolen. Langzaam stak hij zijn handen in de lucht.

'*Je ne suis pas armé.*'

Hij keek razendsnel om zich heen en inventariseerde zijn ontsnappingsmogelijkheden. Hij kwam uit op nul. Dan bleef er nog maar één ding over. De gewapende agenten kwamen op hem af en probeerden hem te overmeesteren. Hij worstelde als een beest en wist zijn hand los te rukken. Hij ritste het noodvakje in zijn jas open en pakte in een vloeiende beweging de escapemogelijkheid die hij al jaren bij zich droeg. De capsule plakte aan zijn vochtige vingers en hij bracht hem naar zijn mond op het moment dat een van de agenten boven op hem sprong. De ander probeerde de capsule uit zijn hand te slaan, maar het was al te laat. Hij beet erop zonder na te denken. De bittere smaak van het gif drong zijn mond binnen en hij viel schuimbekkend neer. Zijn ogen draaiden weg. Hij was eindelijk vrij.

Epiloog

Marits telefoon ging. Zonder te kijken wie het was nam ze op. Ze werd bleek bij het horen van zijn stem. Ze hoorde zwijgend aan wat hij te vertellen had en verbrak de verbinding. Haar ouders en Fiona keken haar met gespannen gezichten aan.

'Ze hebben hem gepakt en hij is dood,' was het enige wat ze zei. Daarna begon ze te huilen. Van opluchting, maar ook van blijdschap dat ze haar leven weer met vertrouwen tegemoet kon zien. Het zou een tijdje duren voordat ze alle opgelopen trauma's van de afgelopen weken had verwerkt, maar ze wist zeker dat het haar ging lukken. Alle seinen stonden op groen en de toekomst was weer van haar. Ze sloot haar kinderen in haar armen en liet zich omringen door de mensen van wie ze hield. Dat was waar het om draaide en de rest kon haar gestolen worden.

Lees nu ook alvast een fragment uit

Bericht uit Parijs

van Guillaume Musso

ISBN 978 94 005 0221 5

Proloog

Een mobieltje?

In het begin zag je er het nut niet echt van in, maar om niet de indruk te wekken dat je ouderwets was, liet je je verleiden tot de aanschaf van een heel simpel model met een net zo eenvoudig abonnement. In het begin sprak je tot je eigen verrassing nogal luid in bijvoorbeeld het restaurant, de trein of op het terras van een café. Het was toch wel handig en ook een geruststellend idee om familie en vrienden altijd onder handbereik te hebben.

Zoals iedereen leerde je sms'jes te schrijven op een minuscuul toetsenbord en raakte je eraan gewend om die te pas en te onpas te versturen. En net als iedereen ruilde je je papieren agenda in voor een elektronisch exemplaar. Nauwgezet sloeg je in het geheugen alle nummers op van je kennissen, je familie en je minnaar. De nummers van je voormalige partners en de pincode van je bankpas heb je verborgen, de laatste vooral omdat je die weleens vergeet.

En ook al maakte je mobieltje foto's van belabberde kwaliteit, je maakte toch gebruik van de mogelijkheid. Het was altijd leuk om een paar grappige foto's bij de hand te hebben om te kunnen laten zien aan je collega's.

Dat deed trouwens iedereen. Het ding hoorde er helemaal bij in die tijd: de scheiding tussen privéleven, sociale activiteiten en werk vervaagde meer en meer. Het hier en nu van het dagelijks leven werd steeds belangrijker, veranderde voortdurend en dat betekende dat je je tijd heel anders moest gebruiken.

Een tijdje terug heb je je oude mobieltje ingeruild voor een smartphone: een wonder van techniek waarmee je kunt e-mailen, surfen en honderden apps kunt downloaden.

Op dat moment raakte je eraan verslaafd. Je smartphone zat bijna aan je hand geplakt en werd een verlengstuk van je lichaam, dat zelfs meegaat naar het toilet en de badkamer. Waar je ook maar bent, er gaat vrijwel geen halfuur voorbij zonder dat je een keer op het scherm kijkt of je misschien een oproep hebt gemist of een sms'je hebt gekregen van je minnaar of een bekende. En als je mailbox leeg is, dan check je even of er misschien iets onderweg is.

Net als het knuffelbeest uit je kindertijd geeft je smartphone je een veilig gevoel. Het scherm is zacht, rustgevend en verdovend. Hij staat altijd voor je klaar, je kunt onmiddellijk contact leggen met iedereen en alles is mogelijk...

Maar op een avond kom je thuis en voel je in je tas. Je beseft dat je mobieltje is verdwenen. Verloren? Gestolen? Nee toch, daar wil je niet eens aan denken. Je zoekt nog eens goed, maar opnieuw zonder succes. Je probeert jezelf ervan te overtuigen dat je hem op je werk hebt laten liggen. Helaas, je hebt hem nog gebruikt in de lift toen je vertrok, en ongetwijfeld ook nog in de metro en in de bus.

Verdomme!

In eerste instantie ben je natuurlijk ontzettend kwaad over het verlies van je toestel, maar dan realiseer je je gelukkig dat je die complete verzekering had afgesloten, die je beschermt tegen diefstal, verlies en schade. Dankzij je bonuspunten kun je morgen weer een supermodern toestel met touchscreen kopen.

Maar toch, om drie uur 's nachts lig je nog steeds wakker...

Je staat zachtjes op om de man die naast je ligt niet wakker te maken. In de keuken zoek je op het hoogste schap van de kast naar het aangebroken pakje sigaretten dat je daar hebt verstopt voor noodgevallen. Je steekt er snel een op en gezien de toestand waarin je verkeert, pak je er ook nog een glas wodka bij.

Balen...

Je zit ineengedoken op je stoel. Je hebt het koud omdat je het raam hebt opengezet vanwege de stank van de sigaret.

Je probeert erachter te komen wat er allemaal op je toestel staat: een paar video's, een stuk of vijftig foto's, je internetgeschiedenis, je adres (inclusief de toegangscode van de deur van de flat), het adres van je ouders, nummers van mensen die eigenlijk niet op je toestel zouden mogen staan, berichten waaruit je zou kunnen afleiden dat...

Doe niet zo idioot!

Je neemt nog een flinke trek en een slok wodka.

Waarschijnlijk staat er niets echt compromitterends op, maar je weet heel goed dat schijn bedriegt. Je maakt je vooral zorgen om de mogelijkheid dat je toestel in verkeerde handen terecht is gekomen.

Je hebt nu al spijt van bepaalde foto's, sommige mails en een aantal gesprekken. Het verleden, je familie, het geld, je seksleven... Als iemand een beetje zoekt en je kwaad wil berokkenen, dan vindt hij genoeg om je leven te ruïneren. Aan spijt heb je nu helaas helemaal niets.

Omdat je rilt van de kou, sta je op om het raam dicht te doen. Met je voorhoofd tegen de ruit gedrukt kijk je naar buiten en zie je links en rechts nog een paar lichtjes branden in het donker. Je beseft dat aan de andere kant van de stad misschien iemand naar het scherm van jouw mobieltje zit te staren en met veel genoegen rondneust in jouw privéleven en nauwgezet alle bestanden van je toestel doorzoekt naar jouw *dirty little secrets*.

1

De ruil

Er zijn mensen die zijn voorbestemd om elkaar tegen te komen. Het maakt niet uit waar ze zijn of waar ze naartoe gaan. Op een dag ontmoeten ze elkaar.
– Claudie Gallay

New York, luchthaven JFK
Een week voor Kerstmis

Zij
'En toen?'

'Toen gaf Rafael me een diamanten ring van Tiffany en vroeg me of ik met hem wilde trouwen.'

Met haar mobieltje tegen haar oor gedrukt loopt Madeline heen en weer voor de grote ruiten die uitzicht bieden op de landingsbaan. Vijfduizend kilometer verderop, in haar kleine appartement in het noorden van Londen, luistert haar beste vriendin ongeduldig naar haar verslag van haar romantische uitstapje naar de Big Apple.

'Hij heeft wel stevig uitgepakt, zeg!' concludeert Juliane. 'Weekendje Manhattan, kamer in het Waldorf, rondrit in een koets, een ouderwets huwelijksaanzoek...'

'Ja,' gaat Madeline opgetogen verder, 'het was allemaal perfect, het leek wel een film.'

'Misschien een beetje te perfect, zelfs?' plaagt Juliane.

'Kan die verwende mevrouw mij even uitleggen wat ze bedoelt met "te perfect"?'

Wat onhandig probeert Juliane zich te herstellen: 'Ik bedoel dat het misschien niet zo origineel was. New York, Tiffany, een wandeling in de sneeuw, de ijsbaan in Central Park... Allemaal nogal voorspelbaar, het is een beetje cliché!'

Een beetje gemeen gaat Madeline in de tegenaanval: 'Als ik het me goed herinner vroeg Wayne jou ten huwelijk toen hij terugkwam uit de kroeg, na een avond stevig drinken. Hij was straalbezopen en moest zelfs naar de wc om te kotsen nadat hij je om je hand had gevraagd. Of vergis ik me?'

'Oké, jij wint.' Juliane geeft zich over.

Madeline glimlacht terwijl ze naar de vertrekhal loopt en probeert om Rafael terug te vinden in de dichte menigte. Het is het begin van de kerstvakantie en duizenden mensen zijn naar het vliegveld gekomen, dat gonst als een bijenkast. Sommigen gaan hun familie bezoeken, anderen vertrekken naar paradijselijke oorden aan de andere kant van de wereld, ver weg van het grijze New York.

'Wacht eens,' gaat Juliane verder, 'je hebt me niet eens verteld wat je antwoord was.'

'Grapje zeker? Ik heb natuurlijk ja gezegd!'

'Heb je hem niet eerst een beetje in onzekerheid gelaten?'

'Onzekerheid? Juul, ik ben bijna vierendertig! Vind je niet dat ik lang genoeg heb gewacht? Ik hou van Rafael, we hebben nu twee jaar een relatie en we willen graag een kind. Over een paar weken gaan we het huis inrichten dat we samen hebben uitgezocht. Juliane, voor het eerst in mijn leven voel ik me veilig en gelukkig.'

'Dat zeg je waarschijnlijk alleen maar omdat hij naast je staat.'

'Nee!' roept Madeline lachend. 'Hij is onze bagage aan het inchecken. Ik zeg dat omdat ik het zo voel.'

Ze staat stil voor een kiosk. De koppen van de kranten die naast elkaar op de schappen liggen geven niet bepaald een florissant toekomstbeeld van de wereld: economische crisis, werkloosheid, politieke schandalen, sociale onrust, ecologische catastrofen...

'Ben je niet bang dat je leven met Rafael erg voorspelbaar wordt?' vraagt Juliane door.

'Hij is niet gek, hoor! Ik heb iemand nodig die degelijk is, betrouwbaar, loyaal. Om ons heen is alles onrustig, kwetsbaar en onzeker.

Dat wil ik niet in mijn relatie. Ik wil 's avonds thuiskomen en binnen mijn eigen vier muren een rustige en fijne plek vinden. Begrijp je dat?'

'Hmmm,' zucht Juliane.

'Met "hmmm" schiet je niets op, Juul. Dus ga maar eens shoppen voor een mooie jurk als je straks bruidsmeisje moet spelen!'

'Hmmm,' herhaalt de jonge Engelse desondanks, nu echter meer om haar emoties te verbergen dan om uiting te geven aan haar scepsis.

Madeline kijkt op haar horloge. Achter haar, bij de startbanen, staan de lichtgekleurde vliegtuigen in een rij op hun beurt te wachten om te vertrekken.

'Goed, ik hang nu op, want mijn vlucht gaat om halfzes en ik heb nog altijd mijn... mijn echtgenoot niet teruggevonden.'

'Je aanstaande echtgenoot,' corrigeert Juliane lachend. 'Wanneer kom je me opzoeken in Londen? Waarom niet dit weekend?'

'Daar heb ik ontzettend veel zin in, maar het zit er niet in. We landen heel vroeg op Charles de Gaulle en ik heb nauwelijks tijd om thuis een douche te pakken voordat de winkel opengaat.'

'Je verveelt je dus in elk geval niet!'

'Ik ben bloemist, Juul! De tijd voor Kerstmis is een van de perioden dat ik het meest verkoop.'

'Probeer dan maar wat te slapen tijdens de vlucht.'

'Doe ik! En ik bel je morgen,' belooft Madeline voor ze ophangt.

Hij

'Hou maar op, Francesca, ik heb absoluut geen zin om je te zien!'

'Maar ik ben maar twintig meter bij je vandaan, onder aan de roltrap...'

Met zijn mobieltje tegen zijn oor gedrukt fronste Jonathan zijn wenkbrauwen en liep naar de balustrade boven de roltrap. Onder aan de treden stond een jonge, slanke vrouw met bruin haar te bellen, met een kind aan haar hand, dat stevig was ingepakt in een iets te grote winterjas. Haar haar was lang, ze droeg een spijkerbroek die laag om haar heupen hing, een strak donsjack en een grote zonnebril die een deel van haar gezicht bedekte.

Jonathan zwaaide naar zijn zoon, die een beetje verlegen terugzwaaide.

'Stuur Charly naar me toe en hoepel op!' riep hij geërgerd.

Elke keer als hij zijn ex zag werd hij overvallen door een mix van woede en pijn. Hij kon niets doen tegen die heftige gevoelens, die hem tegelijkertijd boos en terneergeslagen maakten.

'Praat toch niet op zo'n toon tegen me!' protesteerde ze met een licht Italiaans accent in haar stem.

'En denk jij niet dat je me de les kunt lezen!' Hij explodeerde bijna van woede. 'Je hebt een keuze gemaakt en je moet nu de gevolgen daarvan accepteren. Je hebt je gezin verraden, Francesca! Je hebt mij en Charly bedrogen.'

'Laat Charly erbuiten!'

'Hem erbuiten laten? Terwijl hij ervoor opdraait? Vanwege jouw escapades ziet hij zijn vader maar een paar weken per jaar!'

'Het spijt...'

'En het vliegtuig!' onderbrak hij haar. 'Wil je dat ik je eraan herinner waarom Charly bang is om alleen in het vliegtuig te stappen? En dat ik daarom elke schoolvakantie het hele land moet oversteken?' Zijn stem ging steeds verder omhoog.

'Wat ons overkomt, Jonathan, dat is... zo gaat het nu eenmaal in het leven. We zijn volwassen mensen en het is niet zo dat de een goed is en de ander slecht.'

'De rechter dacht er duidelijk anders over,' antwoordde Jonathan opeens mat, en hij refereerde daarbij aan de scheiding die in het nadeel van zijn ex-vrouw was uitgevallen.

Peinzend keek Jonathan naar de asfaltvlakte van het vliegveld. Het was pas halfvijf, maar het zou niet lang meer duren voor het donker werd. Op de verlichte startbanen stond een indrukwekkende rij grote vliegtuigen te wachten op toestemming van de verkeerstoren om op te stijgen voor een vlucht naar Barcelona, Hong Kong, Sydney of Parijs...

'Goed. Genoeg gepraat,' ging hij verder. 'De school begint weer op 3 januari en ik breng Charly op de avond ervoor bij je terug.'

'Akkoord,' zei Francesca, 'maar één ding nog: ik heb een mobieltje voor hem gekocht, zodat ik hem altijd kan bereiken.'

'Je maakt zeker een grapje! Geen sprake van! Als je zeven bent, dan heb je geen mobieltje!' antwoordde hij kwaad.

'Daarover kun je discussiëren,' wierp ze tegen.

'Als je daarover kunt discussiëren, dan had je die beslissing niet in je eentje moeten nemen. We kunnen het er later misschien een keer over hebben, maar voor nu pak je dat ding weer in en stuur je Charly mijn kant op!'

'Goed,' zei ze zachtjes, en ze gaf het op.

Jonathan boog over de leuning, kneep zijn ogen tot spleetjes en zag dat Charly een gekleurd mobieltje teruggaf aan Francesca. Toen omhelsde de kleine jongen zijn moeder en stapte een beetje aarzelend op de roltrap.

Jonathan duwde een paar reizigers aan de kant om zijn zoon op te vangen.

'Dag papa.'

'Dag kleine vent,' zuchtte hij, en hij nam hem in zijn armen.

Beiden

De vingers van Madeline vlogen over de toetsen van haar mobieltje. Met haar toestel in de hand liep ze langs de vitrines van de taxfreezone en tikte bijna zonder te kijken een sms'je als antwoord aan Rafael. Haar partner had hun bagage ingecheckt, en stond nu in de rij voor de veiligheidscontrole. Madeline stelde voor dat ze elkaar in de cafetaria zouden ontmoeten.

'Papa, ik heb een beetje honger. Mag ik alsjeblieft een broodje?' vroeg Charly beleefd.

Met zijn hand op de schouder van zijn zoon liep Jonathan door het labyrint van staal en glas naar de gate. Hij haatte vliegvelden, vooral in deze tijd van het jaar. Kerstmis en vliegvelden herinnerden hem aan de rampzalige omstandigheden waaronder hij twee jaar eerder had gehoord over het bedrog van zijn vrouw. Maar nu was hij blij dat hij Charly had teruggevonden en hij pakte hem op bij zijn middel.

'Een broodje voor deze jongeman,' riep hij opgewekt toen ze afsloegen in de richting van het restaurant.

De Hemelpoort was de grootste cafetaria van het vliegveld en werd gevormd door een atrium met verschillende vitrines met een groot assortiment aan lekkere hapjes.

Een stuk chocoladecake of een pizza? Madeline bekeek het buffet en vroeg zich af wat ze zou nemen. Natuurlijk zou een stuk fruit veel beter zijn, maar ze barstte van de honger. Ze legde het stuk cake op haar dienblad en zette het bijna net zo snel weer terug toen haar Jiminy Cricket het aantal calorieën van dit lekkere hapje in haar oor fluisterde. Een beetje teleurgesteld pakte ze een appel uit het gevlochten mandje, bestelde een thee met citroen en liep door naar de kassa om te betalen.

Een ciabatta, pesto, gedroogde tomaten, parmaham en mozzarella... het water liep Charly in de mond toen hij zijn Italiaanse broodje zag. Al sinds hij heel klein was, had hij zijn vader vergezeld naar de keukens van allerlei restaurants en dat had zijn grote belangstelling voor lekkere dingen ontwikkeld, net als zijn interesse in de meest uiteenlopende smaken.

'Let op dat je je dienblad niet omgooit,' zei Jonathan tegen hem toen hij hun hapje had afgerekend. De jongen knikte met zijn hoofd en probeerde zijn broodje en zijn flesje water in evenwicht te houden.

Het restaurant was vol. De ovale ruimte strekte zich uit langs een glaswand die rechtstreeks uitzicht bood op startbanen.

'Waar gaan we zitten, papa?' vroeg Charly een beetje wanhopig in alle drukte. Jonathan keek wat ongerust rond in de menigte die zich een weg zocht tussen de stoelen. Er waren duidelijk meer mensen dan vrije plaatsen. Opeens kwam er een tafeltje vrij bij het raam.

'We zetten koers naar het oosten, scheepsjongen!' zei hij met een knipoog naar zijn zoon.

Terwijl hij snel die kant op liep, hoorde hij in de kakofonie van lawaai zijn mobieltje afgaan. Hij twijfelde of hij zou opnemen. Hoewel hij zijn handen vol had aan de rolkoffer en het dienblad, probeerde hij toch het toestel uit zijn jaszak te vissen. Maar...

'Wat een drukte!' verzuchtte Madeline toen ze de vloedgolf van passagiers zag die het restaurant overspoelde. Ze had gehoopt op een ogenblikje rust voor haar vlucht, maar nu zag het ernaar uit dat ze zelfs niet eens een tafeltje zou vinden om aan te gaan zitten.

Ai! Ze kon nog net voorkomen dat ze het uitschreeuwde toen een onbeschofte puber op haar voet trapte zonder een woord van excuses. Kleine smeerlap, dacht ze bij zichzelf, en ze wierp het meisje een blik toe, die werd beantwoord met een discreet opgestoken, betekenisvolle middelvinger.

Madeline had niet eens de tijd om zich er druk over te maken. Ze zag net een vrij tafeltje bij de glaswand en haastte zich om die mooie plek niet voor haar neus te laten wegkapen. Ze was nog maar drie meter van haar doel, toen haar mobieltje in haar tas begon te trillen.

Niet nu!

Ze wilde eerst niet opnemen, maar realiseerde zich dat het waarschijnlijk Rafael was die op zoek was naar haar. Onhandig pakte ze haar dienblad met één hand vast. Wat was die theepot zwaar! Met haar andere hand zocht ze in haar tas om uiteindelijk haar mobieltje terug te vinden tussen haar enorme bos sleutels, haar agenda en de roman waarin ze aan het lezen was. Ze wrong zich in alle mogelijke bochten om het toestel in te drukken en tegen haar oor te houden...

Madeline en Jonathan botsten vol op elkaar. Theepot, appel, broodje, flesje cola, glas wijn... alles vloog door de lucht en belandde uiteindelijk op de grond. Verrast door de schok liet Charly zijn blad vallen en begon te huilen.

Wat een domme trut, dacht Jonathan woedend toen hij moeizaam weer overeind kwam.

'Kunt u niet uitkijken waar u loopt?' schreeuwde hij.

Wat een hufter, dacht Madeline nijdig terwijl ze probeerde haar kalmte te bewaren.

'Aha! En het is ook nog eens mijn fout? Draai de zaken niet om, beste vriend!' riep ze naar hem voordat ze op de grond haar telefoon, haar tas en haar sleutels bij elkaar graaide.

Jonathan boog zich naar zijn zoon om hem gerust te stellen en pakte het broodje op, dat was beschermd door de plastic verpakking, het flesje water en zijn mobieltje.

'Ik heb dit tafeltje het eerst gezien,' zei hij. 'We zaten al bijna toen u als een lawine over ons heen viel zonder zelfs...'

'U maakt een grapje? Ik zag deze tafel veel eerder dan u!'

'Kan me niet schelen, u bent alleen en ik ben hier met een kind.'

'Wat een excuus! Ik zie niet in waarom het hebben van een kind je het recht geeft om me omver te duwen en mijn blouse naar de verdommenis te helpen!' riep Madeline toen ze de wijnvlek op haar wikkelbloes ontdekte.

Jonathan schudde vol ongeloof zijn hoofd en keek omhoog. Hij deed zijn mond open om te protesteren, maar Madeline was hem voor.

'En overigens, ik ben niet alleen!' zei ze toen ze Rafael opmerkte.

Jonathan haalde zijn schouders op en pakte Charly bij zijn hand.

'Kom, we gaan ergens anders heen. Rare trut...' zei hij toen ze het restaurant uit liepen.

Vlucht Delta 4565 startte om vijf uur in New York voor de reis naar San Francisco. Door de vreugde over het weerzien met zijn zoontje vloog de tijd voorbij voor Jonathan. Sinds de scheiding van zijn ouders had Charly een panische angst voor vliegtuigen. Hij kon absoluut niet alleen reizen of slapen tijdens de vlucht. De zeven uur durende reis werd dus gebruikt voor het uitwisselen van verhaaltjes, het vertellen van grappige gebeurtenissen en om voor de twintigste keer de hele film van *Lady en de Vagebond* te bekijken op het scherm van de laptop, onder het genot van bakjes roomijs van Häagen-Dazs. Die waren normaliter alleen bestemd voor de businessclass, maar de begripvolle stewardess was gevallen voor het lieve koppie van Charly en de onhandige charme van zijn vader en overtrad met plezier de regels.

Vlucht Air France 29 vertrok om halfzes van luchthaven JFK. Rafael had alles natuurlijk goed geregeld en in de serene luxe van de businessclass zette Madeline haar fototoestel aan en bekeek een voor een de beelden die ze had gemaakt van hun uitstapje naar New York. Lekker tegen elkaar gedrukt beleefde het verliefde stel met veel genoegen opnieuw de beste momenten van het voorschot op hun huwelijksreis. Daarna deed Rafael zijn ogen dicht voor een dutje, terwijl Madeline voor de zoveelste keer de oude comedy *The Shop Around the Corner* van Lubitsch bekeek op het scherm van de video on demand.

Dankzij het tijdsverschil was het nog geen negen uur 's avonds toen het vliegtuig met Jonathan landde in San Francisco.

Eindelijk bevrijd van zijn angst, sliep Charly in de armen van zijn vader al in toen ze het vliegtuig nauwelijks hadden verlaten. In de aankomsthal zocht Jonathan naar zijn vriend Marcus, met wie hij een kleine Franse brasserie dreef in het centrum van North Beach. Hij zou hen komen ophalen met de auto. Jonathan ging op zijn tenen staan om over de hoofden heen te kijken.

'Het zou me verbaasd hebben als hij op tijd was geweest,' bromde hij.

Ten einde raad pakte hij zijn mobieltje om te zien of hij een berichtje had gekregen. Zodra hij de modus 'vliegtuig' had uitgezet, verscheen er een bericht op het scherm:

Welkom in Parijs, chérie! Ik hoop dat je een beetje bent uitgerust tijdens de vlucht en dat Rafael niet te veel heeft gesnurkt ;-)

Sorry voor net: ik ben heel erg blij dat je gaat trouwen en dat je de man hebt gevonden die je gelukkig maakt. Ik beloof je dat ik er alles aan zal doen om mijn rol als bruidsmeisje zo goed mogelijk te vervullen!

Je beste vriendin voor altijd, Juliane

Wat was dat voor een geneuzel? Hij las het sms'je nog een keer. Een of andere rare grap van Marcus? Een paar seconden was hij daar zeker van, maar toen keek hij eens beter naar zijn toestel: hetzelfde model, dezelfde kleur, maar... het was niet die van hem! Een snelle blik op het e-mailaccount maakte duidelijk wie de eigenaar was: Madeline Greene, en die woonde in Parijs.

Wat een ellende, dacht hij bij zichzelf. Het is het mobieltje van die griet op JFK!

Madeline keek op haar horloge terwijl ze een geeuw onderdrukte. Halfzeven 's ochtends. De vlucht had slechts iets meer dan zeven uur geduurd, maar met het tijdsverschil landde het toestel op zaterdagmorgen in Parijs. Roissy Charles de Gaulle ontwaakte snel. Net als in New York hadden de vakantiegangers ondanks het vroege uur het vliegveld al in bezit genomen.

'Weet je zeker dat je vandaag wilt gaan werken?' vroeg Rafael toen ze bij de bagageband stonden.

'Natuurlijk, schat,' zei ze terwijl ze haar mobieltje aanzette om te kijken of ze nog berichtjes had. 'Ik durf te wedden dat er al verschillende bestellingen liggen te wachten.'

Ze luisterde eerst haar voicemail af, waarop een trage, slaperige en totaal onbekende stem een bericht had ingesproken: 'Hallo Jon, Marcus hier. Eh... ik heb een probleempje met de Renault 4: lekkende olie die... Nou ja, ik leg het je later wel uit. In elk geval kom ik waarschijnlijk wat later. Sorry...'

Wie was die vreemde snuiter, vroeg ze zich af toen ze weer ophing. Iemand die een verkeerd nummer had ingetoetst? Hmmm...

Twijfelend keek ze eens goed naar haar toestel: het was hetzelfde merk en het had dezelfde kleur... maar het was niet dat van haar.

'Verdomme!' riep ze uit. 'Het is het toestel van die mafkees op het vliegveld!'

Ontdek de beste en mooiste nieuwe boeken met de gratis *Lees dit boek*-app

Wilt u als eerste de beste en mooiste nieuwe boeken ontdekken?
Vaak nog voordat die boeken zijn verschenen en de pers erover heeft geschreven? Download dan gratis de *Lees dit boek*-app voor iPhone en iPad via www.leesditboek.nl.

Blijft u graag op de hoogte van de nieuwste spannende boeken?
Volg ons dan via www.awbruna.nl, **f** en **B** en meld u aan voor de spanningsnieuwsbrief.